KYAT-BIRMANIE

LA VOIX DU DÉFI

Aung San Suu Kyi
Prix Nobel de la Paix

U Kyi Maung et U Tin Oo
Vice-présidents de la Ligue nationale pour la démocratie

La voix du défi

Conversations avec Alan Clements

Traduit de l'anglais par
Françoise Marchand-Sauvagnargues

Stock

Titre original :
The Voice of Defiance

BIRMANIE

(Source : Burma The Alternative Guide)

CHRONOLOGIE

IXe siècle : La civilisation des Pyus est détruite par les tribus thais du Nantchao. En Basse-Birmanie, domination des Môns, en Birmanie centrale, royaume birman. **XVIe siècle :** suzeraineté birmane sur les Chans et les Môns.

1886 : La Birmanie devient province de l'empire des Indes. Le nationalisme birman se développe progressivement.

1942 : Les Japonais entrent en Birmanie avec l'Armée de l'indépendance birmane, commandée par Aung San.

1943 : Aung San est ministre de la Guerre dans la Birmanie indépendante occupée par les Japonais, contre lesquels l'armée birmane se soulève le **27 mars 1945.** La Ligue antifasciste de libération populaire s'oppose aux Britanniques.

19 juillet 1947 : Aung San est assassiné.

4 janvier 1948 : Proclamation de l'indépendance, naissance de l'Union de Birmanie, dont U Nu est le Premier ministre jusqu'en 1962. Son gouvernement est confronté à l'opposition des communistes et à la rébellion karène.

2 mars 1962 : Le général Ne Win prend le pouvoir par un coup d'Etat.

20 mars 1964 : le Parti du programme socialiste birman (BSPP) devient parti unique.

1974 : promulgation de la nouvelle Constitution, naissance de la République socialiste de l'Union de Birmanie.

1975 : Regroupement des mouvements ethniques dans un Front démocratique national.

1988 : Manifestations antigouvernementales suivies de l'instauration de la loi martiale et d'une répression sanglante. **26 août 1988** : discours d'Aung San Suu Kyi à la pagode Shwedagon. **18 septembre 1988** : instauration du Conseil national pour le rétablissement de l'ordre public (Slorc). **27 septembre 1988** : fondation de la Ligue nationale pour la démocratie (NLD).

20 juillet 1989 : Aung San Suu Kyi est placée en résidence surveillée où elle est maintenue jusqu'au 15 juillet 1995.

27 mai 1990 : Elections générales remportées par l'opposition.

Décembre 1990 : Constitution du Gouvernement de coalition nationale de l'Union de Birmanie.

Entre **1989** et **1996** : le Slorc obtient une quinzaine de cessez-le-feu avec les groupes rebelles (Kachins, Môns, Karens et dernièrement Chans).

Avril 1996 : Rapport devant la Commission des droits de l'homme des Nations unies faisant état de l'usage de la torture et du travail forcé en Birmanie. **Août 1996** : la Birmanie entre au Forum régional de l'Association des nations d'Asie du Sud-Est (Asean).

INTRODUCTION

Ce livre n'a d'autre prétention que son intention initiale : transcrire une exceptionnelle série de conversations avec une femme unique, la plus célèbre dissidente politique du monde actuel, Aung San Suu Kyi. Cette dernière a reçu le prix Nobel de la paix et de nombreuses autres récompenses internationales prestigieuses pour le combat non violent qu'elle mène courageusement en faveur de la justice, de la liberté et de la démocratie en Birmanie. Pour Vaclav Havel, Aung San Suu Kyi est «l'un des plus remarquables exemples du pouvoir des sans-pouvoir».

Aung San Suu Kyi raconte son histoire au fil de conversations qui se sont déroulées pendant neuf mois – d'octobre 1995 à juin 1996 – chez elle à Rangoon. Cette femme extraordinaire nous offre ainsi avec ses propres mots un aperçu rare sur ses valeurs et sa philosophie. Elle explique pourquoi elle a choisi de tout risquer pour rejoindre, et finalement diriger, la lutte menée par le peuple birman, «un grand nombre d'hommes et de femmes qui risquent quotidiennement leur vie pour des principes et des droits qui puissent leur assurer... une dignité d'existence». Ce livre est un voyage dans l'âme de cette lutte, ancrée dans le contexte instable de la Birmanie d'aujourd'hui, une nation d'Asie du Sud-Est de quarante-cinq millions d'habitants qui, à cet instant précis, mettent leur vie en péril pour conquérir le droit de choisir leur destin.

Les circonstances dans lesquelles ce livre a été élaboré sont complexes et méritent quelque explication, ne serait-ce que pour mieux comprendre la crise elle-même.

Je me trouvai mêlé pour la première fois aux affaires birmanes en 1977. Muni d'un permis de séjour limité à sept jours, je venais étudier la possibilité d'être ordonné moine bouddhiste et de résider dans un monastère pour pratiquer la *dhamma* – les enseignements du Bouddha. Je savais seulement de la Birmanie qu'elle conservait une ancienne culture bouddhiste, approximativement un million de moines et de nonnes vivant à l'intérieur d'environ cinq mille monastères dispersés dans tout le pays. Je découvris avec surprise que le pays était aussi un «état de terreur» totalitaire mené par le général Ne Win – un dictateur xénophobe, excentrique et impitoyable.

En mars 1962, ayant pris le pouvoir à la faveur d'un coup d'Etat militaire, le nouveau Conseil révolutionnaire du général Ne Win avait suspendu la Constitution et immédiatement interdit l'accès du pays à tout regard étranger. Encourageant une politique isolationniste qu'il appela la «voie birmane vers le socialisme», il expulsa les journalistes étrangers, nationalisa la plupart des organismes économiques et industriels, musela la presse et instaura un Etat policier fondé sur la peur, la répression et la torture.

A l'expiration de mon visa, je quittai la Birmanie, déterminé à y revenir pour réaliser mon souhait de pratiquer le bouddhisme sous la conduite des moines, dans cette tradition vieille de deux mille cinq cents ans. En 1979, j'obtins un visa de long séjour «monastique», et l'autorisation de devenir moine. J'ai résidé dans un monastère à Rangoon la plus grande partie des huit années suivantes, au cours desquelles j'ai senti monter la tension. Des visiteurs nous parlaient fréquemment de leur sensation d'impuissance et de leur désespoir, de la corruption et des privations qu'ils subissaient. A deux reprises durant cette période, certains billets furent retirés de la circulation, ce qui se traduisit par une dévalorisation de la monnaie d'environ 70 %. Comme les monastères dépendent du soutien de la population, nous en avons ressenti immédiatement l'impact, notre approvisionnement en vivres se trouvant réduit d'une façon drastique. Peu après, on m'a refusé la prolongation de mon visa, j'ai donc quitté le monastère et je suis rentré aux Etats-Unis.

En mars 1988, de petits groupes d'étudiants birmans descendirent dans les rues de Rangoon, réclamant un changement politique radical. Défier la dictature de Ne Win constituait un acte sans précédent, et les résultats de cette courageuse confrontation étaient prévisibles. Au cours d'un seul incident, quarante et un étudiants blessés moururent étouffés dans un fourgon de police. Ces cruautés ne firent que stimuler la détermination et l'engagement du mouvement qui gagna progressivement du terrain.

A la fin de mars, Aung San Suu Kyi, qui résidait à Oxford avec son mari, le Dr Michael Aris, universitaire britannique, et leurs fils, Alexander et Kim, reçut un appel téléphonique décisif lui apprenant que sa mère venait de souffrir d'une grave attaque. En quelques jours Aung San Suu Kyi, qui avait effectué des visites régulières en Birmanie durant ses vingt-trois ans de résidence à l'étranger, était de retour à Rangoon au chevet de sa mère mourante. Son père Aung San, dirigeant birman le plus célèbre et le plus révéré, avait été assassiné après avoir mené son pays à l'indépendance nationale en 1947, mettant ainssi un terme à cent cinquante ans de domination coloniale.

Le 23 juillet, à l'étonnement et à la jubilation de la nation entière, Ne Win annonça au cours d'une allocution télévisée qu'il démissionnait de son parti, le Parti du programme socialiste birman (BSPP), et réclama un référendum sur l'avenir politique de la Birmanie. Après trois décennies d'un régime de fer, le peuple fut galvanisé par cette inimaginable décision. Mais les rêves d'un rapide transfert de pouvoir d'une dictature à une démocratie authentique furent tués dans l'œuf, car les membres du parti de Ne Win firent immédiatement opposition à sa demande. Indignés, et dans un magnifique élan de défi, des millions de citoyens entreprirent des marches pacifiques dans toutes les villes du pays, exigeant un gouvernement intérimaire civil, un multipartisme démocratique, des élections libres et le rétablissement des libertés civiques fondamentales. Tandis que les manifestations prenaient de l'ampleur, les commandants de l'armée fidèles à Ne Win répondirent par l'envoi de milliers de troupes d'infanterie d'élite ayant ordre de tuer.

«Des milliers d'entre nous se sont mis à genoux devant les soldats, raconta plus tard une étudiante. Nous leur chantions : nous vous aimons ; vous êtes nos frères ; tout ce que nous voulons est la liberté ; vous êtes l'armée populaire ; venez avec nous.» Le bilan de ce qu'on appela le «Massacre du 8 août 1988» fut tragique, dépassant même le carnage qui eut lieu un an plus tard en Chine sur la place Tiananmen. Conséquences du bain de sang : plusieurs milliers de manifestants sans armes furent tués, des centaines d'autres blessés, et des milliers emprisonnés.

Mais de cette obscurité étouffante surgit une lueur d'espoir. Le 26 août 1988, lors d'un meeting rassemblant une foule estimée à 500 000 personnes, sur l'esplanade de la pagode Shwedagon, à Rangoon, Aung San Suu Kyi annonça sa décision de s'engager dans la lutte pour la démocratie. « Ce grand combat est né de l'intense et profond désir du peuple pour un système parlementaire pleinement démocratique, expliqua-t-elle. Je ne pouvais pas, étant la fille de mon père, rester indifférente à tout ce qui se passait. »

Le mouvement commença à recueillir un soutien énorme. Dans sa campagne inspirée, Aung San Suu Kyi avançait sur les traces du Mahatma Gandhi et de Martin Luther King Jr, employant les tactiques de la non-violence et de la désobéissance civile en faveur de la démocratie. Son message, qui fait appel essentiellement à la responsabilité personnelle, enraciné dans le bouddhisme, devenait une noble idéologie politique qu'elle appelle la « révolution de l'esprit » birmane.

Le 18 septembre 1988, alors que des changements démocratiques semblaient imminents, Ne Win, des coulisses, eut recours à l'armée pour reprendre le pays en main en organisant un coup d'Etat. Il livra le régime birman à un groupe de vingt et un commandants militaires, connu sous le nom de Conseil national pour le rétablissement de l'ordre public (Slorc). Le Slorc rétablit la loi martiale : les rassemblements de plus de quatre personnes furent passibles d'emprisonnement ; le couvre-feu fut décrété et les tribunaux militaires remplacèrent les tribunaux civils. Embrasant une nation déjà pleine d'amertume après les massacres d'août, les mesures de répression du Slorc entraînèrent des milliers d'arrestations.

Le Slorc agita une carotte pour apaiser la violence en annonçant des « élections pluralistes libres et impartiales » au printemps de 1990. En trois mois, plus de deux cents partis s'inscrivirent au comité électoral du Slorc. La Ligue nationale pour la démocratie (NLD), dont Aung San Suu Kyi et plusieurs de ses plus proches collègues étaient les cofondateurs, était de loin le plus puissant et le plus populaire.

Tandis que l'armée harcelait brutalement les partisans des partis démocratiques, observateurs et dirigeants démocratiques comprirent vite que le rameau d'olivier brandi par le Slorc n'était qu'une mascarade. En 1989 et 1990, selon le *New York Times,* plus de cinq cent mille citoyens birmans furent déplacés de force des grands centres urbains vers des «villes satellites» ravagées par les maladies. Les zones vidées par le Slorc étaient connues comme des bastions du mouvement démocratique et abritaient les partisans d'Aung San Suu Kyi.

Le 27 mai 1990 les élections eurent lieu et le parti d'Aung San Suu Kyi, la NLD, remporta une victoire écrasante, obtenant 392 des 485 sièges à pourvoir – plus de 80 % des suffrages. Entre-temps, le 20 juillet 1989, Aung San Suu Kyi avait été placée en résidence surveillée et d'autres dirigeants du parti incarcérés. Au lieu de transmettre le pouvoir aux députés élus comme promis, le Slorc déclencha une répression qui toucha tout le pays, emprisonnant de nombreux députés élus. Certains prirent le chemin de l'exil, d'autres furent réduits au silence de diverses manières.

Depuis cette période turbulente, bien des événements se sont produits en Birmanie, trop nombreux pour être racontés. Un fait ressort. Libérée le 11 juillet 1995 au bout de six ans de résidence surveillée, Aung San Suu Kyi m'a dit franchement au cours de notre première conversation, quatre mois après : «Rien n'a changé depuis ma libération...

Que le monde sache que nous sommes toujours prisonniers dans notre propre pays.»

C'est là que l'histoire commence, dans l'atmosphère terriblement oppressante de la Birmanie du Slorc, une prison totalitaire, une nation retenue en otage ; et du fond de cette prison, la voix du défi, espérant se faire entendre.

A mon arrivée en Birmanie en octobre 1995, je n'avais jamais rencontré Aung San Suu Kyi et je ne lui avais jamais parlé. Pourtant elle ne m'était pas inconnue. Pendant les six années précédentes, j'avais écrit un livre sur la crise dans son pays, intitulé *Burma : The Next Killing Fields ?* («Birmanie : Les prochains champs de la mort?») ; j'avais rassemblé les éléments d'un deuxième ouvrage dont j'étais le coauteur, un document photographique intitulé *Burma's Revolution of the Spirit* («La Révolution de l'esprit en Birmanie»). J'avais également servi de conseiller pour *Au-delà de Rangoon,* un film réalisé par John Boorman décrivant la lutte en Birmanie, dont j'avais révisé le scénario. Plus encore, j'ai regardé des heures de vidéocassettes sorties de Birmanie sous le manteau. J'ai lu de nombreux discours d'Aung San Suu Kyi et posé des questions sur elle à tous ceux que j'ai pu rencontrer qui la connaissaient ou l'avaient eux-mêmes côtoyée. J'ai étudié largement le mouvement démocratique birman, en particulier ses liens avec le bouddhisme. Et dans tout ce que j'avais appris, Aung San Suu Kyi me fascinait, comme tant d'autres. Elle m'offrait, comme à tous, une grande vision qui place le respect de soi-même, la dignité humaine, la compassion et l'amour au-dessus des considérations matérielles et économiques.

Je ne savais rien d'elle sur le plan personnel et, en dehors des quelques faits historiques fondamentaux appartenant à son passé – faits qui sont rapportés dans ce livre, dans ses propos ou dans les miens –, la vie privée d'Aung San Suu Kyi reste hors d'atteinte du regard public. Placée en résidence surveillée, séparée de sa famille pendant des années, elle est restée silencieuse, et elle est devenue un mythe, une légende. Enfin libérée, elle a retrouvé le ton du défi, agit avec audace pour que s'ouvrent les portes de prison du totalitarisme du Slorc, et rien ne l'arrêtera.

C'est cette Aung San Suu Kyi que j'ai connue, une femme dynamique à la conviction inébranlable, inséparable de ses principes et soutenue par le sens de la justice et le sentiment du devoir. Elle abhorre l'hypocrisie, tout en reconnaissant ses propres manques. Sa compassion est tangible. La qualité qui, selon moi, la définit le mieux est la «sincérité», au cœur de laquelle réside la conviction dans le développement personnel. Aung San Suu Kyi est quelqu'un qui cherche – un pèlerin de l'âme – qui fait de sa vie le véhicule d'un éveil à des vérités plus profondes et plus grandes. Elle porte sa spiritualité tranquillement, sans prétention et avec subtilité, mais avec une simplicité qui la rend d'autant plus exquise. Elle rit facilement et librement. Aung San Suu Kyi ressemble à une fine porcelaine, ses traits ont une beauté aussi classique qu'un haïku japonais; rien n'est déplacé, ni les fleurs dans ses cheveux, ni la robe birmane traditionnelle aux plis parfaits qu'elle porte avec tant d'élégance. Sa voix est harmonieuse et douce, ses tonalités ponctuées avec le talent d'un musicien. Ses mots sont simples, si simples parfois qu'ils vous prennent par surprise, pourtant dépourvus de la moindre équivoque. Elle est droite et directe.

A-t-elle des défauts? Elle serait la première à l'admettre. Ai-je été satisfait de mes conversations avec elle? En fin de compte, je voulais plus qu'elle ne voulait donner. Aung San

Suu Kyi est une femme farouchement secrète, qui préserve sa vie personnelle et tout aspect de son monde intérieur qu'elle estime privé. J'ai trouvé que dans certains domaines elle ressemblait à un caveau scellé et dans d'autres à un monde infiniment accessible. Lentement, j'ai découvert que mon désir d'autre chose, c'était moi qui le créais, pas elle. Elle déclara lors de notre première conversation : «Demandez-moi ce que vous voulez, mais j'espère que vous me permettrez de répondre de la manière qui me conviendra.» Aung San Suu Kyi est elle-même dans toute sa force et c'est ce que j'ai le plus apprécié de nos rencontres, une femme qui jouit de sa souveraineté et de son bonheur, et en même temps se bat pour l'indépendance des autres.

Ce livre se clôt par deux conversations avec les principaux collègues d'Aung San Suu Kyi, U Tin Oo et U Kyi Maung. Ces deux hommes jouent un rôle éminent dans la Ligue nationale pour la démocratie (NLD), le parti qu'Aung San Suu Kyi a fondé avec eux en septembre 1988. Leur inclusion dans cet ouvrage fut la seule condition imposée par Aung San Suu Kyi : «Je m'engagerai dans ce projet, m'expliqua-t-elle lors de notre première rencontre, seulement si mes deux chers collègues y figurent aussi, et bien sûr, s'ils acceptent le projet. Si vous obtenez leur approbation, alors je m'engage totalement.»

Leur contribution éclaire davantage Aung San Suu Kyi elle-même; elle donne aussi une dimension dynamique à leur engagement commun dans le combat pour la démocratie.

Cette introduction serait incomplète sans quelques mots concernant l'agencement de ce livre – une série de conversations, dans leur intégrité, telles qu'elles se sont réellement déroulées. A l'origine mon projet était de les conduire en suivant un ordre strict, thématique et chronologique. Cependant, une fois en Birmanie, j'ai dû abandonner ce schéma. Je n'imaginais pas à quel point la situation allait devenir explosive malgré la libération d'Aung San Suu Kyi. Il faut comprendre qu'elle a été et reste confrontée à tout moment à l'éventualité d'une nouvelle arrestation. De plus, je risquais d'être expulsé du pays d'une heure à l'autre. (En fait je suis désormais définitivement indésirable en Birmanie ainsi que j'en ai été informé lors d'une récente demande de visa auprès de l'ambassade à Paris.) Nous savions parfaitement que chacune de nos conversations pouvait être la dernière. Tenant compte de ces éléments, j'ai préféré couvrir à chaque séance un large champ de sujets plutôt que me concentrer sur un thème particulier. Ainsi vous lisez ce qui s'est passé. Seules quelques légères modifications de rédaction, approuvées par Aung San Suu Kyi elle-même, ont été apportées à la transcription de nos entretiens.

***

Comment avons-nous commencé ?

Nous étions au début de décembre 1995 et depuis six semaines j'étais terré dans une chambre d'hôtel à Rangoon, attendant une seule chose – qu'un coup de téléphone du bureau d'Aung San Suu Kyi me donne un rendez-vous pour entreprendre l'enregistrement de notre première conversation. Au début d'octobre, quand nous discutions du projet, elle m'avait expliqué : «Le Slorc rend notre situation imprévisible, donc, je vous en prie, soyez patient. Et bien sûr, il n'y a aucune garantie que nous puissions aller très loin… mais essayons.» En me raccompagnant à la porte, elle s'est arrêtée et a déclaré : «Mon père disait souvent : "Espère le meilleur... et prépare-toi au pire." Je pense que c'est toujours la meilleure approche.»

Jour après jour, la crise politique s'intensifiait. A la fin de novembre, après que les délégués de la NLD se furent retirés de la Convention nationale du Slorc condamnée dans le monde entier, Aung San Suu Kyi et ses deux principaux collègues, U Tin Oo et U Kyi Maung, devinrent l'objet d'attaques croissantes dans le seul journal birman en langue anglaise – *The New Light of Myanmar,* une émanation du Slorc. Douze pages de slogans militaires et de propagande raciste et xénophobe, et presque quotidiennement des éditoriaux d'une demi-page dénonçaient Aung San Suu Kyi et ses collègues en des termes violents. Les militaires promettaient d'«anéantir» ces «agents de destruction» qui troublaient la «tranquillité de la nation».

Le jeudi 30 novembre je marchais le long d'avenues obscures vers mon rendez-vous avec U Tin Oo, vice-président de la NLD, un vieil ami très cher. Nous avions été moines bouddhistes ensemble après sa libération de prison en 1980. D'un monastère des environs, le chant des moines résonnait dans l'immobilité : *Annica vatta sankara upadavio dhamino.* «Tout est éphémère dans ce monde.» J'ai ralenti le pas et, tandis que le chant s'évanouissait, je me suis brusquement arrêté devant la maison de U Tin Oo. Huit agents de la police militaire armés me dévisageaient froidement.

Je suis passé devant les policiers, j'ai ouvert la large grille et je me suis précipité vers la porte d'entrée. L'épouse de U Tin Oo m'a accueilli avec un long regard déterminé : «Il est en haut, il rassemble ses médicaments et quelques affaires. Je vais le chercher pour vous.»

Quelques minutes plus tard U Tin Oo descendait. «Ne vous en faites pas», a-t-il dit en souriant. Il m'a pris gentiment par le bras et m'a reconduit jusqu'à la porte. «Vous ne devriez pas être ici. Daw Aung San Suu Kyi s'attend elle aussi à une nouvelle arrestation. Elle prépare les papiers pour le transfert de direction du parti et les consignes d'action. Allez-y, vous ne devez pas vous aussi vous attirer des ennuis.»

De retour à mon hôtel j'ai faxé un court texte à mon éditeur pour lui expliquer que «c'en était très probablement fini du livre», j'ai fait mes bagages et je suis allé me coucher, projetant de quitter la Birmanie l'après-midi suivant.

Mais le lendemain le téléphone a sonné tôt le matin et la voix du coordinateur d'Aung San Suu Kyi pour les médias étrangers, U Aye Win (arrêté par le Slorc le 21 mai 1996 et condamné depuis à sept ans de prison) m'a informé : «Vous avez rendez-vous pour votre première conversation avec Daw Aung San Suu Kyi lundi à 15 h 30.» A 15 h 20 pile, j'ai frappé à la large grille de fer du 54 University Avenue. J'ai été rapidement introduit par plusieurs membres de la jeunesse de la NLD – un groupe de jeunes gens dévoués qui vivent dans la résidence d'Aung San Suu Kyi et font office de gardes du corps non armés (certains ont été arrêtés en mai 1996). Ils m'ont escorté jusqu'au poste de contrôle des renseignements militaires du Slorc – une petite structure en bois à l'intérieur des grilles. Le chef du MI* m'a demandé une signature et mes coordonnées, tandis qu'un autre homme sortait de la guérite et me photographiait. Ils m'ont fait signe d'entrer, et se sont immédiatement remis à jouer aux échecs et à lire leurs livres.

* Military Intelligence : service des Renseignements militaires.

La grande villa de style colonial recouverte de stuc blanc, située au bout d'une longue allée bordée de palmiers sur les rives du lac Inya, était un peu mal en point, sa peinture écaillée et délavée par les pluies torrentielles de la mousson. Mais j'ai aimé que cette maison fût délabrée. Cela ajoutait une certaine allure à l'édifice, de la même façon que l'on ne restaure pas les objets anciens. L'endroit était empreint d'une sérénité tangible, comme une oasis, un îlot de calme au sein de la répression totalitaire qui sévit à l'extérieur de la résidence.

Tandis que j'attendais sous le grand porche près de la porte d'entrée, U Aye Win a jeté un coup d'œil et a dit : «Entrez, je vous prie.» Il m'a fait traverser le vestibule et m'a introduit dans un spacieux salon au plafond haut. «Daw Aung San Suu Kyi vous rejoindra dans un instant.»

Je suis resté là à contempler l'Histoire. Un grand portrait en batik de son père, Boygoke Aung San, domine un mur. Plusieurs vieilles photographies encadrées représentant Aung San Suu Kyi jeune fille avec sa famille sont accrochées sur les autres. Par ailleurs, la pièce est vide, excepté une chaise en bois, une petite table en fer ronde portant au milieu un vase de fleurs et une théière japonaise avec deux tasses, et un long sofa au dossier plat qui dessine le contour du mur sous une large fenêtre en saillie tendue de rideaux.

Je suis sorti sur la véranda. Le lac était tranquille, tandis qu'une douce brise me soulageait de la chaleur et du silence retentissant de la pièce.

A 15 h 30 précises, la porte s'est ouverte et Aung San Suu Kyi est entrée dans la pièce. Son apparence radieuse et énergique était équilibrée par une calme confiance – une gracieuse détermination qui illuminait les brins de minuscules orchidées blanches dans ses cheveux noirs de jais. Mais sa chaleur et son sens de l'urgence m'ont mis à l'aise. Elle s'est assise au bord du sofa et m'a dit avec un sourire : «Eh bien, mettons-nous à ce livre.» J'ai appuyé sur le bouton «Enregistrement» et l'histoire a commencé.

Alan Clements
Paris, août 1996

I

Nous sommes toujours prisonniers dans notre propre pays...

Alan Clements : Votre père, Aung San, est peut-être l'homme le plus célèbre de la longue histoire de la Birmanie. Son nom aujourd'hui, près de cinquante ans après sa mort, continue de susciter la vénération du peuple. A la recherche de spiritualité, il fut un héroïque combattant de la liberté et un grand homme d'Etat. Et quand vous vous êtes engagée dans la lutte de votre nation pour la démocratie, le 26 août 1988, vous avez annoncé dans votre discours à la pagode Shwedagon, devant plus d'un demi-million de personnes, que vous «preniez part à ce combat pour la liberté... en suivant la voie tracée par [votre] père». Vous avez aussi affirmé : «Quand j'honore mon père, j'honore tous ceux qui incarnent l'intégrité politique en Birmanie.» Daw Suu, c'est là que j'aimerais commencer à étudier votre histoire et tenter de comprendre ce qui vous pousse à combattre pour la liberté de votre peuple. Que signifie à vos yeux l'intégrité politique?

Aung San Suu Kyi : Intégrité politique signifie tout simplement honnêteté en politique. Le plus important est de ne jamais tromper les gens. Un politicien qui trompe les gens, que ce soit dans l'intérêt de son parti, ou parce qu'il imagine que c'est pour le bien du peuple, manque d'intégrité politique.

AC : Et l'«intégrité politique» du Slorc?

ASSK : Eh bien... *(rires),* on se demande parfois s'ils savent réellement ce que signifie intégrité politique, car ils n'ont pas cessé de mentir au peuple. Ils ont fait des promesses qui n'ont pas été tenues.

AC : Par exemple lorsqu'ils n'ont pas honoré les résultats de leurs élections «libres et impartiales» de mai 1990, que votre parti, la Ligue nationale pour la démocratie (NLD) a remportées par une victoire écrasante? Quelle a été l'explication officielle du Slorc pour n'avoir pas honoré les résultats?

ASSK : Il n'y a pas eu d'explication réelle. Mais vous voyez bien que le Slorc n'a laissé les députés élus jouer aucun rôle substantiel dans la rédaction de la nouvelle Constitution. Dans la Convention nationale, personne ne peut s'exprimer librement. La NLD n'a même pas été autorisée à protester contre les procédures de travail antidémocratiques. C'est pourquoi nous avons décidé de rester à l'écart de la Convention jusqu'à ce que se soit amorcé avec succès un dialogue sérieux.

AC : Lorsqu'on observe la crise en Birmanie, on distingue aisément d'énormes désaccords entre ceux qui luttent pour la démocratie – la NLD – et ceux qui oppriment la démocratie – le Slorc. La question est peut-être prématurée, mais y a-t-il concrètement place pour la bonne volonté et la confiance entre les deux camps – des domaines dans lesquels vous trouvez un contact authentique?

ASSK : J'aimerais penser qu'il y en a, mais qu'on ne nous a pas donné l'occasion de les découvrir. C'est pourquoi nous affirmons que le dialogue est si important. Comment pouvons-nous découvrir s'il y a des terrains d'entente, des questions sur lesquelles nous pouvons travailler ensemble, si nous ne nous parlons pas? Mais j'ai été assez choquée en entendant un des ministres du Slorc, interviewé par un journaliste étranger, dire ceci: «On peut tout faire avec l'argent. Tenez un billet de dix dollars au-dessus d'une tombe, une main sortira pour l'attraper. Et si vous teniez un billet de cent dollars, le corps entier sortirait.» Cela semble indiquer qu'ils n'ont aucune espèce de principes. S'ils pensent qu'on peut acheter tout le monde avec de l'argent, c'est une révélation choquante.

AC : Cela ressemble à un fantasme de sociopathe…

ASSK : On se demande pourquoi. Pourquoi sont-ils ainsi? Je ne crois pas qu'ils s'intéressent au pourquoi. Il y a une phrase que les autorités aiment employer : «Nous ne voulons pas entendre parler de bouteille d'eau qui fuit. Nous voulons seulement l'eau.» Cela signifie : faites seulement ce qu'on vous dit de faire, pas d'excuses. Tout ce que nous voulons, ce sont des résultats. C'est une attitude très étrange.

AC : Comment définiriez-vous la psychologie collective du Slorc?

ASSK : L'impression qu'ils me donnent dans l'ensemble est qu'ils ne savent pas ce que signifie communication. Ils ne communiquent pas, ni avec le peuple ni avec l'opposition. Et je me demande même s'ils communiquent entre eux. Si tous les membres du Slorc partagent l'attitude de ce ministre, pour qui l'argent décide tout, alors j'ai d'eux cette image malheureuse de gens qui se jettent des dollars à la tête.

AC : Est-il exact d'affirmer que les membres du régime – le Slorc – sont bouddhistes?

ASSK : Je ne voudrais pas faire de commentaire sur les penchants religieux de ces gens. Ce n'est pas à moi de déclarer qui est bouddhiste ou qui ne l'est pas. Mais je dois dire que certaines de leurs actions ne sont pas conformes aux enseignements bouddhistes.

AC : Par exemple ?

ASSK : Il y a si peu de bonté et de compassion dans leurs propos, dans ce qu'ils écrivent et font. C'est vraiment loin de la voie bouddhiste.

AC : Loin du peuple ?

ASSK : Oui. C'est le problème de nombreux régimes autoritaires, ils s'éloignent de plus en plus du peuple. Ils créent eux-mêmes leur isolement parce qu'ils font peur à tout le monde, y compris à leurs propres subordonnés, qui se sentent incapables de dire quelque chose de peur que ce soit inacceptable.

AC : En effet, j'ai remarqué cela. En 1990, sur la frontière birmano-thaïlandaise, j'ai assisté à la campagne de «nettoyage ethnique» menée par le Slorc contre les Karens, et dans une certaine mesure contre les Môns et les Chans, de même qu'à leur tentative d'extermination des forces démocratiques armées basées dans les collines près de Mannerplaw. A cette époque, j'ai interviewé un commandant du Slorc qui avait été capturé après un échange de tirs...

ASSK : Comment était-il traité ?

AC : Humainement. Ça, je peux en témoigner. Non seulement cet officier mais aussi les soldats du Slorc qui avaient été capturés. A ce commandant j'ai demandé : «Pourquoi tuez-vous votre propre peuple ?» Il a sorti de sa poche une photo de lui en moine, et il a rétorqué : «Je n'aime pas tuer, mais si je ne tue pas, c'est moi qui suis tué.» Puis il s'est mis à pleurer. Ses larmes semblaient sincères...

ASSK : Pourquoi est-il entré dans l'armée, s'il était tellement contre le meurtre ? Ne pouvait-il rien faire d'autre ?

AC : J'ai posé la même question à un groupe de jeunes conscrits du Slorc qui étaient détenus : «Pourquoi tuez-vous ?» Ils ont répondu : «Si nous ne tuons pas, nous sommes tués. – Mais pourquoi alors êtes-vous entrés dans l'armée ?» Tous ont dit la même chose : «Si nous ne rejoignons pas l'armée, nos familles sont maltraitées. Nous n'avons pas d'argent, il n'y a pas d'autre source de revenus, il n'y a pas de travail, c'est pour nous le seul moyen de donner de l'argent à nos parents, autrement ils ne peuvent pas manger.»

ASSK : J'ai entendu dire en effet que dans certaines parties du pays on pratiquait beaucoup la conscription forcée – on oblige les villages à fournir un certain nombre de conscrits pour l'armée.

AC : Des milliers d'étudiants birmans ainsi que des centaines de milliers de réfugiés ont fui le pays depuis le coup d'Etat du Slorc en 1988. Evidemment, vous luttez ici à Rangoon avec votre peuple pour la démocratie, mais que dire de tous ces gens privés de représentation qui vivent dans une misère noire, beaucoup d'entre eux affaiblis par la famine, ou mourant de maladie ? Quels sont vos sentiments pour ces citoyens de la nation ?

ASSK : C'est pour qu'il puissent revenir ici que nous luttons pour la démocratie dans ce pays. Où iront-ils si nous ne pouvons faire pour eux de ce pays un endroit sûr, où les gens puissent se sentir en sécurité ?

AC : Quels sont vos sentiments en particulier à l'égard des jeunes étudiants ?

ASSK : Nous avons affirmé dès le début que la NLD ne désavouerait jamais les étudiants qui se battent pour la démocratie, bien qu'ils aient choisi de prendre les armes alors que nous préférons la voie de la non-violence. Nous ne sommes pas en position de garantir leur sécurité, donc nous n'avons pas le droit de leur demander de faire ce que nous voulons qu'ils fassent. Nous attendons avec impatience le jour où nous pourrons de nouveau travailler ensemble.

AC : De nombreux accords de paix ont lieu partout dans le monde – au Moyen-Orient, en ex-Yougoslavie, peut-être en Irlande du Nord et, bien sûr, le miracle de l'Afrique du Sud. Le Slorc a une belle occasion de s'en inspirer – une réconciliation pourrait avoir lieu. Vous n'avez cessé de réclamer le dialogue, mais qu'est-ce qui empêche le Slorc de proposer : «Daw Aung San Suu Kyi, saluons-nous, allons déjeuner ensemble et voyons ce qui en sort»?

ASSK : C'est exactement ce que je voulais dire en affirmant qu'ils ne savent pas communiquer. Je pense qu'ils ont peur du dialogue, que jusqu'à présent ils ne comprennent pas et ne peuvent pas comprendre ce que signifie dialogue. Ils ne savent pas que c'est un processus honorable, qui peut conduire au bonheur pour tout le monde, y compris pour eux-mêmes. Je pense qu'ils voient encore le dialogue, soit comme une sorte de compétition dans laquelle ils pourraient être perdants, soit comme une énorme concession qui les déshonorerait.

AC : On dirait qu'ils ont peur. D'où vient cette peur, à votre avis?

ASSK : La peur, si l'on y réfléchit vraiment, est enracinée dans l'insécurité, et l'insécurité vient du manque de *metta*. Ce manque de *metta*, il peut être en vous-même, ou dans votre entourage, ce qui suscite l'anxiété. Et l'insécurité conduit à la peur.

AC : En Afrique du Sud, l'archevêque Desmond Tutu dirige la commission Vérité et Réconciliation. L'ex-ministre de la Défense sous le régime de l'apartheid a déjà été mis en accusation pour complicité dans le meurtre de treize personnes alors qu'il était au pouvoir. A la place de certains des principaux acteurs du Slorc, je ressentirais une peur légitime. En d'autres termes, ils ont de bonnes raisons de s'inquiéter. Ne pensez-vous pas que le peuple va réclamer vengeance après la victoire de la démocratie ?

ASSK : Je pense que là, ils [le Slorc] sous-estiment à la fois le peuple et nous, mouvement pour la démocratie. Evidemment, il y a de la haine chez les gens, en particulier chez ceux qui ont souffert. Cependant nous sommes convaincus de pouvoir contrôler cette haine. Mais il n'y a pas de haine chez les dirigeants de la NLD. Les autorités ont du mal à comprendre cela. Beaucoup dans le Slorc en veulent énormément à Oncle U Kyi Maung, à Oncle U Tin Oo et même à U Win Thein[1], parce que ce sont d'anciens militaires qui s'engagent activement dans le processus démocratique. A mon avis, la lecture que fait le Slorc de la situation est la suivante : si ces hommes, qui ont été membres de l'armée, sont dans l'opposition, ils sont certainement animés de sentiments vengeurs. Je ne pense pas qu'il leur vienne à l'esprit que ces ex-officiers soutiennent le mouvement démocratique parce qu'ils croient en certains principes. Cela nous ramène à l'histoire que je viens de vous raconter, celle du dollar agité au-dessus d'une tombe : des gens qui pensent qu'on peut acheter n'importe qui, que les esprits et les cœurs humains sont de

1. Assistant personnel d'Aung San Suu Kyi, il a passé six ans à la prison d'Insein et a été de nouveau arrêté le 21 mai 1996, et condamné en août à sept ans de prison.

simples marchandises dépendant des lois de l'offre et de la demande, ces gens-là ne peuvent pas comprendre d'autres êtres humains qui œuvrent pour une cause et sont prêts à se sacrifier pour elle. Vous savez, aucun des individus dont nous parlons n'a tiré profit de son engagement dans le mouvement. Ils ont souffert et leurs familles ont souffert, mais ils continuent. Et pourtant ils n'étaient pas sans savoir qu'ils pouvaient être soumis à de nouvelles souffrances.

AC : Si un «authentique dialogue» commençait entre vous et le Slorc, quel serait alors le premier thème de discussion?

ASSK : Eh bien, ma première phrase serait : «Dites-nous ce que vous avez à dire.» J'aimerais d'abord les entendre. Pourquoi une telle colère contre nous? Quelles sont vos objections? Des objections contre nos critiques? Mais nous avons toujours veillé soigneusement à ne pas porter d'attaques personnelles. Cependant, critiquer, nous le devons, c'est de notre devoir. Sinon, comment pouvons-nous affirmer la tête haute que nous sommes un parti politique représentant les intérêts du peuple? Nous devons dénoncer tout ce qui va à l'encontre des intérêts du peuple. Savoir que quelque chose va à l'encontre du bien du peuple et ne rien en dire, ce serait pure lâcheté.

AC : De nombreux «accords de paix» ont été négociés grâce à l'intervention d'un médiateur ou d'un intermédiaire. Vous est-il arrivé de penser à proposer une telle option?

ASSK : Nous n'avons pas besoin d'un intermédiaire parce que nous sommes prêts à ouvrir le dialogue à tout moment.

AC : Ne Win [le dictateur birman «à la retraite»] est-il en réalité la personne avec qui vous voulez entamer un dialogue?

ASSK : Je ne sais pas... je ne sais vraiment pas. C'est ce que disent certains. Je n'ai aucune preuve sérieuse pour ou contre la théorie selon laquelle c'est encore lui tire les ficelles.

AC : Quand vous réclamez le dialogue, s'agit-il d'un dialogue avec Ne Win ou avec le Slorc?

ASSK : Nous réclamons un dialogue avec le Slorc. Mais si nous avions la preuve absolue que Ne Win est derrière tout ce que fait le Slorc, alors peut-être déciderions-nous de rechercher un dialogue avec lui.

AC : Hier, avant le début de votre allocution hebdomadaire, un étudiant de l'université de Rangoon m'a demandé carrément : «Le mouvement démocratique birman doit-il s'engager dans la lutte armée plutôt que continuer sur une voie non violente?» Je lui ai répondu que je vous poserais la question.

ASSK : Je ne crois pas dans une lutte armée pour la raison suivante : elle perpétuera la tradition selon laquelle celui qui manie le mieux les armes manie le pouvoir. Même si le mouvement démocratique devait triompher par la force des armes, cela laisserait dans les esprits l'idée que quiconque dispose d'un armement supérieur pourra vaincre en définitive. Cela ne saurait aider la démocratie.

AC : Daw Suu, quelle est l'efficacité de la non-violence dans le monde moderne, et plus particulièrement lorsqu'on a affaire à des régimes qui paraissent dénués de sensibilité, et ne connaissent ni la honte ni la conscience morale?

ASSK : Non-violence signifie action positive. Vous devez lutter pour ce que vous voulez, ne pas vous contenter de rester assis à ne rien faire en espérant l'obtenir. Cela signifie seulement que les méthodes que vous employez ne sont pas des méthodes violentes. Certains pensent que la non-violence est de la passivité. Ce n'est pas le cas.

AC : Permettez-moi de poser la question autrement. Dans votre pays, de nombreux jeunes gens et jeunes femmes courageux ont littéralement fait face aux balles et aux baïonnettes, dans leur empressement à être actifs mais non violents, vous y compris. Et le résultat a été au moins trois mille morts. Avez-vous parfois des doutes quant à l'efficacité de l'activisme politique non violent face à l'agression armée ?

ASSK : Non, je n'ai aucun doute à ce sujet. Je sais que c'est souvent la voie la plus lente et je comprends pourquoi nos jeunes pensent que la non-violence n'aboutira à rien. En particulier lorsque les autorités en Birmanie sont prêtes à discuter avec des groupes rebelles mais non avec une organisation comme la NLD qui ne prend pas les armes. Cela amène beaucoup de gens à penser que la seule voie, n'importe où, consiste à prendre les armes. Mais je ne peux encourager ce genre d'attitude. Parce que, si nous faisons cela, nous perpétuerons un cycle de violence qui n'aura jamais de fin.

AC : C'est une question controversée, mais politique et religion sont en général des problèmes séparés. En Birmanie aujourd'hui, la majorité des moines et des nonnes voient la liberté spirituelle et la liberté sociopolitique comme des domaines distincts. Pourtant en réalité, *dhamma* et politique se rattachent au même principe – la liberté.

ASSK : En effet, mais cela ne concerne pas uniquement la Birmanie. Partout vous trouverez cet effort pour séparer le séculier et le spirituel. Dans d'autres pays bouddhistes aussi – en Thaïlande, au Sri Lanka, dans les pays de bouddhisme *mahayana,* dans les pays chrétiens, presque partout dans le monde. Je pense que certains trouvent embarrassant et peu pratique de penser que la vie spirituelle et la vie politique ne font qu'un. Je ne les vois pas séparées. Dans les démocraties on s'efforce souvent de séparer le spirituel et le séculier, mais sans obligation aucune. Tandis que dans de nombreuses dictatures, vous constaterez que c'est une politique officielle de maintenir politique et religion à part, au cas, je suppose, où cette dernière serait utilisée pour bouleverser le *statu quo*.

AC : U Wisara, le moine birman qui est mort il y a des années en prison après cent quarante-trois jours de grève de la faim, était un remarquable exemple de protestation non violente reposant sur des motifs politiques. En fait, l'histoire de la Birmanie compte de nombreux moines et nonnes activement engagés dans les domaines politiques quand le bien-être du peuple est concerné. Cependant, je m'interroge à propos de la situation actuelle. La crise a atteint un point tellement critique, pensez-vous que la *sangha* peut jouer un rôle plus important dans le soutien au mouvement démocratique ? Après tout, c'est leur liberté aussi.

ASSK : De nombreux moines et nonnes ont joué un rôle très courageux dans notre mouvement pour la démocratie. Bien sûr, j'aimerais voir tout le monde jouer un rôle plus significatif dans le mouvement, pas seulement les moines et les nonnes. Après tout, il n'y a rien dans la démocratie qu'un bouddhiste puisse refuser. Je pense que les moines et les nonnes ont le devoir, comme tout le monde, de favoriser ce qui est bon et désirable. Et je pense qu'ils pourraient être plus efficaces. En fait, ils devraient aider autant qu'ils le peuvent. Je crois réellement au «bouddhisme engagé», pour employer un terme moderne.

AC : Comment pourraient-ils être plus efficaces ?

ASSK : Simplement en prêchant les principes démocratiques, en encourageant chacun à œuvrer pour la démocratie et les droits de l'homme, et en essayant de persuader les autorités d'entamer le dialogue. Ce serait une aide énorme si tous les moines et nonnes de ce pays disaient : «Ce que nous voulons voir, c'est le dialogue.» Après tout, c'est ce qu'a fait le Bouddha. Il a encouragé les membres de la *sangha* à se parler. Il a dit : «Vous ne pouvez pas vivre comme des animaux. Et si vous vous êtes mutuellement offensés, vous expiez vos péchés et vos fautes en les confessant et en présentant des excuses.»

AC : Qu'est-ce qui empêche, selon vous, la *sangha* de dire au Slorc : «Ce que nous voulons voir, c'est le dialogue»?

ASSK : Je ne sais pas. Je ne pense pas qu'il y ait quoi que ce soit dans la *vinaya* qui interdise à ces moines de discuter de ces questions. Si? Je ne sais pas. Vous êtes plus familiarisé avec la *vinaya* que moi puisque vous avez été moine pendant plusieurs années. Y a-t-il quelque chose qui interdise ce genre de propos?

AC : Je ne connais pas de règle qui interdise de dire la vérité. Mais peut-être existe-t-il une sorte de séparation inconsciente…

ASSK : Je vois…

AC : Je sais que de temps à autre vous allez présenter vos respects au vénérable *sayadaw* U Pandita dans son monastère, ici à Rangoon. Quels aspects de ses enseignements avez-vous trouvés utiles?

ASSK : Je me rappelle tout ce qu'il m'a enseigné. Le plus important était : «Vous ne serez jamais trop attentive. Vous pouvez, disait-il, avoir trop de *panna* – sagesse – ou trop de *viriya* – persévérance; mais vous ne pouvez pas aller trop loin dans l'attention.» J'y ai fait très attention *(rire)* tout au long de ces sept dernières années.

D'autre part, il m'a conseillé de me concentrer sur des

propos qui amèneraient à la réconciliation. Et ce que je devais dire devait être véridique, salutaire, et doux aux oreilles de celui qui écoute. Il affirmait que selon les enseignements du Bouddha, il y avait deux sortes de discours : l'un, qui était véridique, salutaire et acceptable ; et l'autre, qui était véridique, salutaire, mais inacceptable, c'est-à-dire désagréable à la personne qui écoute.

AC : Durant les années où j'ai étudié à la fois le bouddhisme et la lutte pour la démocratie en Birmanie, j'ai rencontré beaucoup de gens qui souhaitent vous mettre l'étiquette d'héroïne. Même la récente interview que vous avez donnée à *Vanity Fair* portait ce titre en couverture : «Sainte Jeanne de Birmanie»...

ASSK : Seigneur ! J'espère que non.

AC : Cela introduit ma question. En termes strictement bouddhistes, j'ai entendu parler de vous comme d'une *bodhisattva* – un être s'efforçant de devenir un bouddha – féminine, la perfection dans la sagesse, la compassion et l'amour, ajouté à l'intention d'aider autrui à atteindre la liberté.

ASSK : Oh, par pitié, je suis loin de cet état. Et cela me surprend que les gens pensent que je pourrais ressembler à cela. J'aimerais devenir un jour *bodhisattva,* si je me croyais capable d'atteindre de telles hauteurs. Je dois dire que je fais partie des gens qui font des efforts pour leur développement personnel, mais je ne suis pas de ceux qui ont fait, ou bien je ne me suis pas cru capable de faire, vœu de *bodhisattva.* J'essaie d'être bonne *(rires).* C'est l'éducation de ma mère. Elle insistait sur la bonté du bien, pour ainsi dire. Je ne dis pas que je réussis tout le temps, mais j'essaie. J'ai un caractère épouvantable. Certes, je ne me mets plus en colère comme j'en avais l'habitude. La méditation m'a beaucoup aidée.

Mais quand je pense que quelqu'un a été hypocrite ou injuste, je dois avouer que j'enrage. L'ignorance, les erreurs sincères, je m'en moque ; mais l'hypocrisie me met vraiment en colère. Donc je dois développer la conscience. Quand je me mets très en colère, je dois être consciente de ma colère – je me regarde en colère. Et je me dis : bon, je suis en colère, je suis en colère, je dois contrôler cette colère. Et dans une certaine mesure cela la met sous contrôle.

AC : Vous avez affaire à l'un des régimes les plus hypocrites du monde, n'est-ce pas ironique ?

ASSK : Mais, vous savez, je n'ai jamais été vindicative à l'égard du Slorc. Bien sûr, certains de leurs actes m'ont mise en colère. Mais en même temps je devine leur malaise, leur manque de confiance dans le bien, pour ainsi dire. Ce doit être très triste de ne pas croire dans le bien. Et gênant d'être le genre de personne qui ne croit qu'aux dollars.

AC : Comment percevez-vous leur malaise ? Est-ce chez eux un sentiment de honte ou une conscience morale ?

ASSK : Je ne parle pas de honte ni de conscience morale. Je ne sais pas s'ils en ont tous une. J'ai appris avec tristesse qu'il y a des gens qui n'ont pas de conscience morale. Tout ce que je dis, c'est qu'à mon avis il doit y avoir beaucoup d'insécurité chez des gens qui ne peuvent croire qu'aux dollars.

AC : Quand vous parlez à votre peuple rassemblé devant votre maison le week-end, vous adressez-vous en fait au Slorc, en essayant de faire appel en eux à ce qui pourrait les arrêter et les faire réfléchir sur leurs actes ? Ou bien parlez-vous seulement à votre peuple ?

ASSK : Je parle au peuple, vraiment. Quelquefois, bien sûr, je parle également au Slorc, parce qu'une grande part des questions que j'aborde sont intimement liées à ce que font les autorités dans tout le pays. Mais au fond je m'adresse à des êtres humains et je pense au Slorc comme à des êtres humains. Ils ne nous imaginent pas toujours, nous qui nous opposons à eux, comme des êtres humains. Ils pensent que nous sommes des objets qu'il faut écraser, ou des obstacles à éliminer. Mais je les vois tout à fait comme des personnes.

AC : Ce dernier mois j'ai parlé avec beaucoup de Birmans, sur les marchés, dans les boutiques, à des vendeurs de rue, et sur les sites de construction – des gens ordinaires qui travaillent vraiment très dur pour survivre. Je leur ai demandé ce qu'ils pensaient de la situation de leur pays sous le régime du Slorc. Presque tous disent qu'ils ont peur du courroux du Slorc ; peur du châtiment ; peur, s'ils s'expriment ouvertement, de le payer d'une peine d'emprisonnement. Ainsi peu à peu j'ai mieux mesuré l'importance de votre expression : «La peur est une habitude ; je n'ai pas peur.» Mais est-ce vrai, Daw Suu, n'avez-vous pas peur ?

ASSK : J'ai peur. J'ai peur de commettre l'erreur qui pourrait nuire aux autres. Mais j'ai dû apprendre à affronter cela. Pourtant je m'inquiète pour eux.

AC : Plusieurs milliers de personnes assistent à vos allocutions le week-end devant votre domicile. Récemment trois étudiants ont été arrêtés et condamnés à des peines de deux ans de prison...

ASSK : Oui. Et il faut demander pourquoi l'USDA [Association de solidarité et de développement pour l'unité], qui est censée être une organisation d'aide sociale mais qu'en fait le Slorc utilise comme arme politique, perturbe les activités de la NLD, et en plus tient d'énormes meetings auxquels les gens sont obligés d'assister.

AC : U Kyi Maung m'en a parlé. Les gens sont-ils condamnés à une amende s'ils refusent d'assister à ces meetings à l'instigation du Slorc et de scander des slogans de soutien à leur Convention nationale ?

ASSK : Oui. J'ai reçu une lettre d'un habitant de Monywa disant qu'on les forçait à assister à ce meeting. Et chaque famille qui ne pouvait envoyer un de ses membres devait verser cinquante kyats[1]. Pour les pauvres, cinquante kyats représentent beaucoup d'argent.

AC : Quel est le degré de pauvreté à la campagne ?

ASSK : Vous n'avez pas besoin d'aller dans les zones rurales... allez simplement dans une ville satellite comme Hlaingthayar [près de Rangoon] jeter un coup d'œil. Les pauvres n'ont pas les moyens d'avoir deux repas de riz par jour. Certains ne peuvent même pas en avoir un seul. Et ils sont forcés de boire de l'eau de riz au lieu de manger du riz.

Par ailleurs, certains sont devenus très riches en Birmanie, comme jamais auparavant. C'est un des aspects de la situation actuelle qui me trouble beaucoup – l'écart entre les riches et les pauvres est devenu énorme. Il y a des hôtels et des restaurants où les gens gaspillent des dizaines de milliers de kyats en une nuit. Et en même temps il y a des gens qui doivent boire de l'eau de riz pour survivre.

AC : Je sais que 80 % de la population birmane vit dans des zones rurales, la plupart sont agriculteurs. A quoi ressemble leur situation ?

ASSK : Les paysans souffrent vraiment. Les agriculteurs nous ont raconté qu'ils avaient été contraints de manger des

---

1. Le taux de change officiel est de 6 kyats pour un dollar (qui s'échange en fait partout dans le pays entre 100 et 150 kyats).

bananes bouillies parce qu'ils n'ont pas de riz. S'ils ne peuvent pas produire assez de riz pour fournir le quota qu'ils sont forcés de vendre au gouvernement, ils doivent en acheter sur le marché libre et le vendre au gouvernement à perte. Car le gouvernement achète à un prix fixe qui est inférieur au prix du marché. Et les agriculteurs qui refusent de faire pousser la seconde récolte de riz voient leur terre confisquée. La seule raison pour laquelle ils refusent de semer une seconde récolte de riz est qu'ils y perdent beaucoup. Non seulement ils perdent les faibles profits qu'ils ont réalisés sur la première récolte mais ils finissent énormément endettés. Pourtant les autorités persistent à les y contraindre.

Voyez-vous, quand les gens commencent à tromper les autres, ils finissent par se mentir aussi à eux-mêmes. Et les autorités semblent s'imaginer que, si elles obligent les gens à faire pousser deux récoltes de riz, elles obtiendront une double quantité de riz pour l'exportation, sans tenir compte du fait que la seconde récolte de riz peut nuire à la récolte suivante.

AC : La torture est-elle encore pratiquée dans les prisons en Birmanie ? Et en avez-vous la preuve ?

ASSK : Oui, la torture continue dans toutes les prisons de Birmanie. Et, oui, j'en ai la preuve. Mais il est plus important d'essayer de comprendre la mentalité des tortionnaires que de concentrer son attention sur le genre de torture pratiquée, si vous voulez faire évoluer la situation.

AC : Combien de prisonniers politiques sont encore détenus par le Slorc ?

ASSK : Plusieurs milliers, je pense. Nous ne pouvons pas en être certains parce que nous ne savons même pas exactement combien il y a de prisonniers politiques dans chacune des prisons de Birmanie. Les prisonniers eux-mêmes ne connaissent pas tous ceux qui s'y trouvent. Ils sont détenus à part.

AC : Il y a beaucoup de colère refoulée, peut-être même de rage, chez certaines personnes dans ce pays à l'égard du Slorc. Si votre combat pour la démocratie triomphe, et que vous assumiez un rôle majeur de direction dans une Birmanie démocratique, pouvez-vous garantir que le Slorc n'aura pas à répondre d'accusations criminelles ?

ASSK : Je ne donnerai jamais de garanties personnelles. Je ne m'exprimerai jamais à titre individuel sur de telles questions. C'est à la NLD et à elle seule de parler en tant qu'organisation représentant le peuple. Mais je crois vraiment que vérité et réconciliation vont de pair. Une fois la vérité admise, le pardon devient possible. Le refus de la vérité n'entraînera pas le pardon, et ne dissipera pas la colère chez ceux qui ont souffert.

AC : Pourriez-vous envisager une commission Vérité et Réconciliation en Birmanie, une fois sa liberté acquise ?

ASSK : Je pense que dans tous les pays qui ont supporté le genre d'expériences traumatisantes que nous connaissons en Birmanie, il y aura un besoin de vérité et de réconciliation. Je ne pense pas que les gens seront vraiment assoiffés de vengeance dès qu'ils auront eu accès à la vérité. Mais le fait qu'on leur refuse l'accès à la vérité entretient simplement en eux la colère et la haine. Les gens sont en colère parce que leurs souffrances n'ont pas été reconnues. C'est une des grandes différences entre le Slorc et nous. Nous ne pensons pas que cela pose un problème de dire : nous avons commis une erreur et nous sommes désolés.

AC : Y a-t-il des écoutes dans votre maison ?

ASSK : Peut-être, je ne sais pas.

AC : Cela vous inquiète-t-il ?

ASSK : Non, pas particulièrement. Parce que je ne dis rien qui soit un secret. Tout ce que je vous dis, j'oserais le leur dire, s'ils voulaient bien venir m'entendre.

AC : Votre téléphone est-il sur écoute ?

ASSK : Oh! oui, probablement. Sinon, il me faudrait les accuser d'être inefficaces *(rire)*. Il est certainement sur écoute. Sinon je devrais m'en plaindre au général Khin Nyunt [chef des renseignements militaires du Slorc] et lui dire que ses sbires ne font vraiment pas leur boulot correctement.

AC : Quel effet cela fait-il d'être constamment l'objet d'une telle surveillance ?

ASSK : Je n'y pense pas. La plupart des gens à qui je m'adresse par téléphone sont simplement des amis, et nous n'avons vraiment rien de particulièrement important à nous dire. C'est «bonjour, comment allez-vous ? Je suis heureuse de pouvoir vous parler». Et puis des gens qui appellent pour des rendez-vous. Et ma famille m'appelle chaque semaine. Mais c'est juste «comment va tout le monde, comment vont-ils, quand viennent-ils, quels sont vos projets, pouvez-vous m'apporter ceci, m'envoyer cela» *(rire),* ce genre de choses. Rien dont je craigne que les agents des renseignements militaires l'entendent.

AC : Donc vous ne sentez aucune pression de tous ces yeux invisibles, un téléphone sur écoute, les hommes des renseignements militaires partout, et bien sûr cette menace permanente d'une nouvelle arrestation – rien du tout ?

ASSK : Je ne suis pas consciente de cette pression tout le temps. Parfois, bien sûr, oui. Par exemple, quelqu'un que je n'avais pas rencontré depuis des années m'a appelée d'Amérique. Son frère était venu récemment à Rangoon, et il a commencé à parler des rencontres de son frère avec des gens du gouvernement. Je l'ai interrompu : «Vous vous rendez bien compte que mon téléphone est sur écoute. Tout ce que vous dites est entendu par le MI, faites-vous cela intentionnellement?» Et il a répliqué : «Oh, oui, oui!» Mais il a raccroché tout de suite après, donc il était évident qu'il ne lui était pas venu à l'idée que mon téléphone puisse être sur écoute. C'est dans ces cas-là que je prends conscience du caractère inhabituel de ma situation.

AC : Comment vos collègues assurent-ils votre sécurité?

ASSK : Vous voyez les étudiants qui sont dehors à la grille, en service pour ainsi dire. Ils n'ont pas d'arme ni rien de ce genre. Nous filtrons les gens qui viennent me rendre visite. Je ne les vois pas tous. A part cela, que sommes-nous censés faire d'autre?

AC : Vous avez affaire à un régime plutôt violent. Le Slorc a-t-il jamais directement ou indirectement menacé votre vie?

ASSK : Vous entendez les autorités déclarer : nous écraserons tous ces éléments qui s'opposent à tout ce que nous essayons de faire, et ainsi de suite. On entend ce genre de chose tout le temps.

AC : Peu après la libération de Nelson Mandela, les médias internationaux vous ont attribué le titre de «prisonnière politique la plus célèbre du monde». J'aimerais vos commentaires à ce sujet.

ASSK : Je ne suis pas de ces gens qui accordent beaucoup d'importance aux étiquettes. On m'a récemment demandé si je pensais que j'avais moins d'autorité morale maintenant que j'étais libre. J'ai trouvé la question très étrange. Si votre seule influence dépend du fait que vous êtes prisonnier, alors vous n'en avez pas beaucoup.

AC : Donc, malgré vos années de détention, vous ne vous êtes jamais sentie prisonnière ?

ASSK : Non, je ne me suis jamais sentie prisonnière car je n'étais pas en prison. Je crois que certaines personnes qui ont été en prison ne se vivaient pas non plus en prisonniers. Oncle U Kyi Maung raconte qu'il pensait parfois quand il était en prison : «Si ma femme savait comme je me sens libre, elle serait furieuse.» *(Rire.)* Hier quelqu'un qui m'interviewait pour une émission de télévision m'a demandé : «Quel effet cela fait-il d'être libre ? En quoi vous sentez-vous différente ?» J'ai dit : «Mais je ne me sens pas différente.» Il m'a demandé : «En quoi votre vie est-elle différente ?» J'ai répondu : «En pratique ma vie est différente, bien sûr. Je vois tellement de gens ; j'ai tellement plus de travail à faire. Mais je ne me sens pas différente du tout.» Je ne pense pas qu'il m'ait crue.

AC : U Tin Oo m'a raconté qu'être emprisonné pour son amour de la liberté était l'une des plus belles récompenses de sa vie. Mais il semble heureux d'être de nouveau à pied d'œuvre. Avez-vous ressenti la même chose, le bonheur de reprendre contact avec la vie et vos intimes ?

ASSK : Je ne me suis jamais sentie coupée de la vie. J'écoutais la radio plusieurs fois par jour, je lisais beaucoup, je me sentais reliée à ce qui se passait dans le monde. Mais, bien sûr, j'ai été très heureuse de rencontrer de nouveau mes amis.

AC : Mais, Daw Suu, vous étiez coupée de la vie d'une manière fondamentale. Vous étiez coupée de votre famille, de votre mari, de vos enfants, de votre peuple ; privée de la liberté de mouvement, d'expression.

ASSK : Ma famille me manquait, en particulier mes fils. Cela me manquait de ne pas pouvoir m'occuper d'eux, être avec eux. Mais je ne me sentais pas coupée de la vie. Au fond, j'estimais que me trouver en résidence surveillée faisait partie de ma tâche – je faisais mon travail.

AC : Vous êtes physiquement à la merci des autorités depuis que vous vous êtes engagée dans la lutte de votre peuple pour la démocratie. Mais le Slorc vous a-t-il capturée intérieurement – sur le plan affectif ou mental ?

ASSK : Non, et d'après moi c'est parce que je n'ai jamais appris à les haïr. Sinon, j'aurais été effectivement à leur merci. Avez-vous lu un livre de George Eliot qui s'appelle *Middlemarch* ? On y trouve un personnage, le Dr Lidgate, dont le mariage a tourné au désastre. Je me rappelle une remarque à son sujet, signifiant que ce qui lui faisait peur, c'était de ne plus être capable d'aimer sa femme qui l'avait déçu. A la première lecture, j'ai trouvé cela assez curieux. Ce qui montre que j'étais très immature à cette époque. Je me demandais s'il n'aurait pas dû davantage avoir peur qu'elle cesse de l'aimer ? Mais maintenant je comprends son sentiment. S'il avait cessé d'aimer sa femme, il aurait été complètement vaincu. Sa vie entière aurait été une désillusion. J'ai toujours pensé que si j'avais vraiment commencé à haïr mes ravisseurs, à haïr le Slorc et l'armée, je me serais vaincue moi-même.

Cela me rappelle un autre journaliste qui ne croyait pas que je n'avais pas eu peur durant toutes ces années en résidence surveillée. Il pensait que j'avais dû être paralysée, parfois. J'ai trouvé cette attitude très surprenante. Pourquoi aurais-je dû avoir peur ? Si j'avais vraiment eu si peur, j'aurais fait mes bagages et je serais partie, parce qu'ils m'en ont toujours offert la possibilité. Je ne suis pas sûre qu'un bouddhiste aurait posé cette question. Un bouddhiste aurait compris que l'isolement ne fait pas peur. On me demande pourquoi je n'avais pas peur d'eux [du Slorc]. Etait-ce parce que je n'avais pas conscience qu'ils pouvaient me faire tout ce qu'ils voulaient? J'en étais pleinement consciente. Je pense que c'est parce que je ne les haïssais pas et vous ne pouvez pas vraiment avoir peur de gens que vous ne haïssez pas. La haine et la peur vont de pair.

AC : Les prisons de votre pays sont pleines de prisonniers d'opinion. Peut-être des exemplaires de ce livre seront-ils introduits clandestinement dans les prisons. Que pourriez-vous dire à ces hommes et à ces femmes?

ASSK : Ils sont pour moi une inspiration. Je suis fière d'eux. Ils doivent ne jamais perdre confiance dans le pouvoir de la vérité, et garder à l'esprit ce que Chtcharansky a dit un jour : «Personne d'autre que vous-même ne peut vous humilier.» Restez forts.

AC : Une dernière question. Daw Suu. En 1989, quelques jours avant que vous ne soyez placée en «résidence surveillée», vous avez déclaré : «Que le monde sache que nous sommes prisonniers dans notre propre pays.» Plusieurs mois ont passé depuis votre libération. Les choses ont-elles réellement changé?

ASSK : Le monde sait désormais mieux que nous sommes toujours prisonniers dans notre propre pays.

II

IL EST DE MON DEVOIR DE DIRE
CE QUI DOIT L'ÊTRE

Alan Clements : J'aimerais vous interroger davantage sur le bouddhisme engagé. J'ai passé quelques mois au Vietnam cette année, et près de la ville de Hué, j'ai visité le monastère du premier moine bouddhiste vietnamien qui s'est immolé en 1963. Un jeune moine m'a donné une photographie de sa mort par le feu et m'a expliqué que «l'immolation n'était pas un acte de destruction ou de suicide mais un acte de compassion; sa manière d'attirer l'attention du monde sur la souffrance massive que le peuple vietnamien était contraint de supporter pendant la guerre». Un tel acte est sans doute extrême. Mais cette image m'incite à vous demander comment le bouddhisme engagé, quelque forme qu'il puisse prendre, pourrait être plus actif aujourd'hui, en particulier chez le million de moines et les cinq cent mille nonnes de votre pays?

Aung San Suu Kyi : Le bouddhisme engagé est la compassion active ou le *metta* actif. C'est ne pas seulement rester passif en disant «je suis désolé pour eux». Cela signifie intervenir sur la situation en apportant tout le soulagement que vous pouvez à ceux qui en ont le plus besoin, en les soignant, en faisant votre possible pour aider les autres.

Bien sûr, l'«envoi de bonté» fait vraiment partie de la formation du bouddhiste birman. Mais nous devons faire encore plus pour exprimer notre *metta* et montrer notre compassion. Et il y a bien des manières de le faire. Par exemple, lorsque le Bouddha a voulu arrêter deux camps qui se battaient, il est allé se mettre entre les deux. Ils auraient dû d'abord le blesser, avant de pouvoir se frapper mutuellement. Ainsi il défendait les deux camps et il protégeait les autres en sacrifiant sa propre vie.

Aujourd'hui en Birmanie, beaucoup de gens ont peur de rendre visite aux familles des prisonniers politiques, craignant d'être eux aussi convoqués par les autorités et harcelés. Alors, on pourrait faire preuve de compassion active en allant voir les familles de prisonniers politiques, en leur offrant une aide pratique et en les entourant d'amour, de compassion et de soutien moral. Voilà ce que nous encourageons.

AC : Mais la peur submerge souvent le cœur avant que la compassion n'ait une chance de devenir active. Vous l'avez dit, «la peur est une habitude». Rien que l'autre jour, dans une boutique de la ville, je photocopiais une lettre pour un ami et le papier est tombé accidentellement par terre. Le commerçant l'a ramassé et tandis qu'il me le tendait, il a remarqué les lettres majuscules «NLD». Il a paniqué et il s'est mis à déchirer le papier en petits morceaux. Je lui ai demandé : «Pourquoi?» Et il a répliqué l'air effrayé : «NLD signifie prison.»

ASSK : Vous auriez dû lui dire de ne pas être ridicule.

AC : Je ne pense pas qu'il soit le seul à avoir peur. Mais comment la «compassion active» peut-elle s'exprimer dans la rue, chez les gens ordinaires, chez ceux qui «se sont habitués à la peur»?

ASSK : Ces choses se produisent parce qu'il n'y a pas suffisamment de compassion active. Il existe un lien très direct entre l'amour et la peur. Cela me rappelle une citation biblique : «l'amour parfait chasse la peur». J'ai souvent pensé que c'était une attitude très bouddhiste. L'«amour parfait» doit être le *metta,* qui n'est pas l'amour égoïste ou intéressé. Dans le *Metta Sutra,* on trouve l'expression «comme une mère prenant soin de son unique enfant». C'est cela le vrai *metta.* Le courage d'une mère de se sacrifier vient de son amour pour son enfant. Et je pense que nous avons besoin partout de beaucoup plus de cette sorte d'amour.

AC : Je ne voudrais pas vous contredire, mais au début de cette année, j'ai été agressé dans une station de métro à Paris. Et si mon agresseur ne m'avait pas pulvérisé un gaz paralysant dans les yeux, je me serais certainement bagarré. Plus tard, cela m'a fait penser à l'ampleur de la violence dans le monde. Nous avons besoin de plus d'amour partout, mais l'amour est souvent un idéal. Vous parlez du courage d'une mère de se sacrifier pour son enfant, un amour qui englobe même ses fautes, mais si cet enfant égorge ses voisins…

ASSK : Je pense que vous n'avez pas tout à fait compris ce que je disais. Voyez-vous, nous devons faire croître le *metta.* Nous devons faire en sorte que les gens voient que cet amour est une force puissante, positive, pour leur bonheur, pas seulement celui des autres. Un journaliste m'a demandé : «Quand vous parlez au peuple, vous parlez beaucoup de religion, pourquoi?» J'ai répondu : «Parce que la politique concerne les gens, et vous ne pouvez séparer les gens de leurs valeurs spirituelles.» Il a ajouté qu'il avait posé la question à un jeune étudiant venu nous écouter un week-end : «Pourquoi parlent-ils de religion?» L'étudiant a répondu : «Eh bien, c'est de la politique.» Notre peuple comprend ce dont nous parlons. Aux yeux de certains, il est peut-être idéaliste ou naïf de parler du *metta* quand on parle de politique, mais pour moi c'est vraiment le bon sens. J'ai toujours dit à la NLD que nous devions nous entraider. Si les gens voient à quel point nous nous soutenons les uns les autres, et le bonheur que nous engendrons parmi nous, malgré les armes, les menaces et la répression, ils voudront nous ressembler. Ils se diront peut-être : eh bien, il y a quelque chose dans leur attitude – nous voulons être heureux aussi.

AC : En supposant que vienne le jour où la NLD et le Slorc s'assiéront à la table du dialogue, prenant en considération la vérité et la réconciliation, qui en fait déterminera la vérité de la fiction?

ASSK : Lorsque nous entreprendrons le dialogue, nous aurons besoin de confiance, en nous-mêmes et mutuellement. La vérité ne devient pas un tel problème s'il y a une confiance réciproque. Souvent les gens racontent des mensonges parce qu'ils ont peur de dire la vérité, ce qui signifie qu'ils n'ont pas suffisamment confiance dans la compréhension ou le sens de la compassion de leur interlocuteur. Lorsque nous parlons du lien entre vérité et réconciliation, nous ne devons pas oublier qu'un autre ingrédient absolument nécessaire est la confiance réciproque. Avec la confiance, vérité et réconciliation suivront naturellement.

AC : Vous avez dit que la disposition psychologique centrale qui régit un régime autoritaire répressif était l'«insécurité». Comment quelqu'un qui fondamentalement agit sous l'effet de la peur, qui est en fait un manque de confiance en soi, peut-il escompter mettre une authentique confiance dans un dialogue sincère ?

ASSK : Voilà une question qui oblige à réfléchir. Peut-être devraient-ils essayer de s'aimer davantage eux-mêmes, pas dans le sens égoïste, mais avoir du *metta* pour eux-mêmes aussi bien que pour les autres. Comme vous le dites, si la peur est motivée par le manque de confiance en soi, cela peut indiquer que selon vous il y a des aspects de votre personnalité qui ne sont pas désirables. J'admets qu'il y a des choses en moi, comme chez la grande majorité d'entre nous, qui ne sont pas désirables. Mais nous devons tenter de les surmonter et de nous améliorer.

AC : Je me demande si, lorsque vous réclamez le dialogue avec le Slorc, vous ne les invitez pas indirectement à avoir un dialogue plus honnête avec eux-mêmes, avec ce point oublié en eux qui aspire, comme en chacun d'entre nous, à être digne de confiance et aimé ?

ASSK : Je l'espère. Vous savez… je crois qu'ils n'aiment pas mes critiques. En tant que politicienne – représentante d'un parti politique qui œuvre pour la démocratie – il est de mon devoir de dire ce qui doit l'être. Ne pas critiquer, cela laisse entendre que vous ne trouvez rien à redire, auquel cas il n'y a pas lieu de réclamer un changement, ou bien que vous savez qu'il y a des choses qui ne vont pas mais que vous avez trop peur pour en faire état. Si vous luttez pour la démocratie, ou une cause en laquelle vous croyez, vous devez avoir le courage de ne pas mâcher vos mots. Bien sûr personne ne prend plaisir à s'entendre critiquer, mais je pense que l'on pourrait apprendre à être plus objectif à ce sujet.

AC : Vos critiques sont-elles animées par la compassion ou le ressentiment ?

ASSK : Nous n'avons pas le temps d'éprouver du ressentiment. Et nous nous aidons mutuellement à ne pas être vindicatifs. Nous avons une bonne relation au sein de la NLD, et je pense que c'est notre authentique souci des uns pour les autres qui éloigne les mauvais sentiments, auxquels nous sommes tous enclins parce que nous sommes des êtres humains.

AC : Comment vous aidez-vous mutuellement à écarter les sentiments vindicatifs ?

ASSK : En partie grâce à notre sens de l'humour. Nous avons toujours énormément ri de tous les problèmes que nous avons dû affronter et de toutes les *(rire)* injustices et mauvais traitements qui nous ont accablés.

AC : Mais, Daw Suu, l'humour ne suffit pas. Ces généraux ont été malveillants, grossiers, ils vous ont calomniée. Et puis vous avez passé six ans en résidence surveillée, séparée de votre famille. Si l'on ajoute la masse de souffrance que votre peuple a été contraint de supporter, l'emprisonnement, la torture…

ASSK : C'est aussi que, à la NLD, nous avons reçu beaucoup de *metta* du peuple dans son ensemble – nos partisans. Et quand vous recevez tellement, vous devez donner en retour. Si vous êtes très aimé, comme il faut, alors vous ne pouvez vous empêcher de répondre. Cela ne veut pas dire que nous sommes totalement libérés de sentiments négatifs, et aussi longtemps que nous ne serons pas libérés de ces sentiments, nous leur serons soumis. Mais la bonne volonté et le *metta* que nous avons reçus ont beaucoup contribué à nous débarasser de ces sentiments.

AC : En effet, l'amour que vous recevez des gens qui assistent à vos allocutions du week-end est évident.

54

ASSK : Oui, quand je les regarde, je vois avec quelle intelligence ils suivent tout ce que nous disons. Ils sont intéressés et très attentifs. Nous avons une expression en birman : «Vous leur montrez l'ombre et ils voient la substance.»

AC : Pourquoi, à votre avis, les gens vous aiment-ils et vous font-ils confiance à ce point?

ASSK : Je pense que la toute première raison pour laquelle le peuple birman m'a fait confiance a été son amour pour mon père. Les gens n'ont jamais mis en doute sa bienveillance à leur égard. Et il a prouvé par sa vie qu'il était prêt à se sacrifier pour eux. C'est pour cela qu'ils l'aimaient et je pense qu'une part de cet amour a été reportée sur moi. Ainsi j'ai démarré avec un avantage, un capital de *metta* tout prêt sur lequel construire. Vous ne pouvez pas séparer le fait que je suis la fille de mon père du fait que le peuple et moi sommes parvenus à développer entre nous de solides liens de *metta*.

AC : J'ai lu que vous aviez une affection énorme pour l'armée et que vous aimeriez que ce soit une institution que le peuple pût respecter. En supposant que la Birmanie devienne une nation démocratique, avec vous à sa tête, comment pouvez-vous, vous, le «Gandhi de Birmanie», politicienne fermement attachée aux principes non violents, devenir chef d'état-major de l'armée? On imagine difficilement Gandhi dans un défilé saluant des colonnes de soldats en armes.

ASSK : Bien sûr, en politique, il y a parfois des illogismes. Mais selon moi la principale responsabilité de l'armée est de protéger et de défendre le peuple. Si nous vivions dans un monde où il ne serait pas nécessaire de nous défendre, il n'y aurait pas besoin d'armées. Mais je n'envisage pas que dans un proche avenir le monde soit tel que nous puissions nous passer de protection. J'aimerais imaginer l'armée comme force de protection plutôt que force de destruction.

Et il y a toujours la question du *cetena*. Le *cetena* de l'armée doit être vrai. J'ai discuté une fois avec un officier de l'armée qui était plein de haine pour les communistes qu'il avait combattus. Je lui ai dit : «Je trouve très gênant que vous les ayez combattus animé par la haine. J'aimerais penser que vous étiez motivé par l'amour de ceux que vous défendiez plutôt que par la haine envers ceux que vous attaquiez.» C'est ce que j'entends par *cetena*. Bien sûr, on peut me rétorquer que je coupe les cheveux en quatre. Si vous tuez l'ennemi, pouvez-vous être motivé par l'amour ?

AC : La guerre que j'ai vue n'avait rien à voir avec l'amour. Qu'en pensez-vous ?

ASSK : Voilà une question très intéressante. J'aurais cru que dans le feu du combat, un petit nombre de gens étaient motivés par l'amour de ceux qu'ils désirent défendre, par l'amour de la justice. C'est avec cette motivation que vous devez entrer dans l'armée, et aller à la bataille, mais nous sommes de simples mortels et non des *arahants*. Je me demande pourtant s'il est possible à qui que soit de conserver ce sentiment d'amour dans le feu de la bataille. Mais je ne suis pas sûre non plus que l'on soit motivé par la haine. Je suis encline à penser que l'on y est probablement conduit par sa formation. Vous devez demander à ceux qui se sont vraiment battus, Oncle U Tin Oo et Oncle U Kyi Maung. Ils ont fait la guerre et ils ont sans doute tué des gens.

AC : J'ai vu des soldats professionnels au combat et même si je ne me trouvais pas là comme combattant, c'était une zone floue... Les soldats ont des décharges d'adrénaline.

ASSK : Etait-ce la haine qui les motivait, ou l'amour ? Ou tout à fait autre chose ?

AC : Eh bien, dans un cas, les forces armées démocratiques défendaient simplement le petit territoire qui leur restait pour survivre. C'était, je le soupçonne, par amour pour leur peuple, leur terre et les principes qu'ils défendaient contre la campagne de génocide du Slorc. Ils agissaient comme n'importe qui l'aurait fait, je pense, confronté à une telle brutalité, cela ressemblait à du bon sens.

ASSK : On pourrait dire que maintenir une armée professionnelle, honorable, serait un acte de bon sens.

AC : Est-il exact que le Slorc enregistre en vidéo vos discours du week-end ?

ASSK : Oh ! oui, j'en suis sûre.

AC : Un informateur sérieux m'a raconté que la femme d'un général du Slorc était impatiente de voir vos enregistrements.

ASSK : Ah, c'est gentil !

AC : Cela m'a donné une idée. Vous réclamez un dialogue avec le Slorc, ce sont tous manifestement des hommes et des soldats endurcis. Peut-être pourriez-vous rechercher un dialogue avec les épouses des généraux. Vous pourriez bavarder avec elle, évoquer la situation au passage.

ASSK : *(Rire.)* C'est une idée, n'est-ce pas ? Je n'y ai jamais pensé.

AC : La Birmanie est une société matriarcale… contrairement aux apparences.

ASSK : Eh bien, j'aimerais beaucoup prendre le thé avec elles. C'est tellement plus agréable d'être amis, n'est-ce pas ? C'est épuisant d'être ennemis. Je me dis souvent que je souhaite que tous cessent de se comporter en ennemis. Pourquoi ne pouvons-nous pas être tous amis ? Ce serait tellement mieux pour tout le monde !

AC : Votre numéro de téléphone est dans l'annuaire. Il suffit d'un coup de fil…

ASSK : Je sais. De surcroît, je fais partie de ces gens qui ne peuvent s'empêcher de sourire à quelqu'un qui leur sourit avec sincérité.

AC : Ne Win était-il à l'origine de votre incarcération en 1989 ?

ASSK : Je ne sais pas. Mais c'est un fait que j'ai été incarcérée après que j'ai commencé à lui reprocher d'avoir mené le pays à la ruine.

AC : L'avez-vous rencontré ?

ASSK : Lorsque j'étais petite.

AC : Je cite Ne Win pour une raison. En gros, ce que l'on voit dans la Birmanie d'aujourd'hui ressemble à un archétype. D'un côté, il y a Ne Win – l'homme –, peut-être le dictateur qui s'est maintenu le plus longtemps au pouvoir dans le monde actuel, trente-cinq ans et plus. Et vous, la femme, qui s'en tient fermement aux principes de liberté et de non-violence. Il y a une sorte de polarité entre vous et Ne Win, le masculin contre le féminin, armes contre cordialité, répression accueillie par le pardon. Cela relève de ce vieux modèle de régime répressif où le mâle est dominant, où «la force prime le droit», bravé par une nouvelle vision féminine de l'égalité, de la dignité humaine et du pouvoir de la bonté. Et de la crise pourrait naître une rédemption de type biblique, ou un revirement semblable à celui de l'empereur Asoka au IIIe siècle, qui, de monstre violent, devint le plus célèbre roi bouddhiste de l'histoire. A votre avis, Ne Win est-il bouddhiste au point de s'inquiéter de la rédemption, et de rester dans les annales de l'histoire birmane comme un empereur Asoka des temps modernes? Une occasion se présente, c'est le moment.

ASSK : Je pense que la plupart des Birmans se considèrent comme bouddhistes, mais beaucoup d'entre nous sommes bouddhistes par héritage parce que nos parents l'étaient. Je pense que beaucoup de Birmans n'ont pas vraiment étudié le bouddhisme en profondeur, au-delà des cinq préceptes fondamentaux, et le considèrent comme admis. Et je pense que ce serait une idée formidable que, tous, nous nous intéressions plus profondément à notre héritage religieux et nous mettions à pratiquer sérieusement notre bouddhisme, pas seulement à le professer.

AC : Quel aspect du bouddhisme, parmi ceux qui nous intéressent, pourrait être embrassé plus intimement et non pas simplement conçu intellectuellement?

ASSK : Vous savez, si nous nous en tenions simplement aux cinq préceptes, nous serions sauvés *(rire)*.

AC : Peut-être le premier précepte : ne pas faire de mal aux êtres sensibles?

ASSK : Cela ne suffit pas.

AC : Le deuxième aussi : ne pas voler?

ASSK : Les deux premiers, ce serait déjà beaucoup. Les trois premiers, nous serions presque au bout de nos peines. Presque, mais pas tout à fait, en fait nous avons besoin des cinq.

AC : Cela va probablement sans dire, mais il semble assez évident que chez beaucoup de généraux du Slorc, vous avez affaire à des émotions primitives – un niveau de conscience de l'âge de pierre. Je l'ai dit, je crois dans la rédemption. Mais je prends peut-être mes désirs pour la réalité. Qu'en pensez-vous ? Y a-t-il des gens qui sont allés si loin que, de toute façon, le rachat n'est plus possible ?

ASSK : Selon le bouddhisme, il y a des gens que le Seigneur Bouddha lui-même n'a pu racheter. Alors qui sommes-nous pour affirmer que nous pourrions racheter tout le monde ? Puisque nous ne savons pas qui est rachetable et qui ne l'est pas, nous avons le devoir d'essayer. Nous ne pouvons considérer qu'un individu est perdu et le mettre à l'index. Nous devons accorder aux gens le bénéfice du doute.

AC : J'ai regardé des heures de vidéocassettes sorties clandestinement de Birmanie, où l'on vous voit traverser le pays, parler au peuple, parcourir à pied les villages ruraux lors de votre campagne pour les élections. Bien sûr, cela se passait avant votre incarcération. J'ai été frappé par le degré de harcèlement exercé par le Slorc contre vous et vos collègues de la NLD.

ASSK : J'ai oublié le harcèlement. De quelle manière ? Ah ! oui, dans la division de l'Irrawaddy, en particulier, nous avons fait l'objet de harcèlement.

AC : Les canonnières de l'armée remplies de soldats du Slorc en armes...

ASSK : C'est exact, lorsque nous avons descendu l'Irrawaddy, ils [les soldats du Slorc] nous abordaient et jouaient de la musique militaire.

AC : En outre, il arrivait souvent que des soldats du Slorc munis d'armes automatiques, brandissant des baïonnettes, menacent les gens pour qu'ils retournent chez eux et cessent de vous acclamer. Et puis, il y a ce fameux incident de Danabyu où vous marchez de front vers une rangée de soldats, les fusils prêts à faire feu, et le capitaine prêt à tirer. Racontez...

ASSK : Je ne me suis jamais appesantie sur cette histoire et je n'ai rien écrit dessus. D'après mes souvenirs… mes collègues de la NLD et moi venions de rentrer après avoir passé la journée à descendre le fleuve pour visiter différentes villes et villages. Nous étions accompagnés par un militaire commandant les troupes de la région, et par des officiers dans leur bateau. Nous venions de débarquer le soir et nous nous dirigions vers la maison où nous devions passer la nuit. Ils étaient derrière moi. Et devant moi se trouvait un jeune homme tenant le drapeau de la NLD. Nous le suivions au milieu de la rue, rentrant à la maison pour la nuit, tout simplement. Alors nous avons vu les soldats, en travers de la route, qui s'agenouillaient, les fusils pointés sur nous, et le capitaine nous criait de dégager la route. J'ai dit au jeune homme au drapeau de ne pas rester devant, car je ne voulais pas qu'il serve de cible. Il s'est écarté. Et là le capitaine a annoncé qu'il allait faire feu si nous restions au milieu de la route. J'ai dit : «Bien, d'accord, nous allons marcher sur le côté de la route et répartir les forces.» Puis il a déclaré qu'il tirerait même si nous marchions sur le côté de la route. Cela m'a semblé hautement déraisonnable *(rire)*. Et j'ai pensé que, s'il était prêt à nous tirer dessus même si nous nous écartions, peut-être était-ce moi qu'on visait. J'ai pensé que je pourrais aussi bien marcher au milieu de la route. Alors que je revenais, le commandant est arrivé en courant et s'est disputé avec le capitaine. Nous avons avancé au milieu des soldats agenouillés. Et j'ai remarqué que certains d'entre eux, deux ou trois, tremblaient et grommelaient, mais je ne sais si cela était dû à la haine ou à la nervosité.

AC : Que s'est-il passé entre le commandant du Slorc et le capitaine ?

ASSK : Apparemment, le capitaine a arraché ses galons de son épaule. Il les a jetés par terre en disant : «A quoi tout cela sert-il si je ne suis pas autorisé à tirer?» Ou une phrase allant dans ce sens. J'étais déjà partie. Ceux qui étaient là m'ont raconté ce qui s'était passé.

AC : Qu'avez-vous pensé sur le moment?

ASSK : J'étais très calme. J'ai pensé : que fait-on? On rebrousse chemin ou on continue? Et je me suis dit qu'on ne peut pas faire demi-tour dans une situation comme celle-là. Je ne pense pas être unique. J'ai souvent entendu des gens qui avaient participé à des manifestations dire que, quand la police charge, vous ne pouvez pas décider à l'avance ce que vous ferez; c'est une décision que vous devez prendre dans l'instant. Je reste ou je m'enfuis? Quoi que vous ayez pu penser avant, au moment crucial, vraiment confronté à ce genre de danger, vous devez décider sur-le-champ… et vous ne savez jamais d'avance quelle décision vous prendrez.

AC : Avez-vous à d'autres occasions connu une menace aussi directe et violente?

ASSK : Une fois, à Rangoon, mais c'était un peu différent. Il y a eu un incident à Myeningon, où quelqu'un a reçu une balle. Nous revenions d'une cérémonie à un siège de la NLD. Il s'agissait du jour anniversaire de la mort de manifestants, et je voulais déposer une gerbe à leur mémoire. Nous avions choisi de le faire au retour, dans un endroit relativement isolé sur la route, afin qu'il n'y eût pas de problèmes. Mais des étudiants n'appartenant pas à la NLD s'étaient joints à nous. Ils ont décidé de déposer une gerbe à un endroit beaucoup plus discutable, infesté de troupes. Les troupes sont alors sorties de partout et ont commencé à les empoigner. J'étais déjà sur le point de m'en aller et j'ai dit :

«Nous devons retourner. Nous ne pouvons pas abandonner ces étudiants sous le prétexte qu'ils ne sont pas membres de la jeunesse de la NLD.» Je suis retournée et j'ai aussi déposé mon bouquet là, ce qui n'était pas notre intention à l'origine. Mais il importait à mon sens de faire preuve de solidarité à l'égard d'autres membres du mouvement pour la démocratie. Je n'aime pas l'attitude qui consiste à ne pas se sentir responsable des gens n'appartiennant pas à votre parti. Et, au moment où nous partions, les soldats ont commencé à tirer. Alors j'ai dit : «On retourne, on ne part pas en courant quand les gens tirent.» Nous sommes retournés et il y avait un policier qui brandissait son fusil et proférait des insultes, criant : «Ne vous enfuyez pas.» Et nous avons répliqué : «Nous ne nous enfuyons pas. En fait, nous venons juste de revenir.»

AC : Est-ce votre politique, quand vous entendez des coups de feu, de retourner y faire face?

ASSK : Oui, ne pas fuir. La fuite ne résoudra rien. Nous voulions seulement savoir pourquoi ils tiraient, ce qui les mettait à ce point en colère. Alors nous sommes retournés le leur demander. Mais ils n'ont pas répondu. Ils ont filé.

AC : Les actes parlent plus fort que les mots…

ASSK : Nous devons poser des tas de questions dans ce pays et y répondre aussi. C'est la seule manière de résoudre nos problèmes.

AC : Une question directe. Êtes-vous atteinte par la haine du Slorc à votre égard?

ASSK : Elle n'est qu'ennuyeuse. Quelle est cette expression? «La banalité du mal».

AC : Dans le monde entier les gens associent désormais votre nom et votre vie au courage et à l'absence de peur.

Néanmoins, vous refusez avec insistance tous ces compliments en disant que vos collègues de la NLD ont souffert et ont été beaucoup plus courageux que vous…

ASSK : Vous savez, lorsque j'étais enfant, j'avais peur du noir, alors que mes frères non. J'étais vraiment la peureuse de la famille. Je trouve donc très étrange que les gens pensent que je suis si brave.

AC : Vous trouvez vraiment cela étrange ?

ASSK : Oui, je trouve cela assez étrange *(rire)*. Certaines actions que j'accomplis, que d'autres estiment courageuses, me paraissent tout simplement normales.

AC : Comme traverser un rang de soldats armés prêts à vous tirer dessus ?

ASSK : Non, pas ce genre de chose.

AC : Vous ne voyez pas cela comme un acte courageux ?

ASSK : Je ne sais pas si je considère cela comme très courageux. Il y a sans doute des milliers de soldats qui font de même tous les jours. Parce que, hélas, des batailles ne cessent d'éclater dans ce monde.

AC : Ainsi la question de votre courage ne vous vient jamais à l'esprit ? Même pas un soupir d'autosatisfaction ? Rien ?

ASSK : C'est peut-être simplement que mon attitude envers les actions injustes des autorités m'a fait comprendre que j'avais moins peur que beaucoup de gens en Birmanie. C'est probablement parce que j'ai vécu dans des sociétés libres la plus grande partie de ma vie que la peur des autorités n'est pas devenue une habitude. Il est normal pour moi de ne pas répondre à des questions si je pense qu'on n'a pas le droit de me les poser. Mais beaucoup de gens ici ont tellement peur que, si les autorités les interrogent, ils se soumettent à l'interrogatoire. Ils sont conditionnés à ce genre de conduite.

AC : Daw Suu, y a-t-il un lieu en vous – votre rivage intérieur – où vous ayez besoin d'un grand courage ?

ASSK : Le courage est toujours en jeu lorsqu'on prend des décisions, en particulier dans les circonstances qui sont les nôtres. Non pas parce que vous pensez que cela pourrait vous nuire, mais parce que vos décisions peuvent avoir d'énormes conséquences auxquelles vous devez faire face et dont vous êtes responsable. Accepter la responsabilité est un acte de courage.

AC : Etant donné l'intensité croissante de la crise en Birmanie, vous devez être sur la corde raide, pour ainsi dire.

ASSK : Nous devons en permanence prendre des décisions qui imposent beaucoup de responsabilité, et dans ces conditions nous sommes toujours exposés à des actions rigoureuses de la part des autorités. Mais, je l'ai déjà dit, j'ai la chance d'avoir des collègues qui m'aiment et me soutiennent énormément. Nous prenons nos décisions par consensus. Donc notre courage est un courage collectif – des courages individuels mis en commun, le tout plus grand que la somme de ses parties.

AC : Dans un de vos discours, en 1988, vous avez dit : «J'incite toujours les gens à avoir de hautes aspirations. Ayez les plus hautes aspirations.» Puis-je me permettre de vous demander, Daw Suu, quelle est votre plus haute aspiration ?

ASSK : Ma plus haute aspiration est vraiment d'ordre spirituel : la pureté de l'esprit.

III

La vérité est une arme puissante...

Alan Clements : Daw Suu, ici dans votre pays, dire la vérité est considéré comme un crime contre l'Etat passible de punition, si cette vérité est inacceptable pour les autorités. Mais pourquoi la «vérité» est-elle si menaçante?

Aung San Suu Kyi : Parce que le pouvoir de la vérité est vraiment énorme. Et cela fait très peur à certains. La vérité est une arme puissante, quoi qu'on puisse en penser. Et la vérité – comme tout ce qui est puissant – peut être effrayante ou rassurante, cela dépend de quel côté vous êtes. Si vous êtes du côté de la vérité, elle est très rassurante, vous avez sa protection. Mais si vous êtes du côté du mensonge, alors elle fait très peur.

AC : Partagez-vous l'inflexible conviction que dire la vérité est impératif, quelles que puissent être les circonstances ou les conséquences? L'honnêteté est-elle toujours la meilleure politique?

ASSK : L'honnêteté est la meilleure politique. Il faut juste la pratiquer ouvertement. J'ai toujours agi de cette manière. Cela ne veut pas dire que je raconte tout à tout le monde. Mais si l'on m'interroge à propos de quelque chose, ou bien je dis ce que c'est, ou bien je dis simplement sans prendre de gants : «Je ne vous le dirai pas.» Par exemple, lorsque les renseignements militaires sont venus pour tenter de m'interroger, j'ai dit que je ne répondrais pas. Si j'avais répondu, j'aurais impliqué d'autres gens, parce qu'ils cherchaient manifestement à découvrir les personnes qui m'aidaient, pour pouvoir les arrêter.

AC : Donc le critère pour vous dans l'expression de la vérité, ce sont les conséquences pour les autres?

ASSK : Oui. Il vaut mieux ne pas répondre plutôt que mentir. Mentir est une activité épuisante. C'est vrai ce qu'a dit Shakespeare : «Oh! quelle toile inextricable nous tissons, quand nous commençons à pratiquer le mensonge.»

AC : Même lorsque le défi d'honnêteté signifie supporter le risque d'emprisonnement, le harcèlement de la famille, la perte de l'emploi, ou même la torture?

ASSK : Vous perdez plus en trompant – cela, vous pouvez en être sûr. Mais il est vrai que tout a un prix. Cependant, il est toujours plus facile d'accepter les conséquences de l'honnêteté plutôt que les conséquences du mensonge. Celles-ci vous accompagneront durant votre vie entière, tandis que les conséquences de l'honnêteté, à long terme, ne sont jamais pesantes.

AC : Comment conseilleriez-vous aux gens de s'attaquer à l'habitude de mentir?

ASSK : Ce que je dirais serait si simple que la plupart ne pourraient pas l'accepter. Je pense que vous êtes simplement plus heureux si vous ne vous laissez pas aller à la tromperie. Voilà.

AC : Que signifie pour vous la vérité, essentiellement?

ASSK : En fin de compte, on ne peut pas vraiment séparer la vérité de la sincérité et de la bonne volonté. Je ne peux pas affirmer qu'en toute circonstance je suis capable de voir la vérité. Mais on fait de son mieux pour être sincère dans son appréciation d'une situation, en établissant une honnête distinction entre ce qui est correct et ce qui ne l'est pas. Si vous faites cela vous êtes du côté de la vérité. Mais la vérité est un concept large. La pure vérité, la vérité absolue, est au-delà des êtres ordinaires que nous sommes, parce que nous ne pouvons voir les choses dans leur absolu et dans leur totalité. Mais nous nous efforçons de faire de notre mieux. Je pense que nous tous, qui sommes du côté de la vérité, nous luttons pour l'atteindre, nous ne la possédons pas totalement. Nous ne cessons de lutter pour atteindre la vérité.

AC : Dans quelle mesure la vérité est-elle subjective, par rapport à une vérité ultime ?

ASSK : La recherche de la vérité est en un sens la lutte pour surmonter la subjectivité. Je veux dire par là que vous devez vous défaire le plus possible de vos propres préjugés et prendre vos distances à leur égard quand vous examinez une situation donnée.

AC : Apprendre l'art d'avoir un rapport objectif à notre subjectivité ?

ASSK : La recherche de la vérité doit s'accompagner de conscience. Et conscience et objectivité sont très étroitement liées. Si vous êtes conscient de ce que vous faites, vous avez une vue objective de vous-même. Et si vous êtes conscient de ce que les autres font, vous devenez plus objectif également à leur égard. Par exemple, conscience, cela signifie que vous êtes conscient du fait que, quand vous entendez quelqu'un hurler, vous ne pensez pas : « Quel homme horrible ! » Ce qui serait purement subjectif. Mais si vous êtes conscient, vous

69

savez qu'il est en train de crier parce qu'il est en colère ou qu'il a peur. C'est l'objectivité. Sinon, sans conscience, toutes sortes de préjugés commencent à se multiplier.

AC : Je crois que c'est Carl Jung qui a dit qu'il «préférerait devenir «accompli» plutôt que «bon». Puis-je vous demander ce que signifie pour vous être en quête de l'«accomplissement»? Cela a-t-il une signification pour vous?

ASSK : Eh bien, en premier lieu, on doit découvrir ce que «bon» signifie. Quand Jung a dit «j'aimerais mieux devenir «accompli» plutôt que «bon», qu'entend-il par «bon»? De même, quand on dit que l'on souhaite être pur, vous devez d'abord découvrir ce que l'on entend par pureté. Comme la vérité, c'est un concept très large. C'est une chose à laquelle vous aspirez et vous luttez tout le temps pour l'atteindre. Si quelqu'un dit : «J'ai atteint la pureté», il ou elle n'est probablement pas si pur(e) que cela. Je doute que quiconque qui n'est pas un *arahant* puisse vraiment affirmer : «Il n'y aucune impureté en moi.» Mais je pense que si vous êtes à la recherche de la pureté, vous devez savoir ce que signifie impureté. Pour les gens élevés dans le bouddhisme, je pense que ce n'est pas si difficile, parce que nous avons nos concepts d'avidité, de haine et d'ignorance qui constituent l'impureté. Donc tout ce que vous pouvez attribuer à l'avidité et à la malveillance est impur. Et tout ce que vous pouvez attribuer à l'ignorance, là c'est un problème. Comment savez-vous que vous êtes ignorant, si vous êtes ignorant?

AC : Il est assez difficile d'être objectif sur ce que vous ne voyez pas. C'est une sorte d'aveuglement mental, n'est-ce pas?

ASSK : Oui. Mais comment reconnaissons-nous les domaines de notre propre ignorance?

AC : Par la conscience de nos erreurs, et, bien entendu, il est toujours utile d'avoir de bons amis.

ASSK : Oui. Les bons amis mettent le doigt dessus.

AC : Vous connaissez certainement l'histoire d'Ananda quand il demanda au Bouddha : « Vénérable seigneur, il me semble que la moitié de la vie spirituelle est faite de bonne amitié. » Et le Bouddha le corrigea en disant : « Non, Ananda, la vie spirituelle tout entière est faite de bonne amitié. » Qu'est-ce qui constitue pour vous la « bonne amitié » ? Vous semblez avoir le bonheur d'être entourée de beaucoup de gens chaleureux et généreux.

ASSK : Je dois dire que j'ai eu la chance d'être dotée de bons professeurs et amis toute ma vie. Mais il est difficile de généraliser sur ce qui forme le fondement de l'amitié. Je pense tout d'abord que vous devez vous intéresser aux gens, les voir comme individus, avec leurs mérites et leur valeur. Et si vous vous intéressez aux gens et respectez leur point de vue, vous avez envie de mieux les connaître. Ce qui signifie que vous les écoutez, les observez et vous instruisez à leur contact. Je pense que c'est ainsi que commence l'amitié. En revanche, si vous ne vous intéressez pas à eux, vous ne remarquez pas ce qu'ils font. Quoi qu'ils disent, ou fassent, ne laisse aucune impression sur vous, et vous n'apprenez rien d'eux. Je trouve mes amis intéressants. J'apprécie leur valeur. C'est ainsi qu'ils sont devenus mes amis. Nous avons voulu en savoir plus l'un de l'autre, non par une vulgaire curiosité mais simplement parce que nous nous sommes appréciés mutuellement en tant qu'individus et que nous étions prêts à nous écouter mutuellement. Donc, en ce sens, un des ingrédients importants de l'amitié est le désir d'en savoir plus de l'autre. Et plus vous en savez, plus vous êtes en mesure de l'apprécier.

AC : Est-ce une autre façon de dire *mudita* ?

ASSK : Tout ce que votre ami réussit est pour vous une source de joie. Parce qu'on traduit *mudita* par «joie bienveillante», n'est-ce pas ?

AC : Normalement oui, mais je l'ai toujours traduit par «capacité à vibrer et s'exalter du bonheur de l'autre».

ASSK : Oui, c'est joliment dit.

AC : C'est assez évident pour certains, mais il me semble que beaucoup de gens, inconsciemment, utilisent souvent leurs amitiés comme un lieu pour se cacher ou fuir. Ils se protègent, plutôt que de se risquer au bout de la vérité et de la découverte commune. J'appellerais cela une collusion pour maintenir la médiocrité – le *statu quo* – et ne pas faire faire de vagues.

ASSK : Les gens se protègent énormément. Mais vos vrais amis sont ceux qui font apparaître ce qu'il y a de meilleur en vous, qui vous font vous sentir bien, parce qu'ils vous encouragent à développer ce qui est bon en vous, plutôt que ce qui est mauvais. Et les vrais amis savent vous signaler ce que vous ne devez pas faire, d'une façon non pas blessante ou abrasive, mais totalement constructive, vous encourageant dans le sens de ce qui est bon pour vous et pour votre entourage. Cela ne veut pas dire que les amis ne sont jamais critiques. Parfois il peut être nécessaire qu'un ami soit même caustique, pour vous ramener à la raison. Mais l'intention doit être fondée sur le *metta*.

AC : Est-ce le cas lorsque la priorité dans l'amitié devient la vérité elle-même, plutôt qu'une alliance aveugle pour se protéger mutuellement d'une vérité douloureuse ?

ASSK : Je ne pense pas que des gens incapables de voir la vérité en face soient capables de se faire de vrais amis.

Comment pouvez-vous avoir des amis authentiques si vous baignez dans la comédie et le mensonge ?

AC : Daw Suu, il semble évident que vous vous acharnez à regarder la vérité en face, mais d'où cela vient-il ? Ou laissez-moi poser la question ainsi : avez-vous, enfant, eu une vision de votre avenir ? Avez-vous fait un rêve ?

ASSK : Je ne pense pas avoir eu, enfant, de telles visions. Je m'intéressais beaucoup plus aux jeux. Mais plus tard j'ai traversé des phases. Ma première ambition sérieuse a été de vouloir devenir écrivain, à l'époque où je me suis mise à dévorer des livres et où j'ai découvert le monde des livres. Auparavant, je n'avais lu que des livres pour enfants et je n'avais pas encore découvert ce que j'appellerais de vrais livres. Ce n'est que vers douze ou treize ans que j'ai commencé à lire les classiques, et vers quatorze ans j'étais un vrai rat de bibliothèque. Par exemple, lorsque j'allais faire des courses avec ma mère, j'emportais un livre. Je ne pouvais pas lire dans une voiture en marche parce que cela m'a toujours rendue malade, mais dès que la voiture s'arrêtait n'importe où, j'ouvrais mon livre et je me mettais à lire, même si c'était juste le temps d'un feu de signalisation. Puis je le refermais en attendant l'arrêt suivant.

AC : Votre seule ambition a-t-elle été de devenir écrivain ?

ASSK : En fait, à dix ou onze ans, je voulais m'engager dans l'armée. A cette époque l'armée était une institution que nous trouvions très honorable, car c'était l'institution fondée par mon père. Et tout le monde faisait allusion à mon père en l'appelant *Boygoke,* ce qui signifie général ; donc je voulais être général aussi parce que je pensais que c'était la meilleure façon de servir son pays, exactement comme mon père l'avait fait. Mais les choses ont changé. C'est pourquoi je peux dire en toute vérité que j'ai une grande affection pour l'armée, je ne la flatte pas. J'ai réellement pensé à une époque que c'était la manière de servir mon pays. En ce temps-là, bien sûr, nous avions la démocratie en Birmanie, et l'armée était une institution qui servait le peuple, non qui se servait de lui.

AC : Etait-il possible en tant que femme de servir dans l'armée de votre père ?

ASSK : Non.

AC : En Birmanie, ces derniers mois, j'ai beaucoup réfléchi à cette question. Estimez-vous que les points faibles ou les faiblesses peuvent devenir des forces ?

ASSK : Vous pouvez faire de tout une force, si vous savez vous y prendre. La plupart des gens savent que, quand quelqu'un perd la vue, son sens de l'ouïe devient plus aigu. Il doit y travailler. S'il reste là à déprimer parce qu'il est aveugle, il ne va pas s'aider du tout. En revanche s'il s'intéresse aux sons et développe sa sensibilité tactile, alors sa faiblesse ne va pas devenir une force en tant que telle, mais cela l'aidera à développer d'autres forces pour compenser la faiblesse. Cependant, un effort est nécessaire. Vous ne pouvez pas rester assis et espérer qu'un événement se produise. Vous devez y travailler. Je crois beaucoup en l'action, la persévérance et l'effort.

AC : Vous avez écrit : «Ne pas ressentir la peur est sans doute un don, mais le courage acquis dans l'effort, le courage qui vient du refus systématique de laisser la peur nous dicter nos actes est peut-être plus précieux.» Si la vérité est la base d'un dialogue authentique, qu'est-ce qui est plus précieux que la véracité elle-même ?

ASSK : La sincérité et la bonne volonté. Je pense qu'elles peuvent nous faire progresser sur la voie du dialogue. Les gens qui font preuve de sincérité et de bonne volonté ont tendance à ne pas avoir peur d'affronter les autres. Et je peux affirmer en toute confiance que j'ai toujours été sincère dans mes rapports avec les membres du Slorc. Il m'est arrivé d'être très en colère contre des actes qu'ils avaient commis, mais je ne crois pas avoir jamais perdu ma bonne volonté à leur égard. Je ne dis pas que j'ai toujours raison et je suis prête à les laisser me convaincre que j'ai eu tort à certains égards. Mais je n'ai pas peur de les affronter, à aucun moment.

En outre, je ne pense pas qu'aucun d'entre eux puisse affirmer que je l'ai jamais trompé en aucune manière. Certains m'ont dit : « Vous ne pouvez pas vous permettre d'être aussi honnête avec le Slorc – ce ne sont pas des gens honnêtes. Vous ne devez pas faire leur jeu. » Mais j'ai toujours refusé ce mode de raisonnement. S'ils me trompent et que je rétorque en les trompant à mon tour, comment pourrons-nous jamais parvenir à une position de confiance ? S'ils me trompent, il est d'autant plus important que je ne les trompe pas.

AC : Quand vous fouillez vraiment dans les recoins de votre être, comment déterminez-vous ce qui est sincère et ce qui est mensonge ?

ASSK : Mais vous ne le savez pas ?

AC : Eh bien, en général, oui, mais en toute honnêteté, j'ai été plus d'une fois dupé par ma propre fausse certitude. Il y a quelques jolies voix subtiles, insidieuses, là-dedans. L'illusion est une disposition de la conscience assez déformante et manipulatrice, n'est-ce pas ?

ASSK : Moi-même je ne comprends pas bien. Quand j'étais jeune, j'étais une enfant normale, indisciplinée, faisant des choses que l'on m'avait dit de ne pas faire, ou ne faisant pas celles que j'étais censée faire. Par exemple, m'échapper et me cacher au lieu de faire mes devoirs. Je n'aimais pas travailler ou étudier. Mais j'ai toujours su quand je ne faisais pas ce que j'aurais dû faire. J'aurais pu ne pas l'admettre, mais je savais quand j'étais en tort. Et je pensais que les gens plus âgés savaient toujours, eux aussi, quand ils étaient en train de faire quelque chose qu'ils sentaient qu'ils n'auraient pas dû faire, même sans l'admettre. Mais depuis que je suis adulte, je me demande s'il y a des gens qui vraiment ne savent pas que ce qu'ils sont en train de faire n'est pas correct. Qu'en pensez-vous ?

AC : Très franchement, je pense que certaines personnes prennent plaisir à nuire en étant convaincues que c'est bien. D'autre part, j'ai interviewé des victimes de la torture qui parlent de la joie perverse qu'ils ont observée sur le visage de leur tortionnaire, le plaisir d'infliger la douleur. Je pense aux psychopathes auteurs de génocides, aux violeurs et aux meurtriers qui en fait trouvent leurs atrocités joyeuses. Prenez l'exemple de ce jeune Israélien qui a assassiné le président Rabin. Je l'ai vu dans des clips d'information à plusieurs reprises à la BBC et j'ai écouté ses commentaires. Il semble tirer un orgueil pathologique du meurtre de M. Rabin. Vous voyez son visage : il est lumineux, presque en extase, et il parle de sa liaison particulière avec Dieu…

ASSK : Eh bien, il y a des gens qui pensent qu'il est juste de faire n'importe quoi au nom de leur race, de leur religion, de leur famille, ou de toute organisation à laquelle il peuvent appartenir. Cela revient-il à un problème de formation ?

AC : La formation y contribue, mais bien sûr, tous les psychopathes n'ont pas des parents qui étaient aussi dérangés. Il y a des gens qui semblent dénués de honte morale. Par exemple, prenons le cas du Slorc dont la politique consiste à harceler et torturer à volonté. Comment développer en eux un sentiment de honte ?

ASSK : A bien des égards, je trouve difficile d'accepter qu'ils sont à ce point différents de nous. Après tout, ce sont des Birmans élevés dans une société bouddhiste. Ils n'ont pas pu ignorer les cinq préceptes moraux – tous les Birmans les connaissent. Même ceux qui ne sont bouddhistes que parce que leurs familles le sont et n'ont pas approfondi la philosophie du bouddhisme connaissent les cinq préceptes. C'est fondamental.

AC : Ils sont peut-être capables de les réciter, mais en actes ? L'*ahimsa*, l'absence de violence, n'est-elle pas la source des cinq préceptes fondamentaux ?

ASSK : L'*ahimsa* ne fait pas vraiment partie des cinq préceptes mais bien sûr elle est à l'origine des choses – non seulement ne pas tuer, mais ne pas voler. Le vol est la violation du droit de propriété d'autrui, donc vous pourriez aussi considérer le vol comme une violence, en quelque sorte. Mais tout le monde ne pense pas ainsi. On voit les cinq préceptes très simplement : ne tue pas, ne vole pas, ne raconte pas de mensonges, ne commets pas d'aberrations sexuelles et ne consomme pas de boissons alcoolisées ni de drogues. On voit cela de façon superficielle. Bien sûr, la plupart des gens pourraient associer aisément le meurtre ou le viol à la violence, mais tout le monde ne verra pas immédiatement le vol comme un acte de violence. Et encore, le mensonge, je pense que beaucoup de gens doutent qu'il s'agisse de violence. Raconter un mensonge n'est pas vraiment un acte de violence. Mais vous pourriez aller plus loin et dire que vous violez le droit d'autrui à entendre la vérité et en ce sens c'est une forme de violence. Quant à la question des boissons alcoolisées et des drogues, certains pourraient objecter que tant que vous ne devenez pas sauvage et que vous ne vous mettez pas à maltraiter autrui, on ne voit pas quel tort vous causez aux autres. Ce n'est pas un acte de violence. A cela d'autres répondraient que c'est un acte de violence envers vous-même – vous vous causez du tort en prenant ces boissons et ces drogues qui vous intoxiquent, vous détruisent physiquement et affectent votre jugement mental. Lorsque vous affirmez que l'*ahimsa* se trouve à l'origine des cinq préceptes, c'est probablement ainsi que vous interprétez chaque précepte. Mais tout le monde ne pense pas de cette manière.

AC : Croyez-vous au mal intrinsèque ?

ASSK : J'ai parlé de cela à un certain nombre de gens et je cite toujours une phrase de Karl Popper. Lorsqu'on lui demandait : «Croyez-vous au mal ?», il disait : «Non, mais je crois à la stupidité.» Et je pense que c'est très proche de la position bouddhiste. Je ne pense pas qu'il y ait un mot pour «mal» en tant que tel, dans le bouddhisme. Y en a-t-il un ?

AC : Non, je ne l'ai pas rencontré. Je pense qu'il s'agit d'un concept chrétien.

ASSK : Je ne l'ai pas trouvé non plus. Mais bien sûr, nous parlons de l'avidité, de la colère et de l'ignorance, c'est la stupidité, n'est-ce pas ? L'ignorance, c'est la stupidité. Il y a aussi quelque chose de tout à fait stupide dans l'avidité, c'est un grand manque de perspicacité. La colère aussi. Et le manque de perspicacité est de la stupidité. J'ai toujours dit que l'une de mes plus grandes faiblesses était d'être soupe au lait. J'ai tendance à me mettre en colère très rapidement. C'est une incapacité à s'élever au-dessus de la situation immédiate. Voilà en quoi j'ai trouvé la méditation utile – elle vous donne une conscience qui vous aide à observer et à contrôler vos sentiments. Ce genre de sentiment qui est si destructeur est entièrement lié à l'ignorance.

AC : Il est considérablement plus facile d'éprouver de la compassion pour des «victimes» dont la souffrance est «légitime», tandis qu'il est bien plus difficile pour la plupart des gens de ressentir de la compassion pour l'auteur d'une telle violence. Et faute de compassion à l'égard de l'auteur, on le diabolise aisément en faisant de lui une force «malfaisante» irrémédiable qui l'emprisonne, pour ainsi dire, hors de lui-même. Ainsi, inconsciemment, nous perpétuons ce cercle vicieux de l'opprimé et de l'oppresseur. Comment conseillez-vous aux vôtres de ne pas «diaboliser» le Slorc?

ASSK : Je les encourage à se concentrer sur les actes plutôt que sur les gens. Il m'est arrivé de parler d'Angulimala. J'ai dit : même s'il a changé, ses actes étaient horribles, mais le Bouddha lui-même a su séparer la personne de l'acte. Lorsque Angulimala en est venu à comprendre que ce qu'il faisait était mal et qu'il a été authentiquement repentant, il s'est mis à suivre la bonne voie. Et le Bouddha a été le premier à le prendre sous son aile, pour ainsi dire.

AC : Mais Angulimala fut le plus célèbre cas de rédemption durant la vie du Bouddha. Comme vous le savez, il a atteint l'illumination. Cependant, après qu'il fut devenu moine, où qu'il allât, on le lapidait et on le battait. Pensez-vous qu'une fois que la démocratie aura triomphé, le Slorc redoute la même situation? Le peuple cherchera-t-il à se venger?

ASSK : Je trouverais assez naturel que certains d'entre eux aient peur qu'un gouvernement démocratique les persécute d'une manière ou d'une autre, ou permette à d'autres de les persécuter.

AC : Avez-vous des sauvegardes permettant d'en réduire la possibilité, que vous avez examinées parmi vos collègues?

ASSK : Mes collègues et moi, la vengeance ne nous intéresse simplement pas.

AC : Je sais que le Slorc s'emploie à salir votre personne. Quelles sont leurs critiques les plus fréquentes?

ASSK : Ils insistent sur le fait que suis mariée à un étranger et que j'ai passé de nombreuses années à l'étranger. Ils disent aussi d'autres choses, par exemple que je n'ai pas tenu ma promesse de ne pas fonder un parti politique. Je n'ai jamais fait une telle promesse. J'ai simplement déclaré : «Je ne souhaite pas devoir fonder un parti politique.» Avant que le Slorc ne prenne le pouvoir, en 1988, j'ai dit que «ce n'était pas le moment de fonder des partis politiques… nous devions être tous unis». Je n'ai rien dit non plus contre la participation aux élections. J'ai toujours affirmé : «Je ne veux pas faire cela en ce moment.» J'ai toujours veillé à ne jamais m'engager parce que je sais qu'en politique on ne peut pas toujours prédire ce qui va se passer. C'est pourquoi j'ai seulement promis au peuple que je serais honnête envers lui. Je n'ai pas promis aux gens que je leur apporterais la démocratie. J'ai dit : «Je travaillerai toujours et ferai de mon mieux pour ramener la démocratie et je continuerai à œuvrer en ce sens tant que je serai en vie ou jusqu'à ce que nous l'obtenions.»

AC : D'après ce que j'ai lu de vos discours, non seulement vous ne ripostez pas aux critiques du Slorc, mais vous expliquez que ces critiques sont en fait des avantages. Par exemple, ils vous reprochent d'avoir vécu à l'étranger pendant vingt-trois ans…

ASSK : Oui, c'est parce que j'ai vécu dans des pays libres une grande partie de ma vie que je ne suis pas facilement effrayée. La peur est vraiment une habitude. Les gens sont conditionnés à avoir peur.

Dans les pays libres, il est pratiquement normal de demander «pourquoi» si quelqu'un, même un fonctionnaire de la sécurité, vous donne un ordre qui vous semble déraisonnable. Dans un Etat autoritaire, il peut être dangereux de poser des questions, donc les gens font simplement ce qu'on leur dit de faire. Et ceux qui sont au pouvoir renforcent l'oppression. Et les gens ont de plus en plus peur. C'est un cercle vicieux.

AC : Honnêtement, certaines de leurs critiques vous ont-elles réellement ennuyée ?

ASSK : Non. Leurs attaques sont si grossières qu'elles m'ont valu de la sympathie plus qu'autre chose. A une certaine époque je les trouvais en fait assez drôles *(rire)*. Avant que je ne sois placée en résidence surveillée, nous constations que chaque fois que l'un d'eux m'attaquait d'une façon malveillante, nous gagnions plus de soutien que jamais. Nous nous disions en plaisantant : «Nous devrions leur remettre une distinction spéciale pour l'aide qu'ils apportent à notre campagne pour la démocratie.» Plus tard, j'ai compris que ce n'était pas une bonne idée. C'était grave, non parce qu'il s'agissait d'une attaque contre moi, mais parce que cela créait un grand fossé entre nous et eux – entre ceux qui voulaient la démocratie et ceux qui voulaient rester du côté des autorités. J'ai donc refusé cette forme de guerre de propagande.

AC : Ces attaques du Slorc, ces calomnies et ces mensonges, sont-ils strictement le résultat de l'expression misogyne de leur haine à votre égard, ou est-ce conçu comme une propagande en faveur de leur maintien au pouvoir ?

ASSK : Au fond, ils [le Slorc] n'aiment pas le fait que j'aie un tel soutien populaire. Ils tentent donc de diminuer le soutien en ma faveur et en faveur de notre mouvement pour la démocratie.

AC : Vous l'avez dit, le Slorc a sans arrêt utilisé contre vous le simple fait que vous étiez mariée à un citoyen britannique, le Dr Michael Aris. Où est le problème ?

ASSK : C'est exactement mon sentiment. Où est le problème ? Je pense parfois qu'il vaut mieux que je n'aie pas épousé un Birman, car si ma famille et la sienne se trouvaient ici, le Slorc aurait pu exercer d'énormes pressions et me créer ainsi un fardeau supplémentaire. J'en ai pris conscience en voyant ce qui est arrivé à mes collègues – la pression qui pèse sur leurs familles et tout ce qu'il leur faut supporter.

AC : On m'a raconté qu'avant votre arrestation, au cours de votre périple dans la Birmanie rurale, quelqu'un vous a demandé pourquoi vous aviez épousé un étranger, et vous avez répondu : « C'est très simple. Je vivais dans un pays étranger à l'époque où j'étais en âge de me marier, j'ai donc épousé l'étranger le plus convenable. » Est-ce vrai ?

ASSK : Je ne pense pas avoir dit cela. Je parlais dans un village, et on m'a demandé pourquoi j'avais épousé un étranger. J'ai dit : « Eh bien, il se trouve que j'étais là-bas, et je l'ai rencontré. Si j'avais vécu dans ce village, j'aurais probablement épousé quelqu'un de ce village. »

AC : Mais il est vrai que la nouvelle constitution que le Slorc est en train d'essayer de rédiger stipule que quelqu'un qui brigue la présidence de la Birmanie ne peut pas être marié à un « étranger ».

ASSK : C'est exact. Il y aussi d'autres cas, par exemple si ses enfants sont citoyens d'un pays étranger, etc.

AC : Manifestement, un moyen pour le Slorc de vous éliminer de la présidence.

ASSK : C'est ce que les gens disent. Mais j'ai toujours affirmé que si cela m'était destiné, c'était fort dommage, on ne doit pas rédiger une constitution en pensant à une seule personne.

AC : Daw Suu, vous êtes une figure extrêmement charismatique, ce qui permet à ceux qui aspirent à la liberté de leur pays de projeter sur vous leurs espoirs et leurs rêves. Comment encouragez-vous votre peuple à prendre une plus grande responsabilité dans le succès de la démocratie et à ne pas dépendre de vous ?

ASSK : Je répète que je ne peux pas faire cela toute seule. La Ligue nationale pour la démocratie non plus. Tous ceux qui veulent réellement la démocratie doivent fournir leur part d'effort – on trouve toujours un moyen.

AC : Ressentez-vous comme un fardeau cette immense image que l'on a de vous ?

ASSK : Non. Je n'ai jamais prétendu que je pouvais réussir seule et je ne crois pas qu'il faille endosser des fardeaux inutiles. J'ai toujours affirmé que je n'étais pas sans défauts et que j'avais commis des erreurs. Mais j'ai eu la grande chance d'avoir de très bons professeurs dans ma vie. Autrement, je ne me considère pas comme une personne exceptionnelle.

AC : Depuis que le Slorc a pris le pouvoir en 1988, vous avez prôné et utilisé la désobéissance civile contre ce que vous appeliez des «lois iniques». En agissant ainsi, vous expliquiez : «Ce que je signifie en bravant l'autorité, c'est le refus d'ordres illicites destinés à étouffer le peuple.» Huit ans ont passé depuis cette époque et les «lois iniques» existent toujours en Birmanie. Encouragez-vous toujours votre peuple à braver l'autorité ?

ASSK : J'ai toujours dit aux gens qu'ils devaient vraiment apprendre à questionner ceux qui leur donnent l'ordre de faire des choses qui vont à l'encontre de la justice et des lois existantes. Demandez : au nom de quelle loi me forcez-vous à faire cela ? De quel droit me faites-vous faire cela ? D'autre part, ils doivent se demander à eux-mêmes : devons-nous faire cela ? Les gens doivent poser des questions et ne pas tout accepter.

AC : Ainsi j'ai raison d'affirmer que vous et vos collègues au sein de la NLD tentez d'apprendre au peuple birman à penser et à s'informer, à défendre la vérité et à braver ces lois arbitraires et aberrantes ou ces injustices ?

ASSK : Disons-le ainsi : nous essayons de les aider à s'éduquer eux-mêmes, à mieux comprendre la situation et à voir plus clair. A ne pas être aveuglés par la peur.

AC : Prenons par exemple le jeune villageois, incorporé de force dans l'armée, ou contraint à une sorte d'esclavage pour la construction de tel ou tel projet du Slorc. Ce garçon est confronté à un dilemme difficile. S'il n'obéit pas, il risque vraisemblablement la prison ou même la torture. Même sa famille devra peut-être faire face à des conséquences violentes. Comment ce garçon doit-il selon vous se comporter ?

ASSK : Nous ne pouvons pas attendre que le garçon se défende tout seul. Nous devons tous l'aider. Lorsque nous disons que tout le monde doit acquérir un vrai sens de la responsabilité, accepter votre responsabilité envers les autres, et ne jamais laisser quelqu'un souffrir tout seul, cela en fait partie.

AC : Si, comme vous l'avez dit, « nous devons tous l'aider », que doivent faire les autres villageois pour venir en aide à ce garçon? Intervenir et s'opposer aux autorités? S'assoir tous ensemble et jeter leurs pelles?

ASSK : Cela dépend de ce qui leur arrive au moment où ils s'assoient et posent leurs pelles. S'ils ont affaire à des troupes armées, il ne serait peut-être pas judicieux de dire non. Cela pourrait aboutir à une situation désastreuse. C'est pourquoi j'affirme que dans certaines situations vous ne pouvez pas attendre des gens qu'ils se lèvent seuls. Nous devons tous aider. Tout le pays doit se dresser contre ces pratiques cruelles. Nous ne pouvons pas attendre qu'un seul garçon, ou un seul village, se lève. Mais si un garçon, un village, deux villages, une centaine de villages, une centaine de villes, tout le pays décide : nous ne ferons plus semblant d'ignorer cette pratique du travail forcé… alors, nous avancerons. Chacun de nous a la responsabilité d'aider les autres à échapper à une situation aussi injuste et cruelle.

AC : Considérons la question sous un autre angle. Le Slorc a une armée puissante de 400 000 hommes qui a été entraînée à opprimer son peuple, c'est du moins ce que montre sa conduite répétée. Bien entendu, dans une Birmanie démocratique vous aurez besoin d'une armée. La démocratie atteinte, qu'adviendra-t-il de l'armée du Slorc, une fois les généraux évidemment évincés?

ASSK : Ce sera une armée meilleure et plus honorable, qui sera aimée du peuple. Je le répète, lorsque mon père a fondé l'armée, il l'a envisagée comme une armée honorable, aimée du peuple et digne de sa confiance. Dans le genre d'armée que nous voulons, les soldats eux-mêmes seront plus heureux.

AC : Mais, Daw Suu, jusqu'à présent cette armée a vraiment pour habitude d'opprimer son propre peuple – elle semble y être entraînée…

ASSK : Je ne pense pas que les soldats sont en général entraînés à opprimer. Ils sont simplement entraînés à obéir et, s'ils sont entraînés à obéir à un ordre qui est bon, alors ils peuvent changer très vite.

AC : Je me le demande. Question personnelle : dans le bouddhisme, il est admis qu'il est plus difficile de se vaincre soi-même que de vaincre son ennemi. Quels sont les combats intérieurs auxquels vous êtes confrontée dans la conquête de vous-même ?

ASSK : Oh… c'est une guerre constante. Il s'agit d'acquérir toujours de plus en plus de conscience, non seulement d'un jour à l'autre, mais d'un moment à l'autre. C'est une bataille qui durera toute ma vie.

IV

La corruption est endémique…

Alan Clements : Daw Suu, quelles ont été les expériences les plus importantes et les leçons personnelles qui ont eu une portée sur votre développement en tant qu'individu ?

Aung San Suu Kyi : C'est très simple. Ce que j'ai appris dans la vie, c'est que ce sont toujours vos propres méfaits qui vous causent la plus grande souffrance, et jamais ceux des autres. Peut-être est-ce dû à la manière dont j'ai été élevée. Ma mère m'a inculqué le principe selon lequel les méfaits ne paient jamais, et l'expérience m'a prouvé que c'était vrai. En outre, si vous avez des sentiments positifs à l'égard des autres, ils ne peuvent rien vous faire – ils ne peuvent pas vous faire peur. Mais vous cessez d'aimer les autres, alors vous souffrez vraiment.

AC : Comment vous décririez-vous en tant que personne ?

ASSK : Eh bien, je me vois parfois d'une manière assez différente de celle dont les autres me voient. Par exemple, toute cette affaire à propos de mon courage… Je n'ai jamais pensé que j'étais une personne particulièrement courageuse. Et quand on me dit : «C'est merveilleux que vous ayez surmonté ces six ans de détention», je m'insurge : «Mais en quoi est-ce si difficile ? Pourquoi tout ce tapage ? » N'importe qui peut surmonter six ans de résidence surveillée. Les gens qui ont dû passer des années et des années en prison, dans des conditions terribles, eux, oui, vous pouvez vous demander comment ils ont fait. Donc je ne me vois pas du tout comme quelqu'un d'extraordinaire, mais comme une persévérante. Je ne renonce pas. Quand je dis «je ne renonce pas», je ne parle pas de ne pas renoncer à œuvrer pour la démocratie. Cela, bien sûr, mais je ne renonce pas non plus à essayer de devenir une meilleure personne.

AC : Donc, c'est cette démarche intérieure, cette détermination à atteindre la perfection ou l'absolu qui vous caractérise le mieux ?

ASSK : Oui. on parle beaucoup de ma détermination mais, je ne pense pas être une personne très déterminée. Je pense que je suis une persévérante.

AC : Qu'est-ce qui dans votre vie vous donne le plus le sentiment d'avoir une signification et une utilité ?

ASSK : En ce moment, bien sûr, c'est la cause de la démocratie. En ce sens… j'ai beaucoup de chance, et c'est le cas de beaucoup de gens ici en Birmanie. Je l'ai expliqué aux membres de la NLD : «Ne vous désolez pas. Ne vous sentez pas malheureux de devoir vivre cette époque. Dites-vous que c'est une chance, car vous avez une occasion d'œuvrer pour la justice et le bien-être d'autrui, et cela n'arrive pas à tout le monde tout le temps.» On peut désirer une occasion comme celle-là, et ne pas la trouver. Donc je pense que j'ai le bonheur d'avoir pu travailler pour une cause qui le mérite – la démocratie. Je pense que c'est ce qui a permis les sacrifices de tant de mes collègues. Ils ont la conviction que leurs sacrifices sont à la hauteur de leur combat.

AC : Elargissons la question. Quel pourrait être le lien commun qui permette à d'autres dans le monde de comprendre que la lutte de votre peuple pour la démocratie n'est pas si différente ou distincte de leur propre poursuite du bonheur? Y aurait-il un lien intime qui relie toute l'humanité?

ASSK : Oui, bien sûr. Tout le monde comprend le désir fondamental de l'être humain d'être libre et en sécurité. Ce que nous voulons en Birmanie, c'est à la fois la sécurité et la liberté; être libérés du besoin et libérés de la peur; libre, de rechercher nos propres intérêts. Evidemment, sans nuire aux intérêts d'autrui. En même temps, nous voulons la sécurité qui nous permette de rechercher ces intérêts sans craindre l'intervention d'autrui. La vraie liberté ne peut exister sans sécurité. Une personne insécurisée n'est jamais vraiment libre.

AC : Quelles sont les peurs qui prévalent chez les Birmans aujourd'hui?

ASSK : A mon sens, les gens ont peur de perdre. Peur de perdre leurs amis, leur liberté, leurs moyens de subsistance. Au fond ils ont peur de perdre ce qu'ils ont ou de perdre la possibilité d'acquérir ce dont ils ont besoin pour vivre des vies décentes. Et ils veulent être libérés de cette sorte de peur. Par exemple, ne plus redouter que n'importe qui n'importe quand leur retire le droit de pratiquer leur profession. Cela s'est fait en Birmanie. De nombreux avocats de la NLD, à leur sortie de prison, se sont vu retirer leur licence. Ils ont dû trouver d'autres moyens d'assurer leur subsistance.

AC : Pouvez-vous expliquer par quels moyens le Slorc opprime la NLD?

ASSK : Le simple fait d'être membre de la NLD vous rend vulnérable. Si vous êtes actif dans l'organisation, vous êtes constamment harcelé. Dans beaucoup de communes la NLD n'est pas autorisée à tenir ses réunions dans ses propres bureaux. Dans certains endroits les cadres de la NLD n'ont pas le droit de quitter la ville sans le consentement des autorités. Et bien entendu ils sont constamment surveillés et interrogés par le MI [les renseignements militaires].

AC : Sur un registre plus personnel, Daw Suu, quand vous considérez votre vie, diriez-vous qu'il y a des périodes distinctes qui correspondent à des changements spectaculaires de nature affective ou psychologique ?

ASSK : Non, je ne pense pas que cela se passe ainsi. C'est plus progressif, excepté, je suppose, chez les gens qui ont connu des expériences très traumatisantes. Peut-être ceux-là changent-ils brusquement d'une façon perceptible.

AC : Je ne sais pas ce que vous entendez par le mot traumatisme, mais la mort de votre père alors que vous étiez si jeune serait considérée selon la plupart des normes comme très traumatisante. Ou, peut-être, assister à la noyade de votre frère à l'âge de sept ans. Il était aussi votre meilleur ami…

ASSK : Je ne me rappelle pas vraiment la mort de mon père. Je ne pense pas avoir eu conscience qu'il était mort ; j'étais trop petite. A la mort de mon frère, j'ai été beaucoup plus touchée. J'étais très proche de lui… probablement plus proche de lui que de n'importe qui d'autre. Nous partagions la même pièce et nous jouions ensemble tout le temps. Sa mort a été une perte terrible pour moi. A ce moment-là j'ai ressenti un énorme chagrin. Je suppose que vous pourriez appeler cela un «traumatisme», mais ce n'était pas insurmontable. Bien sûr, j'étais très bouleversée par l'idée de ne plus jamais le revoir. C'est ainsi, je pense, qu'un enfant voit la mort : je ne jouerais plus avec lui ; je ne pourrais plus jamais être avec lui. Mais en même temps, rétrospectivement, j'ai sans doute été entourée d'un extraordinaire sentiment de sécurité. J'ai pu en sortir – je n'ai pas souffert de dépression ni de grave perturbation émotionnelle.

AC : Si je puis me permettre une observation personnelle… vous semblez tellement sûre de vous.

ASSK : Je n'ai jamais pensé que j'étais particulièrement sûre de moi. Ce que je sais, c'est que je veux faire ce qui est juste. Je n'affirme pas que j'ai toujours raison dans ce que je fais. Mais je sais parfaitement que mes intentions sont bonnes et que je ne veux blesser personne.

AC : Quelle a été l'expérience de votre vie qui vous a causé le plus de chagrin ?

ASSK : Je dirais que c'est la mort de mon frère. Mais, je le répète, il me semble que je l'ai supportée plutôt bien. J'y ai pensé de temps en temps. Je n'étais pas complètement anéantie. J'avais du chagrin, mais je ne me suis pas effondrée. J'avais sans doute suffisamment de soutien autour de moi pour pouvoir surmonter mon chagrin.

AC : Avez-vous jamais été trahie au point que cela vous perce le cœur ?

ASSK : Je pense que tous ceux d'entre nous qui ont rejoint le mouvement pour la démocratie ont connu la trahison. Nous avons connu des gens qui ont abandonné notre cause parce que c'était trop difficile et qu'ils n'en pouvaient plus. Mais aucune des personnes vraiment importantes n'a flanché. U Tin Oo, U Kyi Maung, U Aung Shwe, U Lwin, sont tous restés loyaux.

AC : Depuis le coup d'Etat de 1988 jusqu'à présent, les

membres du Slorc ont répété d'une manière obsédante que leurs véritables intentions étaient d'apporter la paix, la tranquillité et une authentique démocratie pluripartite à la Birmanie. Je me demande tout de même pourquoi ces généraux n'ont pas tout simplement dit la vérité : «Ecoutez, nous sommes une dictature autoritaire. C'est notre affaire. Nous détenons les banques ; nous avons le pouvoir, les forces armée et les armes ; nous avons le siège aux Nations unies ; tous les contrats des milieux d'affaires étrangers se font avec nous, le Slorc. Par conséquent, fini le jargon démocratique. Fini les mensonges.» Pourquoi ne disent-ils pas tout simplement la vérité ?

ASSK : Ils doivent savoir mieux que moi pourquoi ils ne se sont pas montrés sous ce jour. Mais au fond, c'est une façon de reconnaître que la dictature a tort et que la démocratie est désirable.

AC : Donc vous estimez que le Slorc reconnaît ses imperfections ?

ASSK : Oui, bien sûr : après tout, ils ont promis la démocratie pluripartite. C'est une façon de reconnaître qu'ils la trouvent bonne et désirable, même s'ils ne sont pas enthousiastes.

AC : Je suis peut-être naïf, mais pourquoi les membres d'un régime totalitaire diraient-ils qu'ils veulent une démocratie pluripartite, s'il n'y croient pas eux-mêmes ?

ASSK : Parce qu'ils savent que c'est ce que veulent la plupart des gens.

AC : Ils se contentent alors de flatter bassement en paroles le désir du peuple ?

ASSK : Je n'emploierais pas le terme «flatter bassement». Je suppose qu'ils ne peuvent pas entièrement résister à la volonté du peuple.

AC : Mais le peuple méprise totalement le Slorc. Et le Slorc a prouvé, et continue de le faire, que la répression de la démocratie est sa véritable intention. A qui le Slorc adresse-t-il donc toute cette rhétorique sur la démocratie dans ses discours, dans son journal et à la télévision ? Cherchent-ils à se convaincre eux-mêmes ?

ASSK : Il est possible qu'ils s'adressent à ceux dont ils espèrent attirer les investissements. C'est peut-être aussi cynique que cela. Mais à cette question, eux seuls peuvent répondre. Malgré tout, il y a parfois des questions auxquelles certains ne peuvent pas répondre, même si elles les concernent, tant leurs motifs sont contradictoires.

AC : Jusqu'à ce que les vérités soient évidentes. C'est un fait bien établi que le Slorc utilise la corruption à la fois comme tactique politique pour contrôler le peuple et par pure cupidité. Pourriez-vous apporter quelques éclaircissements là-dessus ?

ASSK : La corruption existe dans tout le pays. Vous devez payer pour les choses les plus ordinaires telles que le renouvellement d'un permis de conduire. Vous devez même verser des pots-de-vin aux employés hospitaliers pour les petits services nécessaires aux malades. La corruption est endémique. Ceux qui détiennent l'autorité peuvent faire ce qu'ils veulent. Au niveau du village, les autorités refusent de faire leur travail si on ne leur graisse pas la patte. Mais cela ne s'applique pas à tout le monde. Je sais qu'il y a des conseils de village ou de quartier constitués pour le rétablissement de l'ordre public, qui sont honnêtes et qui essaient d'aider les gens. C'est pourquoi nous avons besoin de démocratie. Nous avons besoin d'un système qui ne dépende pas de l'envie d'un individu de bien faire ou non. Le système doit s'assurer

LA VOIX DU DÉFI

des mécanismes d'équilibre qui l'empêchent de s'engager sur la mauvaise voie.

AC : Quelle est l'étendue de la corruption en Birmanie ?

ASSK : Elle est partout. Et vous ne pouvez pas vraiment blâmer les fonctionnaires qui réclament des pots-de-vin, quand vous considérez qu'ils débutent avec un salaire d'environ 670 kyats par mois. Vous m'avez dit hier qu'une tasse de thé au Strand Hotel coûte 3 dollars, c'est-à-dire plus de la moitié de cette somme. Dans un tel système, comment s'étonner que la corruption et les trafics soient si répandus ?

AC : Question difficile, mais, quand la démocratie sera acquise, comment vous et la NLD vous attaquerez-vous au problème de la corruption ?

ASSK : Elle ne disparaîtra pas du jour au lendemain. Il faudra prendre des mesures pour garantir aux fonctionnaires un salaire correct. La responsabilité financière est l'un des meilleurs moyens pour contrôler la corruption et dans un système démocratique cela signifie un gouvernement responsable. Mais la corruption est aussi un état d'esprit qui a été engendré par la situation politique. Si les gens au sommet sont corrompus, alors les gens de rang inférieur pensent que c'est très bien d'être corrompu. Si les gens au sommet ne sont pas corrompus et s'il devient manifeste qu'ils sont responsables, nous pourrons maîtriser la corruption. C'est aussi un problème d'éducation. Nous ferons de notre mieux pour faire comprendre aux gens que la corruption n'est pas un mode de vie et que, si c'est un mode de vie, ce n'est certainement pas le meilleur.

AC : Puisque nous parlons d'éducation, quel est l'état de l'enseignement en Birmanie ?

ASSK : Catastrophique. L'enseignement est vraiment dans

un très mauvais état. L'abandon des études dans le primaire a augmenté régulièrement depuis que le Slorc a pris le pouvoir. Dans les écoles les élèves sont forcés de faire des donations pour toutes sortes de choses stupides et on ne leur fournit même pas les livres adéquats. Mais il y a un phénomène très intéressant. J'ai mentionné cela assez souvent au cours de mes réunions de week-end et à la fin de mai, quand les écoles ont rouvert, dans au moins deux établissements, peut-être plus, de grands panneaux annonçaient : aucune espèce de donation n'est reçue et vous pouvez acheter tous vos livres à l'école – vous n'avez pas à les acheter à l'extérieur. Donc je pense que nos réunions du week-end ont un résultat, car on y insiste toujours sur la nécessité d'un bon enseignement.

AC : Le Slorc répond positivement à vos propos ?

ASSK : Ils répondent toujours. Toujours. C'est pour cela que certains me demandent : « Si la politique du Slorc est de tenter de vous marginaliser, que pouvez-vous faire ? » Ils ne nous marginalisent pas. Ils n'essaient même pas. Ils m'obligent à réagir tout le temps. Dans une certaine mesure ils assurent gratuitement mes relations publiques.

AC : Revenons aux affaires. Dans tout Rangoon il y a des voitures neuves importées, des revendeurs d'ordinateurs vendent les derniers modèles Apple et Toshiba, et Sony écoule ce qui se fait de mieux en télévisions et équipements de son. Dans un pays appauvri, qui achète ces articles ?

ASSK : Je ne sais pas… mais on m'a raconté que certains s'étaient énormément enrichis dans le trafic de drogue et qu'ils blanchissaient leur argent sale…

AC : Voulez-vous dire qu'à l'heure actuelle une grande partie des riches en Birmanie sont impliqués dans le commerce de la drogue ?

ASSK : Sinon une grande partie… du moins une partie non négligeable. Bien sûr, si vous enquêtez sur ceux qui sont devenus très riches ces six dernières années [depuis que le Slorc a pris le pouvoir] vous découvrirez que leur fortune ne vient pas tant des affaires honnêtes que de la corruption.

AC : Le dictateur birman, Ne Win, a dirigé ce pays pendant trois décennies. Ce faisant, il a supprimé systématiquement presque toute forme de liberté. La grande majorité de la population birmane est née sous son régime. Quelles en sont les répercussions psychologiques sur les gens ?

ASSK : Le trait dominant est le manque de confiance. Et manque de confiance signifie souvent absence d'honnêteté, parce que vous ne savez pas à qui vous pouvez faire suffisamment confiance pour être honnête. C'est lié à la peur. Si vous n'avez pas confiance, vous êtes envahi par la peur. Ce manque de confiance, de confiance réciproque, est une véritable maladie.

AC : Des gens de tout le pays et de toutes conditions sociales viennent parler avec vous, ici, chez vous. En trouvez-vous certains hésitants ou parfois trop effrayés pour dire la vérité ?

ASSK : Ils n'ont pas peur de me dire la vérité parce que beaucoup d'entre eux ont confiance en moi et savent que je ne les trahirai pas. Mais ce qu'ils disent démontre en effet dans une large mesure à quel point ils ont peu confiance les uns dans les autres. On m'informe beaucoup sur qui n'est pas fiable, qui est en contact avec qui, et à qui par conséquent on ne peut faire confiance. Mais une grande part de tout cela relève de la pure anxiété, non de la volonté de semer la zizanie. Ils ont vraiment peur que quelqu'un fournisse des informations sur quelqu'un d'autre.

AC : A quel point le réseau des renseignements militaires du Slorc est-il envahissant ?

ASSK : Il est envahissant. Nous savons pertinemment qu'il y a des informateurs et que les nouvelles sont communiquées ou remontent aux services de renseignement. C'est ainsi que fonctionnent tous les Etats policiers, pas uniquement la Birmanie.

AC : La méfiance est-elle généralisée au point d'atteindre à la paranoïa ?

ASSK : Je pense que cela peut aller jusque-là.

AC : Daw Suu, dans vos allocutions du week-end, vous répondez à des questions qui vous ont été soumises au cours de la semaine. La plupart de ces questions évoquent les nombreux modes de répression et de corruption du Slorc – des questions qui parlent de souffrance et de lutte. Préparez-vous vos réponses ou sont-elles spontanées ?

ASSK : Quelquefois je parcours les questions la veille au soir, si j'ai le temps. Sinon, au moins une demi-heure avant. Et seulement au cas où il y a un sujet technique.

AC : De toutes les questions qui vous sont soumises chaque semaine, qui décide lesquelles feront l'objet d'une réponse, et pourquoi ?

ASSK : Nous recevons tellement de lettres que je ne peux pas les lire toutes moi-même. Donc notre personnel les lit d'abord, éliminant celles auxquelles nous avons déjà répondu, ou celles qui attaquent de façon malveillante une personne en particulier ou le gouvernement. Nous ne voyons pas de problème à ce que les gens critiquent les injustices du gouvernement dont nous souffrons tous, mais je ne lis jamais en public des lettres contenant des attaques personnelles malveillantes, même si l'attaque est justifiée – au sens où l'injustice qu'elles désignent est vraie. Par exemple, si quelqu'un écrit une lettre accusant nommément un individu de corruption, je ne la lis pas publiquement. Je refuse de mêler personnalités et politique. Nous n'aimons pas faire des individus le point de mire, c'est de très basse politique. De telles lettres sont mises de côté ou nous les adaptons de manière à retirer les noms des individus, et nous disons seulement que les autorités ont dit ceci ou fait cela à telle ou telle date. En outre, nous vérifions les faits avant de lire quoi que ce soit. Nous n'acceptons pas tout tel quel. Ce n'est pas un lieu où l'on étale ses griefs sans preuve suffisante.

AC : Quelles sont les qualités les plus concrètes qui se sont développées chez les gens qui luttent pour la liberté dans des conditions de répression aussi dures ?

ASSK : Eh bien… je pense que les Birmans sont beaucoup plus travailleurs qu'ils ne l'étaient. Ils ont été « forcés » de travailler dur. Je pense que ceux d'entre nous qui se sont engagés dans le mouvement pour la démocratie ont appris à reconnaître nos forces et à bâtir dessus. Je pense que se sont fondées aussi des amitiés très fortes.

AC : Pourrait-on dire qu'avec votre mouvement pour la démocratie, vous amenez une période de renaissance en Birmanie, qui associe anciennes valeurs bouddhistes et principes politiques modernes ?

ASSK : Je ne crois pas qu'un individu seul puisse amener une renaissance, mais j'espère que nous allons dans cette direction. Quand les gens affrontent des problèmes, ils sont forcés de réexaminer leur vie et leurs valeurs, et c'est cela qui mène à la renaissance.

AC : Vous avez décrit votre lutte pour la démocratie comme une « révolution de l'esprit ». Qu'est-ce que cela signifie ?

ASSK : Quand je parle de révolution spirituelle, je parle beaucoup de notre combat pour la démocratie. J'ai toujours dit que la vraie révolution devait être celle de l'esprit. Vous devez être convaincu que vous avez besoin de changer et que vous voulez changer certaines choses – pas seulement sur le plan matériel. Vous voulez un système politique guidé par certaines valeurs spirituelles – des valeurs différentes de celles que vous avez connues auparavant.

AC : Quelle mutation dans la conscience a été nécessaire pour faire de la lutte une «révolution spirituelle» et non plus sociopolitique?

ASSK : A cause des répressions terribles auxquelles nous avons été soumis, une révolution politique ou sociale est presque impossible. Nous sommes tellement écrasés par toutes sortes de règlements injustes que nous pouvons difficilement progresser en tant que mouvement politique ou social. Donc il fallait vraiment que ce soit un mouvement de l'esprit.

AC : Avez-vous une passion, à côté de la politique?

ASSK : Mon autre passion est la littérature, mais elle se rattache à la politique. En Birmanie, la politique a toujours été liée à la littérature et les hommes de lettres ont souvent été engagés en politique, en particulier sur la question de l'indépendance.

AC : Avant votre arrivée sur la scène politique birmane en 1988, sentiez-vous que quelque chose manquait dans votre vie à Oxford?

ASSK : Non. Je pense que l'on doit mener une vie bien remplie où que l'on soit.

AC : Vous sentez-vous complète où que vous soyez?

ASSK : Eh bien, ici et maintenant, je ne suis pas avec ma famille, et une famille, cela fait partie de la vie. Donc je ne peux pas dire que ma vie est complète, mais je ne pense pas qu'aucune vie le soit. Il n'y a pas de perfection en ce monde. Une fois que vous avez accepté ce fait, vous pouvez mener une vie bien remplie où que vous soyez.

AC : Avez-vous d'exigeants modèles de perfection pour votre discours et votre conduite ?

ASSK : Oh! oui, j'ai des tendances perfectionnistes. J'aimerais beaucoup être parfaite. Je sais que je ne le suis pas mais cela ne m'empêche pas d'essayer.

AC : La recherche de la perfection est-elle une épreuve ?

ASSK : Non. Cela fait partie de mon quotidien. On essaie.

AC : Que signifie pour vous «perfection»?

ASSK : Mon père parlait autrefois de pureté dans la pensée, la parole et l'action. Voilà ce que j'entends par perfection, la pureté.

AC : Toujours la motivation parfaitement pure ?

ASSK : Oui. Je pense que la plus grande protection dans la vie est la pureté absolue. J'ai la conviction qu'en définitive, personne d'autre que vous-même ne peut vous faire du mal.

AC : Votre père a été assassiné lorsque vous aviez deux ans. Puis vous aviez sept ans quand vous avez assisté à la mort par noyade de votre frère. Après la perte de vos figures masculines les plus intimes, si jeune, y a-t-il un mâle dominant – une figure paternelle – qui a joué ce rôle important au cours de votre enfance ?

ASSK : Pas vraiment. Je n'ai jamais ressenti le besoin d'une figure masculine dominante, parce que le père de ma mère, qui vivait avec nous, était le grand-père idéal. Il était très indulgent et très aimant. Pendant mon enfance, il a été la figure masculine la plus importante de ma vie.

AC : Avez-vous un souvenir concret de votre père ?

ASSK : J'ai le souvenir de lui me prenant dans ses bras chaque fois qu'il rentrait du travail, mais je pense que ce souvenir a peut-être été renforcé par le fait que l'on me le répétait tout le temps. En d'autres termes, je n'avais pas le droit d'oublier. Donc c'est peut-être un souvenir authentique ou bien quelque chose que j'ai imaginé d'après ce que les gens me racontaient. Mais il me semble me rappeler qu'à son retour du travail mes deux frères et moi courions dans l'escalier à sa rencontre et qu'il me prenait dans ses bras.

AC : Pensez-vous à votre père tous les jours ?

ASSK : Non, pas tous les jours. Il ne m'obsède pas, comme certains le croient. J'espère que mon attitude à son égard est faite de profond respect et d'admiration, et qu'il ne s'agit pas d'une obsession.

AC : Tout le monde vous compare à lui : votre apparence physique, les rôles éminents que vous jouez manifestement dans l'indépendance de la Birmanie, votre attachement à des principes similaires et parfois identiques… la liste n'est pas close. Quelles sont vos différences ? Qu'est-ce qui vous met à part ? Pas dans ce qui se voit, mais peut-être dans des choix politiques, des façons de penser.

ASSK : Je ne crois pas que nous ayons des différences majeures. C'était une personne meilleure que moi, et je ne dis pas cela par souci de modestie. Mon père était de ces gens nés avec un sens de la responsabilité beaucoup plus grand et beaucoup plus développé que le mien. Dès l'instant où il a commencé à aller à l'école, il a travaillé dur, très consciencieusement. Je n'étais pas comme lui. Je travaillais dur seulement quand j'aimais le professeur ou le sujet. J'ai dû acquérir mon sens de la responsabilité et le travailler. Voilà, une de nos différences. Mais en ce qui concerne l'attitude, je ne vois pas de différences fondamentales entre nous. En fait, quand j'ai entrepris des recherches sur la vie de mon père, j'ai été frappée par nos similitudes. J'étais surprise que nous ayons tant de réflexions communes. Il m'arrivait d'avoir certaines idées en me disant que c'étaient mes propres réflexions, mes propres sentiments, et puis je découvrais que c'était déjà les siens.

AC : J'ai lu dans un livre que vous avez écrit sur votre père : « C'était une personnalité difficile. On a beaucoup critiqué ses humeurs, son désordre, ses moments de silence dévastateurs, ses moments tout aussi dévastateurs de loquacité et sa conduite extrêmement sèche. Il admettait lui-même qu'il trouvait parfois ennuyeux les gens polis et raffinés, et qu'il aurait aimé s'en séparer pour vivre une vie de sauvage. » Cela donne l'impression que cet homme était un sauvage à l'état pur.

ASSK : Mon père n'était pas vraiment un sauvage. Il était très sec, je l'ai dit, et les signes extérieurs d'une certaine bonne société l'irritaient. Mais en même temps, il était très raffiné sur le plan spirituel, souple et capable de s'adapter. C'est pour cela, je pense, qu'il a été un grand homme. Mais tout le monde, parce qu'il était le chef, faisait une affaire de son comportement abrupt, sévère et pas toujours sociable. Cependant, il était assez objectif et se rendait compte que ce n'était pas une façon de se conduire pour un chef d'Etat. Avant de disparaître, prenant très au sérieux ses responsabilités, il a maintenu la dignité et l'honneur de la nation.

AC : Qu'est-ce qui vous vient d'abord à l'esprit quand vous pensez à lui ?

ASSK : D'abord le fait que c'était une personne capable

d'apprendre et qui apprenait tout le temps. Il avait aussi une confiance innée en lui-même. Ce qui ne veut pas dire qu'il n'avait pas conscience de ses propres défauts. Il en était conscient, ainsi que de la nécessité de s'améliorer. C'est un être qui a toujours cherché à s'améliorer. Il y avait au fond de lui une simplicité et un raffinement qui ont assuré sa cohésion et l'ont mis en phase avec toutes les étapes de sa vie.

AC : Vous symbolisez et vous incarnez pour des millions de gens dans le monde entier une conception non violente de la politique, d'inspiration spirituelle. D'autre part, votre père, général de l'armée, a prôné la lutte armée et employé la violence avec succès dans une révolution qui a libéré son pays de l'oppression étrangère. Si votre père avait été vivant en 1988, au moment où le Slorc massacrait des manifestants qui défendaient sans armes la démocratie, et s'il avait été un dirigeant étudiant – un jeune Aung San – comment à votre avis aurait-il réagi à la crise ?

ASSK : N'oubliez pas que j'avais plus de quarante-quatre ans quand je me suis engagée dans le mouvement pour la démocratie, et que mon père avait trente-deux ans lorsqu'il est mort. Il est entré en politique à dix-huit ans, et il a fondé l'armée birmane lorsqu'il en avait vingt-six. Moi, à vingt-six ans, je n'étais pas la personne que je serais à quarante-quatre. Peut-être que si j'étais entrée en politique beaucoup plus tôt, j'aurais eu une approche beaucoup plus passionnée, et je n'aurais pas suivi la voie de la non-violence. J'aurais peut-être eu la même attitude que lui, considérant tous les moyens acceptables pour acquérir l'indépendance de la Birmanie. C'est pour cela qu'il a fondé l'armée. Il pensait, à ce moment-là, que le plus important était d'acquérir l'indépendance. Mais, avant de mourir, il a compris que les problèmes du pays devaient se résoudre par des moyens politiques et non par le combat armé.

AC : Comment caractériseriez-vous votre relation à votre mère ?

ASSK : Je traitais ma mère avec beaucoup d'amour, de respect et d'admiration, comme la plupart des enfants birmans apprennent à le faire. A mes yeux, ma mère représentait l'intégrité, le courage et la discipline. Elle était aussi très chaleureuse. Mais elle n'a pas eu une vie facile. Je pense qu'il a été très difficile pour elle d'élever la famille et de mener une carrière après la mort de mon père.

AC : Rétrospectivement, quand vous revoyez votre relation avec votre mère, y a-t-il des aspects chez elle qui vous limitaient ? Peut-être des valeurs ou des attitudes qui vous emprisonnaient ? Ou des erreurs dans sa façon de vous élever ?

ASSK : Je pense qu'elle faisait de son mieux. Elle s'est donné beaucoup de mal pour nous assurer la meilleure éducation et la meilleure vie possibles. Personne n'est à l'abri des erreurs. Elle était parfois très stricte. Plus jeune, j'estimais que c'était déplaisant. Mais maintenant je sais que c'était une bonne chose, car cela m'a bien préparée à la vie.

AC : Etait-elle très stricte ?

ASSK : Hautement disciplinée… Chaque chose en son temps… convenablement. C'était une perfectionniste.

AC : Etes-vous pareille avec vos enfants ?

ASSK : Je ne suis pas aussi stricte en matière de discipline, mais je le suis. Ma mère était une personne très forte et je suppose que je le suis également, à ma façon. Mais j'ai une relation beaucoup plus informelle avec mes enfants. La relation que ma mère avait avec moi était assez rigide. Elle ne courait pas partout pour jouer avec moi quand j'étais petite. Avec mes fils, je galopais toujours dans tous les sens quand nous jouions ensemble. Il m'arrive d'avoir de longues discussions avec eux. Des débats formidablement passionnés parfois, car mes fils sont assez ergoteurs et moi aussi… Je n'ai jamais fait ce genre de choses avec ma mère.

AC : De quoi discutez-vous? De vos valeurs? De vos convictions bouddhistes?

ASSK : Cela dépend. Mon fils aîné, qui est plus mûr, a tendance à vouloir discuter davantage de questions philosophiques, tandis qu'avec mon plus jeune fils nous ne parlons pas beaucoup de ce genre de choses, du moins pas encore.

AC : Avant le début de notre entretien, l'autre jour, vous avez mentionné que votre plus jeune fils, Kim, était un peu «amateur de rock and roll».

ASSK : Oui, il aime beaucoup le… vous appelez cela *hard rock*?

AC : Si c'est électrique et bruyant…

ASSK : Il aime la musique et j'ai beaucoup appris sur le genre de musique qu'il aime. Je n'ai pas de problèmes avec lui… C'est avec son père qu'il se dispute sur le sujet. Michael s'insurge quand Kim met sa musique trop fort. Alors que moi, cela ne me dérange jamais… je peux tolérer.

AC : Il est donc autorisé à mettre du hard rock aussi fort qu'il veut dans la maison?

ASSK : Oui, je ne l'en empêche jamais, parce que je n'aime pas qu'il écoute sa musique au casque, je pense que cela lui abîme les oreilles. Je préfère supporter le bruit plutôt que le laisser s'abîmer les oreilles.

AC : La musique occidentale a envahi la Birmanie… Music Channel V est diffusée par satellite. Les concerts de rock sont maintenant disponibles en vidéo à la location et à l'achat. Il y a même à Rangoon plusieurs discothèques et night-clubs ou l'on écoute de la musique *live,* y compris du hard rock. Un côté pointu de la musique occidentale avec images vidéo radicales montrant sexe, drogues et souvent violence se mêle à une ancienne culture mystique. A votre avis, peut-on garder l'espoir de préserver la culture tradition-nelle bouddhiste birmane ?

ASSK : Si le changement arrive trop vite, nous risquons d'aboutir à une sorte de non-culture très superficielle. Je suis pour l'ouverture – pour que les gens étudient d'autres cultures. Mais ce genre d'invasion rapide peut être néfaste. De nombreux aspects de la culture birmane méritent d'être préservés. Les influences étrangères ont pénétré massive-ment et si vite que nous risquons de perdre plus que nous ne gagnerons.

AC : Quelles sont les qualités principales de la culture bir-mane que vous souhaitez préserver ?

ASSK : Les valeurs bouddhistes de bonté et de compas-sion. Le respect de l'éducation.

AC : La Birmanie va bientôt recevoir une grande affluence de touristes et avec eux les «randonneurs», qui apporteront inévitablement des drogues – acide, marijuana, haschich, ecstasy – et des manières libres et décontractées. Que dire de ces voyageurs ?

ASSK : Je crains qu'ils n'arrivent avant que le peuple bir-man n'ait acquis un minimum d'assurance. L'économie est dans un état terrible et le peuple birman ne se sent pas fier de son pays en ce moment. Dans une période comme celle-ci, il est trop facile pour les jeunes de s'emparer des valeurs et des idées étrangères, simplement parce qu'ils pensent que les étrangers sont meilleurs qu'eux et qu'ils réussissent mieux. Une population qui a confiance en elle apprécie mieux à la fois sa propre culture et celle des autres. Les gens distinguent plus clairement ce qu'ils doivent préserver, ce dont ils doivent se débarrasser, ce qu'ils doivent accepter, ce qu'ils doivent rejeter.

V

JE CONTEMPLE MA MORT…

Alan Clements : La philosophie bouddhiste explique que l'on peut transformer une expérience apparemment négative en son contraire positif. Par exemple, voir dans la cruauté une occasion d'aimer, ou dans la tromperie une invitation à l'honnêteté. Autrement dit, tout est transformable. Il n'y a pas d'obstacles, seulement des défis, si l'attitude spirituelle est bien orientée. Pour expliquer ce point, le Bouddha réprimanda une fois ses moines qui critiquaient Devadatta, sa némésis, à sa mort. Vous le savez, Devadatta a tenté à plusieurs reprises de tuer le Bouddha. Mais si je ne m'abuse, le Bouddha disait que sans l'agression de Devadatta il n'aurait jamais pu être pleinement accompli en patience. On pourrait voir cela comme l'éloge de l'adversaire ou de l'opposition.

En Birmanie aujourd'hui nous avons quelque chose de comparable à la politique de répression du Slorc, à laquelle s'oppose une révolution spirituelle. Puis-je vous demander votre opinion sur la transformation de la négativité en liberté par rapport à votre combat pour la démocratie ?

Aung San Suu Kyi : Pour avoir une démocratie vraiment

forte et saine, nous avons besoin d'une opposition forte et saine. Je persiste à dire que vous avez besoin d'une bonne opposition parce qu'elle ne cessera d'insister sur vos erreurs et vous forcera à rester vigilant. A bien des égards, l'opposition est votre plus grand bienfaiteur. En termes temporels, l'opposition en démocratie joue le rôle de Devadatta pour tout gouvernement légal. Elle empêche le parti au pouvoir de s'égarer en signalant constamment toutes les erreurs. L'opposition, en tant que prochain gouvernement potentiel, empêche l'actuel de faire mauvais usage de son pouvoir.

AC : Comme vous le savez, le Bouddha s'est servi du concept de *samsara* pour désigner l'existence dans sa totalité – le grand tourbillon de la vie, avec la naissance, le vieillissement et la mort en toile de fond de tous les autres événements que nous considérons importants. Vous arrive-t-il de prendre du recul par rapport à l'immédiateté de la lutte et d'envisager votre anonymat ou votre peu d'importance, dans une vision plus globale de l'existence ?

ASSK : Oui. En fait, cela me surprend encore d'être considérée comme une personne importante. Je ne vois pas du tout les choses de cette façon. Je ne me sens pas différente aujourd'hui de ce que j'étais avant de faire de la politique. Bien sûr, j'ai beaucoup plus de responsabilités à assumer. Mais j'avais aussi des responsabilités en tant qu'épouse et mère. Les choses peuvent paraître grandes et importantes parfois, mais je me rends compte que ce sont de petites choses quand je considère que nous sommes tous soumis à la loi de l'*anicca*, la loi de l'impermanence. Pour le dire brutalement, je contemple ma mort. Ce qui signifie pour moi l'acceptation du principe de changement. Et quand vous réfléchissez à votre propre mort, certains des problèmes qui vous semblent importants se recroquevillent et ne sont plus rien du tout. Pensez-vous quelquefois à votre mort ?

AC : Oui, parfois. Mais la contemplation de la mort ne m'a pas apporté la peur de la mort à proprement parler, l'impression que quelque chose se termine, mais une plus grande passion pour la vie dans le présent. Quelle valeur a eue pour vous la contemplation de la mort ?

ASSK : Peu de gens regardent vraiment en face le fait qu'ils vont mourir un jour. Si vous contemplez votre propre mort, en un sens cela signifie que vous acceptez votre peu d'importance. C'est un moyen de vous mettre en retrait du présent, des préoccupations immédiates du monde dans lequel vous êtes engagé, en comprenant à quel point vous êtes insignifiant dans l'ordre des choses – dans le tourbillon du *samsara*. Et pourtant, vous êtes essentiel à votre place, même si vous n'êtes pas de grande importance. Tout le monde est essentiel. Mais vous devez avoir une vision équilibrée de votre place dans le monde, avoir assez de respect pour vous-même pour comprendre que vous aussi avez un rôle à jouer et, en même temps, assez d'humilité pour accepter que votre rôle n'est pas aussi important que vous ou certaines personnes pourraient le penser.

AC : Vous le savez, la Première Noble Vérité de l'illumination du Bouddha était la Vérité de la *dukkha* – la vérité de la souffrance. Une vérité enracinée dans la compréhension que toutes choses étaient *anicca* ou changement ; que tout était dans un flux constant et par conséquent insatisfaisant. Au sens ultime, qu'il ne pouvait y avoir de bonheur «permanent» dans un monde «éphémère». Vous arrive-t-il d'avoir des doutes à l'égard de ce qui est votre condition existentielle – entre votre combat individuel pour la liberté spirituelle et votre lutte sociopolitique pour la liberté de votre peuple ?

ASSK : Non. Puisque nous vivons dans ce monde, nous avons le devoir de faire de notre mieux pour le monde. Le bouddhisme accepte ce fait. Et je ne me considère pas comme spirituellement avancée au point d'être au-dessus de toutes les préoccupations temporelles. C'est pourquoi il est de mon devoir de faire du mieux que je peux.

AC : Donc vous ne voyez pas de rupture ou de tension entre vos recherches bouddhistes et vos activités politiques ?

ASSK : Non… non.

AC : Il y a plusieurs années j'ai interviewé l'ancien Premier ministre birman U Nu, qui affirmait être un *bodhisatta* convaincu. Je lui ai demandé : « Quel effet cela faisait-il d'être le Premier ministre disposant du contrôle total de l'armée et d'avoir fait le vœu de devenir Bouddha ? » Il a répondu assez explicitement, si je me souviens bien : « C'était un énorme fardeau, un dilemme moral presque constant. » Ce qu'il disait, c'est qu'être un bouddhiste fervent était incompatible avec le fait d'être un dirigeant politique ayant la responsabilité de recourir aux forces armées. N'éprouvez-vous pas un tel dilemme ?

ASSK : Non, je ne vois aucun dilemme. Je ne peux pas penser que je me trouve en position de même envisager de faire vœu de *bodhisattva*. Ma première préoccupation est de me conformer aux principes bouddhistes dans mes activités temporelles. Bien sûr, je médite. Parce que je crois que nous tous, en tant qu'êtres humains, avons une dimension spirituelle qui ne peut être négligée. Surtout, je pense que je suis une bouddhiste birmane très ordinaire, qui consacrera plus de temps à la religion dans ses vieux jours.

AC : Vous considérez-vous comme bouddhiste *theravada* ?

ASSK : Je suis bouddhiste *theravada* mais je respecte aussi le bouddhisme *mahayana*. J'ai aussi un grand respect pour les autres religions. Je ne pense pas que quiconque ait le droit de mépriser la religion de qui que ce soit.

AC : Quels sont les éléments du bouddhisme *mahayana* que vous respectez ?

ASSK : Dans le bouddhisme *mahayana,* on insiste beaucoup plus sur la compassion que dans le bouddhisme *theravada*. J'y suis très sensible car nous avons besoin de beaucoup de compassion dans ce monde. Bien sûr, la compassion fait aussi partie du bouddhisme *theravada*. Mais j'aimerais voir davantage des nôtres mettre la compassion en action.

AC : Qu'est-ce qui vous incite à faire de la méditation une pratique quotidienne ?

ASSK : La satisfaction de savoir que je fais ce que je crois devoir faire, c'est-à-dire essayer d'acquérir la conscience qui est un pas vers la compréhension de l'*anicca* comme expérience. J'ai des attitudes très ordinaires envers la vie. Si je pense devoir faire quelque chose au nom de la justice, ou au nom de l'amour, alors je le ferai. La motivation est en soi la récompense.

AC : Les responsables d'injustices dans le monde semblent souvent supposer qu'ils sont à l'abri de leurs propres actions, qu'ils sont au-dessus de la loi, pour ainsi dire, et que leurs actions répressives n'ont pas d'effet réel sur eux.

ASSK : Mais elles en ont un. Je suis sûre que tout ce que chacun fait a sur lui un effet psychologique. Par exemple, prenez le cas extrême d'un dictateur, dans la position de faire tout ce qui lui plaît. Il peut dire simplement : «Faites exécuter cet homme.» Il n'a peut-être rien à voir avec l'exécution elle-même et peut-être n'y pensera-t-il même plus le lende-main. Mais qu'il ait fait exécuter un autre homme signifie que sa sensibilité s'est beaucoup endurcie. Il a été transformé. Chaque fois qu'il fait quelque chose à quelqu'un, il se fait aussi quelque chose à lui-même. Si c'est un homme qui a une certaine conscience, quelque part en lui, il se sentira mal à l'aise. Par ailleurs, il modifiera la perception que les gens ont de lui. Les proches de la victime ne le supporteront plus. Donc chaque fois qu'il commet une injustice, son acte déclenche une réaction hostile, qu'il le comprenne ou non. En fait, ce dictateur peut mourir sans jamais se rendre compte à quel point le peuple l'a haï. Mais le résultat reste le même.

AC : Donc personne n'est au-dessus de la loi, même ceux qui n'ont ni foi ni loi ?

ASSK : Ils peuvent être au-dessus des lois humaines, mais pas au-dessus de la loi du *karma*. Parce que la loi du *karma* est vraiment très scientifique. Il y a toujours une relation entre la cause et l'effet. C'est comme la lumière d'une étoile, n'est-ce pas ? La lumière que nous voyons maintenant est née il y a des années-lumière, mais elle est là. En science aussi, il peut y avoir un long vide entre la cause et l'effet. Mais la relation existe toujours.

AC : Ou peut-être dans le sens le plus immédiat, ainsi que l'a dit le moine bouddhiste vietnamien Thich Nhat Hanh : «Dans le grain de riz vois le soleil.» Vous considérez-vous comme une semeuse de démocratie ?

ASSK : Je pense à un livre de Rebecca West. Elle parlait des artistes et des musiciens comme d'une «procession de saints progressant toujours vers un objectif impossible». Je me vois ainsi – partie d'une procession, d'un processus dynamique, faisant tout ce que nous pouvons pour aller vers plus de bien et plus de justice; un processus qui n'est pas isolé des événements passés et à venir. Et je fais tout ce que j'ai à faire le long du chemin. Que ce soit semer des graines ou récolter la moisson ou *(rire)* entretenir les plantes qui n'ont pas fini de pousser.

AC : Vous arrive-t-il de penser que vous n'êtes pas à la hauteur de votre rôle?

ASSK : Je pense très rarement que je joue un rôle. Je me considère toujours comme partie d'un mouvement, donc le fait d'être à la hauteur ou non n'est pas vraiment en question. Je sais que beaucoup auront du mal à le croire, parce que l'attention des médias est tellement fixée sur moi que j'ai l'air de jouer le rôle central. Le rôle principal dans lequel je dois me débrouiller seule consiste à rencontrer les médias étrangers. Les autres membres du Comité éxécutif de la Ligue nationale pour la démocratie ne le font pas si souvent. Mais pour tout le reste, nous travaillons ensemble. Je ne suis pas seule. C'est peut-être pour cela que je ne me dis pas que je ne suis pas à la hauteur. Je ne pense pas que mon rôle soit aussi important que certains le pensent. A la table de réunion, là où cela compte, nous sommes vraiment sur un pied d'égalité. Je n'ai pas plus d'influence que n'importe qui d'autre. Si mes suggestions sont meilleures, ils en tiendront compte, mais pour aucune autre raison. Remarquez, ils me donnent beaucoup plus de travail parce que je suis la plus jeune, donc je pense que je suis désavantagée. Mais il existe entre nous un sentiment familial, comme si nous étions liés par les liens du sang. Il y a beaucoup d'affection entre tous les membres du CE, et plus nous nous rencontrons, plus ce lien d'affection entre nous se renforce. Nous sommes heureux de travailler ensemble et nos rapports sont courtois. Je suis entourée de gentlemen. Et, lorsque nous sommes ensemble, même quand nous sommes confrontés à d'énormes problèmes, nous nous donnons mutuellement de la force.

AC : Si je puis faire un autre commentaire personnel à votre sujet, je dirais que vous êtes une femme extrêmement claire, qui a un sens profond du bien et du mal, et en même temps une personne très simple. Est-ce exact ?

ASSK : Oui *(rire)*, j'ai des attitudes très simples et c'est l'un des problèmes. Certains veulent faire de moi un personnage extraordinaire, mais je ne suis pas particulièrement extraordinaire. Les gens pensent, je suppose, que je suis extraordinaire parce que je suis tellement simple qu'ils ne peuvent le croire.

AC : Vous voyez-vous en dirigeante ?

ASSK : Non ! Je trouve cela très embarrassant quand les gens me désignent comme *gaungzamggyi*.

AC : Au cours d'une conversation précédente, je vous ai demandé si vous croyiez dans le mal intrinsèque. Mais son contraire ? Croyez-vous en la bonté naturelle des gens ?

ASSK : Je crois en la bonté inhérente à certaines personnes et je pense qu'il y a du bien et du mal en chacun. Cela dépend des aspects que vous cultivez. En outre, je pense que certains sont nés intrinsèquement plus sereins, raisonnables et compatissants que d'autres. D'autres encore, grâce à leur éducation, sont capables de développer ces qualités. Restent ceux dont les traits de caractère sont tellement marqués qu'aucune formation ne peut les modifier, sauf peut-être les contenir dans une certaine mesure, mais pas les supprimer entièrement. Certains sont naturellement plus enclins au bien et d'autres plus enclins à la stupidité ou au mal.

AC : D'où vient cette tendance au «bien» ou au «mal»?

ASSK : Eh bien, c'est une combinaison de facteurs. Je pense que nous sommes tous nés différents. Par exemple, mon fils aîné, au moment de sa naissance, avait une personnalité caractéristique. Il y avait quelque chose chez lui qui le distinguait comme individu. Ce n'est pas seulement le syndrome de l'amour maternel, l'idée que mon enfant est différent de tous les autres. Il était vraiment différent. Même son cri était différent. En fait, chaque mère dans la salle d'hôpital apprenait à reconnaître le cri de son bébé facilement et rapidement. De la même façon, lorsque mon second fils, Kim, est né, j'ai su immédiatement qu'il ne ressemblait pas du tout à Alexander. Il m'a suffi de prendre ce bébé dans mes bras et de le regarder, et j'ai su qu'il était différent de son frère.

Mais bien sûr, notre entourage fait une différence aussi. J'ai lu quelque part que selon les psychologues il y a 80 % d'inné et 20 % d'acquis. Mais ces 20 % ont une importance considérable. D'un autre côté, j'ai entendu parler d'enfants qui ont grandi dans les circonstances les plus affreuses et pourtant...

AC : Qui sont vraiment brillants?

ASSK : Oui. Ils en sont sortis forts et compatissants.

AC : Selon vous, qu'est-ce qui, dans l'esprit humain, permet à une personne de s'élever vers de nouvelles hauteurs en traversant des expériences traumatisantes, alors qu'un autre descend dans l'abîme?

ASSK : Il y a des gens qui se montrent à la hauteur et atteignent des sommets face à l'adversité. Elle peut même révéler le meilleur en eux. Tandis que chez d'autres, l'adversité semble révéler ce qu'ils ont de pire. Mais il est très difficile de savoir ce qui les rend différents. Vous pouvez difficilement affirmer que cela relève de l'éducation. Maintenant certains psychologues et psychiatres imputent la responsabilité de tous les problèmes aux expériences de l'enfance. Mais je pense qu'il y a des gens qui possèdent un élément inné leur permettant de s'élever au-dessus des limites de leur environnement. Par exemple, j'ai lu l'histoire d'une jeune Iranienne qui est devenue aveugle à l'âge de trois ou quatre ans. Sa mère la considérait comme un fardeau et la traitait très mal. En fait, elle ne cessait de lui répéter : «Je voudrais que tu sois morte. A quoi cela sert-il que tu sois en vie ?» Qui plus est, même les amis de sa mère jugeaient qu'il aurait bien mieux valu qu'elle fût morte. Mais apparemment la fille avait un sens très fort de sa propre existence. Vous pourriez dire, je suppose, qu'elle n'a jamais perdu le sens de sa propre valeur personnelle en tant qu'être humain, bien qu'on lui fourrât tout le temps dans le crâne qu'elle était un misérable fardeau pour sa famille. Cette fille était totalement privée d'amour parental mais elle est devenue la première aveugle diplômée en Iran.

AC : Donc vous croyez que, quelles que soient les circonstances tragiques, on peut avec courage et détermination s'en sortir ? Et par une attitude de sagesse transformer les difficultés en forces ?

ASSK : Oui. Mais à certains l'adversité réussit tandis que d'autres sombrent. Vous pouvez le constater chez des êtres qui sont allés en prison. Je dois dire que la majorité des nôtres qui ont connu la prison en sont sortis intacts. Mais d'autres ont été brisés et se sont éloignés parce qu'ils n'en pouvaient plus.

AC : Je crois savoir que U Win Tin, le secrétaire de la NLD, qui a été arrêté en même temps que vous et d'autres en 1989, est toujours en prison.

ASSK : Oui, il est toujours à la prison d'Insein, et je crois savoir que sa santé n'est pas très bonne. Il a été condamné à quatre ans d'emprisonnement. Puis, une fois qu'il était en prison, ils [le Slorc] ont ajouté encore sept ans. C'est l'une de leurs pratiques classiques. En février, il a été jugé de nouveau en prison, sans bénéficier d'un avocat, et il a été condamné à une nouvelle peine de prison de cinq ans.

AC : Mais pourquoi n'a-t-il pas été libéré aussi ? Le Slorc a exercé une vendetta personnelle ?

ASSK : C'est un homme très compétent et il est, comme vous l'avez rappelé, secrétaire de la NLD. Il travaille dur et il est très respecté. Il est aussi extrêmement intelligent et incorruptible. Je pense que cette combinaison est insupportable au Slorc.

AC : Puisque nous parlons d'être incorruptible – qu'est-ce qui permet à quelqu'un de conserver son intégrité et sa dignité, même dans des situations extrêmes comme le régime cellulaire ou la torture ?

ASSK : Je pense que la plupart des gens que je connais qui ne se sont pas laissé corrompre ont un réel sens de la responsabilité personnelle. Alors que ceux qui se laissent corrompre, ou bien ne voient pas, ou bien n'acceptent pas d'être responsables des conséquences de leurs actes. Ils ne comprennent pas la relation entre cause et effet.

AC : Peut-être ont-ils peur aussi ?

ASSK : C'est de l'aveuglement. Au fond, c'est une question d'honnêteté. Si vous acceptez la responsabilité de vos actes, que ce soit bien ou mal, c'est de l'honnêteté. Vous êtes prêt à accepter que vos actes aient pu avoir certaines conséquences. Vous pouvez ne pas avoir été conscient de toutes et votre évaluation des conséquences peut n'être pas correcte. Malgré tout, vous essayez de voir les choses honnêtement pour ce qu'elles sont.

AC : Pourriez-vous aller plus loin sur la relation entre corruption et aveuglement?

ASSK : La corruption est une forme de malhonnêteté parce qu'elle a pour origine l'aveuglement. Je ne pense pas que les gens qui sont corrompus l'admettent réellement. Ils ont d'autres mots pour cela. Ils peuvent dire : «Oh! C'est ce que tout le monde fait», ou : «Il n'y a pas de mal à cela». Il y a tant de manières de justifier sa corruption. C'est un manque d'honnêteté. Manque d'honnêteté vis-à-vis de soi-même.

AC : Donc c'est cette qualité d'honnêteté personnelle radicale qui est la clef. Ce qui nous ramène à la conscience de soi-même. Selon vous, la méditation a-t-elle été une force essentielle en vous protégeant et en vous renforçant contre toute forme de corruption?

ASSK : Elle m'a aidée. Mais je dois revenir à mes parents et à la façon dont ils m'ont élevée et éduquée. Ma mère a toujours insisté sur l'honnêteté et l'intégrité. Ce n'est pas seulement qu'elle était honnête elle-même et incorruptible, mais elle faisait aussi respecter les valeurs de mon père. Mon comportement doit beaucoup à l'acquis. Je connaissais tout cela avant de commencer à méditer. La méditation m'a aidée à conserver les valeurs que l'on m'avait toujours enseignées depuis mon enfance.

AC : Que signifie pour vous la méditation bouddhiste?

ASSK : C'est une forme de culture spirituelle, une éducation spirituelle et un processus de purification. C'est au fond l'apprentissage de la conscience. Par la conscience de tout ce que vous faites, vous apprenez à éviter les impuretés.

AC : En quoi la méditation a-t-elle contribué à la découverte de nouveaux aspects de votre vie intérieure ? Etait-ce un processus de découverte de soi ?

ASSK : Je ne sais pas si c'était un processus de découverte de soi autant que de consolidation spirituelle. On m'a toujours appris à être honnête avec moi-même. Depuis que je suis petite je me suis habituée à analyser mes propres actes et sentiments. Donc je n'ai pas vraiment découvert de nouveauté sur moi-même. Mais la méditation m'a aidée à me renforcer spirituellement, afin de suivre la bonne voie. De plus, pour moi, la méditation fait partie d'un mode de vie, car ce que vous faites quand vous méditez, c'est apprendre à contrôler votre esprit en développant la conscience. Et cette conscience est en œuvre dans la vie de tous les jours. Pour moi, c'est l'un des bénéfices les plus pratiques de la méditation – ma conscience s'est intensifiée. J'ai moins tendance maintenant à agir sans faire attention et inconsciemment.

AC : Comment avez-vous appris la méditation ?

ASSK : J'ai fréquenté le centre de méditation Mahasi Thathana Yeiktha, il y a longtemps, lors d'une de mes visites en Birmanie. J'avais une vingtaine d'années. Mais je ne méditais jamais beaucoup. Je ne me suis vraiment mise à la méditation que pendant les années où j'étais en résidence surveillée. Et je dépendais beaucoup des livres. Le livre du *sayadaw* U Pandita, *In this Very Life* («Dans cette vie même»), m'a été d'un grand secours.

AC : En tant que bouddhiste *theravada,* êtes-vous encore ouverte dans vos attitudes spirituelles à l'apprentissage d'autres traditions, ou sont-elles absolument fixées ?

ASSK : Je m'intéresse beaucoup aux expériences et aux points de vue spirituels des autres. J'ai encore beaucoup à apprendre, de tous les gens qui sont disposés à m'enseigner.

AC : Vous faites souvent référence à votre mouvement démocratique ici en Birmanie comme à une «révolution de l'esprit» – enracinée dans les principes bouddhistes. Vous arrive-t-il de faire appel à la sagesse d'autres religions dans votre approche de la politique?

ASSK : J'ai lu des livres concernant d'autres religions, mais je n'en ai particulièrement approfondi aucune. Je retrouve cependant dans toutes l'idée de *metta*. Les chrétiens disent que Dieu est amour. Et quand ils disent que «l'amour parfait chasse la peur», je pense que par amour parfait ils entendent exactement ce que nous entendons par *metta*. Il me semble qu'au cœur de toutes les religions il y a cette idée d'amour pour les êtres humains.

AC : Vous et vos collègues avez fondé un comité d'assistance pour les prisonniers politiques. Quelle en est la fonction principale?

ASSK : Nous aidons les familles en donnant de l'argent, des médicaments et de la nourriture pour les prisonniers. Certaines personnes n'ont même pas les moyens d'aller voir leur mari ou leur père en prison, parce que ces derniers sont détenus très loin du lieu de résidence des familles. Vous le savez, les transports sont très chers actuellement. Nous aidons tous les prisonniers politiques, pas seulement ceux qui appartiennent à la NLD. Nous ne faisons aucune discrimination. Nous offrons notre aide à ceux qui ont été appréhendés pour des motifs surprenants, comme célébrer mon prix Nobel de la paix, etc. Je pense qu'ils sont pratiquement tous sortis maintenant, parce qu'ils étaient condamnés à trois ou quatre ans d'emprisonnement et il y a quatre ans que j'ai reçu le prix Nobel.

J'ai signalé plus haut que U Win Tin avait fait l'objet d'un nouveau procès en prison. Vingt-deux autres prisonniers politiques ont été jugés avec lui et condamnés à des peines additionnelles de cinq à douze ans. Notre commission d'assistance juridique prépare leurs appels. Nous voulons aider les prisonniers politiques sur tous les plans possibles – social, financier, juridique.

AC : Puisque nous parlons du prix Nobel de la paix, en quoi le prix vous a-t-il touchée ?

ASSK : J'ai immédiatement pensé que le public allait s'intéresser davantage à notre lutte pour la démocratie. Et j'ai naturellement exprimé ma gratitude au comité du Nobel qui avait reconnu notre cause. Mais en même temps, chaque fois que l'on m'accorde un tel honneur, j'éprouve un sentiment d'humilité. Je pense à tous mes collègues qui ont souffert beaucoup plus, et qui eux n'ont pas été reconnus. Je dois les honneurs qu'on m'a faits au courage et aux souffrances de beaucoup, beaucoup d'autres.

AC : Vous étiez la première personne qui ait reçu le Prix en étant détenue. Comme avez-vous été avertie de cette récompense et était-ce une surprise ?

ASSK : Je l'ai entendu à la radio. Ce n'était pas vraiment une surprise pour moi car on avait annoncé depuis déjà une semaine que j'étais sur la liste finale. Le président Vaclav Havel m'ayant proposée, avec un tel soutien l'attribution du prix n'a pas tout à fait été une surprise pour moi.

AC : Attendiez-vous les résultats avec impatience ?

ASSK : Non, mais bien sûr, j'étais curieuse de savoir. Quand vous êtes en détention, seul, vous êtes toujours curieux d'entendre les nouvelles du lendemain. Et pourtant, en même temps, vous devenez beaucoup plus objectif. Vous prenez un peu de recul sur les événements, vous n'êtes pas aussi passionnément engagé, en un sens.

AC : Pour revenir aux circonstances actuelles dans la Birmanie du Slorc, votre parti a-t-il l'autorisation d'imprimer ?

ASSK : Non, nous ne sommes pas autorisés à imprimer quoi que ce soit. Il faut une licence pour imprimer en tant que parti politique, et cette licence doit être renouvelée tous les six mois. Notre licence n'a pas été renouvelée depuis juillet 1990.

AC : Quelles sont les autres formes de censure ?

ASSK : Tout est censuré. Regardez certains magazines, vous verrez que parfois de l'encre argentée masque des passages de certains articles et même des articles de «une», qu'ils s'agisse ou non de fiction. Tout peut être censuré. En 1993, quand Nelson Mandela a reçu le prix Nobel de la paix, un magazine a voulu imprimer sa photographie, et on la lui a censurée. Tout cela parce qu'il était lauréat du prix Nobel de la paix.

AC : En effet, c'est éclairant…

ASSK : Je pense que le Sloc a entendu dire que certains me comparaient à lui.

AC : Est-il vrai qu'un auteur birman ne peut pas utiliser votre nom, même pour un personnage de fiction dans un roman ?

ASSK : Il est interdit d'utiliser même le nom de «Suu», m'a-t-on dit. Mais je suppose que si on donnait ce nom à un personnage vraiment très déplaisant, les censeurs le laisseraient passer.

VI

LE PEUPLE NE CONTINUERA PAS INDÉFINIMENT À ACCEPTER L'INJUSTICE...

Alan Clements : Le président du Slorc, le général Than Shwe, s'est rendu à Bangkok pour assister à la conférence de l'Association des nations d'Asie du Sud-Est (Asean) à l'invitation de la Thaïlande. Il semble que certains pays membres envisagent sérieusement d'admettre l'adhésion de la Birmanie d'ici à l'an 2000. Si vous aviez été là, qu'auriez-vous déclaré aux dirigeants des pays voisins ?

Aung San Suu Kyi : Tout dépend du contexte. Cette fois-là, je crois, ils allaient signer un traité de non-prolifération nucléaire, et je suis très favorable à un tel traité. Tout dépend de ce dont ils discutent.

AC : Permettez-moi de poser la question dans son contexte. Souvent, des conférences comme celle-ci, l'Asean, négligent le rôle des «droits de l'homme» en faveur des intérêts économiques, ce qui signifie en général des intérêts personnels. Prenez par exemple la politique actuelle de l'administration américaine à l'égard de la Chine. La plupart des gens connaissent le triste record de la Chine en matière de droits de l'homme, à la fois à l'intérieur du pays et à l'extérieur, comme dans le cas du génocide de la culture tibétaine. Pourtant, le président Bill Clinton a précisé que, malgré le peu de cas que fait la Chine des droits de l'homme, on ne toucherait pas à son «statut de nation la plus favorisée en matière commerciale». Il semble que les pays de l'Asean ont également séparé droits de l'homme et démocratie en Birmanie de l'engagement et de la coopération économiques. Que pensez-vous de ce besoin qu'ont certains dirigeants dans le monde de séparer argent et profits des populations et des valeurs humaines?

ASSK : La séparation est totalement artificielle.

AC : Mais pourquoi selon vous tant de dirigeants politiques insistent-ils sur cette séparation «artificielle» comme sur une question de politique nationale?

ASSK : Parce que certains systèmes qui ne sont pas ce qu'on pourrait appeler tout à fait démocratiques sont parvenus à la réussite économique. De là est née une école de pensée affirmant que la réussite économique est en total divorce avec les libertés politiques. Mais, à mon avis, il y a d'autres raisons à la réussite économique. Par exemple, prenez le cas de Singapour [membre de l'Asean]. Il y a deux raisons fondamentales à sa réussite économique. L'une est que ce pays a un gouvernement qui n'est pas corrompu. Personne ne peut l'accuser de corruption. Ils ne sont peut-être pas tout à fait démocratiques à la manière dont certains d'entre nous voient la démocratie, mais ils ne sont pas corrompus. La seconde est qu'ils accordent une grande valeur à l'éducation et ils ont fait tout ce qu'ils pouvaient pour élever son niveau. Je pense donc qu'il est faux de lier la réussite économique de Singapour au fait qu'il ne s'agit pas tout à fait d'une démocratie. Il est plus juste d'expliquer la réussite de ce pays par son gouvernement intelligent et honnête, et son système éducatif excellent. Je pense que nous appliquons mal nos valeurs et nos équations.

AC : Mais Daw Suu, la situation n'est-elle pas un peu plus insidieuse ? Il est peut-être vrai que le gouvernement de Singapour n'est pas ouvertement corrompu. Mais quand vous considérez que Singapour est l'une des principales sources d'investissement dans l'économie du Slorc, pour un total de presque 770 millions de dollars, n'est-ce pas le signe d'une complicité ?

ASSK : Oui, bien sûr. C'est ce que je dis. Parce que Singapour a réussi économiquement, ils attribuent son succès au fait qu'il n'est pas tout à fait une démocratie. Mais je soutiens que ce n'est pas ainsi. La raison de la réussite de Singapour n'est pas l'absence de certains droits démocratiques mais son gouvernement honnête et très intelligent. Vous ne pouvez le nier. Je pense que les gens font fausse route lorsqu'ils mettent en équation réussite économique et manque de démocratie. Le gouverneur de Hong Kong, Chris Patten, a prononcé deux discours très intéressants. Il voit la foi dans le progrès, la liberté économique et la liberté de commerce comme les traits les plus importants des sociétés qui sont parvenues à la réussite économique. Selon lui, cela n'a pas grand-chose à voir avec les valeurs de l'Ouest et de l'Est en particulier.

AC : Féliciter le gouvernement de Singapour pour son intelligence, eh bien, cela me paraît pour le moins un hommage au matérialisme – sans parler de complicité.

ASSK : Non. Je ne compliment pas du tout le matérialisme. Je dis simplement qu'ils ont ce que, dans le bouddhisme, on appellerait *moha*. Ils comprennent mal.

AC : Qu'est-ce qu'ils comprennent mal ?

ASSK : Ils pensent que la réussite économique de Singapour est due au manque de démocratie.

AC : Soyons précis. Que pensez-vous de l'injection massive de dollars dans la Birmanie contrôlée par le Slorc ? Nous savons tous qu'un large pourcentage de ces millions de dollars vont directement sur les comptes bancaires des généraux et de leurs meilleurs amis.

ASSK : Je ne pense pas que cela aide la cause de la démocratie et, à long terme, cela n'aidera pas leur cause économique non plus. Parce que sans un changement dans le système politique, la Birmanie ne sera pas capable de maintenir son développement économique. La raison pour laquelle on a l'impression que la Birmanie s'est développée économiquement ces six dernières années est que nous sommes partis d'en dessous de zéro et qu'à partir de là il est très facile de montrer un progrès.

AC : Pouvez-vous expliquer comment investir en Birmanie n'aide pas le pays d'origine des investissements ? Singapour pense qu'il n'y a pas de risque.

ASSK : Les Singapouriens pensent que le manque de démocratie n'est pas un obstacle sur la voie de la réussite économique. Cela n'a peut-être pas été le cas dans leur propre pays, mais Singapour est très différent de la Birmanie. Ici en Birmanie, le système de gouvernement actuel est tel qu'il ne peut y avoir de progrès économique. Le système d'éducation est tel qu'aucun développement ne peut y être soutenu. Les investisseurs n'ont pas vraiment repéré les facteurs réellement importants. Ce qu'ils regardent, c'est le fait que la Birmanie est un territoire vierge. Prenons l'exemple de l'industrie du tourisme. Les gens veulent aller dans un endroit neuf, où personne encore n'est allé. Donc les investisseurs calculent que s'ils investissent dans l'industrie du tourisme en Birmanie ils pourront en tirer bénéfice. Mais je crois savoir que les chiffres du tourisme ne sont pas très bons.

AC : L'archevêque sud-africain Desmond Tutu s'est déclaré convaincu de la «nécessité» de sanctions économiques internationales contre la Birmanie du Slorc. Il a justifié cette «nécessité» en insistant sur le fait que c'est seulement lorsque des sanctions ont été appliquées dans son pays que le gouvernement d'apartheid a été affaibli. Il faisait aussi ressortir que la «diplomatie engagée», c'est du charabia et ne peut en aucune façon abattre un régime autoritaire. Comment voyez-vous la question de la «diplomatie engagée» vis-à-vis d'un embargo économique international appliqué à la Birmanie?

ASSK : Tout dépend de ce qu'on entend par «engagé». Je crois qu'un véritable engagement avec les deux camps – les forces démocratiques aussi bien que le Slorc – aiderait beaucoup. Mais certains des pays qui, dit-on, poursuivent une politique d'engagement constructif ne semblent tenir compte que d'un seul camp.

AC : J'ai parlé avec un certain nombre d'attachés politiques dans plusieurs ambassades, ici à Rangoon, de la question complexe de l'application de sanctions économiques contre le Slorc. La plupart d'entre eux sont contre les sanctions économiques, affirmant que de telles mesures ne lèseraient que le peuple et non le Slorc. J'ai donné la réponse qui s'impose : «Comment la grande majorité du peuple pourrait-elle être plus lésée qu'elle ne l'est déjà?»

ASSK : Quelqu'un m'a dit : «Nous rampons déjà.» Certains pensent que cela pourrait avoir un effet positif si l'on imposait des sanctions économiques, comme l'interdiction d'acheter du riz à la Birmanie. En ce cas, les paysans seraient dans une situation beaucoup plus facile.

AC : L'argument selon lequel les sanctions «lèsent» le peuple ne tient pas debout?

ASSK : Je ne dirais pas cela avec cette désinvolture. Il faudrait étudier la situation très attentivement.

AC : Evidemment, vous l'avez étudiée. Que pouvez-vous ajouter?

ASSK : Par exemple, la Birmanie dépend beaucoup des médicaments importés. La BPI [Industrie pharmaceutique birmane], qui produit des médicaments de haute qualité, ne peut en fournir suffisamment. L'arrêt de certaines sortes d'importations nuirait vraiment au peuple.

AC : Corrigez-moi si je me trompe, mais il semble que 99,99 % du capital de ce pays appartient au Slorc et à ses amis.

ASSK : Oui...

AC : Alors des sanctions économiques internationales ne réveilleraient-elles pas le Slorc, pour ainsi dire, de son cauchemar totalitaire, en soulageant en fait la souffrance d'une vaste majorité des gens qui veulent la démocratie?

ASSK : En effet. C'est possible.

AC : En ce qui concerne les médicaments, les sanctions pourraient être adaptées.

ASSK : Oui...

AC : Donc si des sanctions économiques étaient imposées, cela ne lèserait personne, si ce n'est le Slorc.

ASSK : Oui, je ne pense pas que cela lèserait vraiment beaucoup le peuple. Mais j'ai toujours fait très attention de ne pas soutenir des sanctions économiques sans réfléchir. Parce qu'on ne veut certainement rien faire contre le peuple.

AC : L'Assemblée générale des Nations unies vient d'émettre encore une ferme résolution contre le Slorc, citant les violations habituelles : travail forcé, prisonniers politiques, etc. Pourtant, l'ambassadeur des Etats-Unis auprès des Nations unies, Madeleine Albright, a affirmé qu'elle aurait souhaité une déclaration encore plus ferme. Que pensez-vous de la résolution de l'ONU et de la déclaration de l'ambassadeur Albright?

ASSK : La résolution est assez bonne, elle est ferme… et elle aurait pu l'être davantage. Mais il est toujours utile de laisser la place à des mesures plus sévères dans l'avenir.

AC : Le siège du Slorc aux Nations unies a été à maintes reprises, bien que sans succès, brigué par le gouvernement birman en exil, le NCGUB [Gouvernement de coalition nationale de l'Union de Birmanie], basé à Washington. Comment se fait-il que cet organisme respecté, ces hommes et ces femmes qui constituent les Nations unies, permette à un «gouvernement illégal» de détenir un siège? Après tout, c'est votre parti, la NLD, qui a remporté les élections libres et impartiales, et pas le Slorc.

ASSK : Le Slorc n'est pas le seul gouvernement dans ce genre de situation. On a toujours permis à des gouvernements arrivés au pouvoir par la force de siéger aux Nations unies, à l'exception des Khmers rouges.

AC : Selon une histoire bien connue, lorsqu'on demandait à Gandhi ce qu'il pensait de la civilisation occidentale, il répliquait : «Je pense que ce serait une bonne idée.» Je suis américain, notre pays, vous le savez parfaitement, a été fondé sur un génocide humain, spirituel et culturel de la population indigène d'Amérique. Je pense qu'il est aussi de notoriété publique que, partout où la civilisation européenne s'est propagée à cette époque, elle l'a fait en exterminant les peuples indigènes des pays envahis. Les Britanniques ont aussi opprimé la Birmanie pendant plus de cent cinquante ans, jusqu'à ce qu'elle accède à son indépendance en 1947. Ne pensez-vous pas qu'il y a là une bonne raison de s'interroger sur la conception qu'ont les pays occidentaux des droits de l'homme, bien qu'ils aient signé la Déclaration universelle ?

ASSK : N'est-ce pas précisément parce qu'ils ont commis tant de crimes qu'ils sont conscients de la nécessité des droits de l'homme ?

AC : Bien sûr, on aimerait le croire, mais de nombreux exemples exposent des démentis majeurs et conséquents à la conscience occidentale des droits de l'homme, après la signature de la Déclaration. L'invasion américaine du Vietnam n'est qu'un exemple. Cependant, oublions mes convictions ; avez-vous réellement foi et confiance dans les systèmes de valeur occidentaux ?

ASSK : Ce ne sont pas seulement les systèmes de valeur de l'Occident. Les droits de l'homme sont nés assez récemment à l'Ouest parce que le monde occidental avait subi une totale dévastation due à la Seconde Guerre mondiale et à la dénégation des droits de l'homme. Certes en Orient aussi, nous avons souffert de la Seconde Guerre mondiale. Mais n'oubliez pas que nos souffrances nous ont été imposées non par une puissance occidentale, mais par une puissance orientale, le Japon. Le point encourageant est que les peuples et les pays aient décidé qu'il était temps d'empêcher que le même genre de désastre n'arrive de nouveau à la planète.

AC : Récemment le président Bill Clinton a exprimé son soutien à vous et à la lutte pour la liberté et la démocratie en Birmanie. Mais je ne peux m'empêcher de penser qu'il aurait pu faire beaucoup plus que quelques mots de soutien. J'ai passé six mois en ex-Yougoslavie l'an dernier et le sentiment chez la grande majorité des gens que j'ai pu rencontrer était que la Bosnie ne présentait aucun «intérêt stratégique» pour l'Ouest, et que par conséquent elle était sacrifiable. Pensez-vous parfois que certains dirigeants du monde ont placé la Birmanie dans la même catégorie, donc qu'il n'est pas important de la défendre?

ASSK : Nous ne dépendons de l'aide ni de l'Est ni de l'Ouest pour nous en sortir. Mais à l'heure actuelle, on ne peut pas ignorer l'opinion de la communauté internationale. Aucun pays ne peut survivre tout seul. Aucun pays ne peut être une île repliée sur elle-même. Nous le savons. Et nous voulons vivre dans un monde où chaque pays est lié aux autres par des liens d'humanité. Nous nous efforcerons toujours de promouvoir une telle relation.

Et en effet, il est vrai que pour la république de Yougoslavie, la communauté internationale aurait pu faire davantage. Et pourtant on se demande : quoi de plus? Introduire des armes? C'est encore une réponse violente, qui ne résoudrait pas la haine entre les Serbes, les Croates et les Bosniaques. Ils devront s'attaquer à ce problème.

AC : Mais une intervention armée de l'Occident aurait certainement mis fin aux atrocités perpétrées contre la population civile par les soldats de chaque camp. Voulez-vous dire qu'en aucune circonstance vous ne prôneriez une intervention armée, ou le recours aux armes en général?

ASSK : Je ne dirais pas cela. Je n'ai jamais dit que nous n'avions pas besoin d'une armée en Birmanie. J'admets que la situation du monde est telle que des forces militaires sont toujours nécessaires. Mais à leur place. En ce qui concerne l'ex-Yougoslavie, ce que je dis, c'est que bien sûr la communauté internationale aurait pu entreprendre une action plus concrète. Mais votre idée n'est-elle pas au fond que l'Amérique aurait dû entreprendre une action plus concrète? Mais pourquoi l'Amérique? Pourquoi pas l'Europe? Je me fais l'avocat du diable. Car voilà ce que disent certains Américains : «Pourquoi les Européens n'ont-ils pas surveillé leur arrière-cour? Pourquoi l'Amérique, quand il y avait tant de pays européens capables d'entreprendre une action plus concrète en ex-Yougoslavie?» Voilà une question à laquelle il est difficile de répondre.

AC : Etes-vous déçue par la réaction de l'Amérique ou par son rôle dans la lutte pour la démocratie en Birmanie?

ASSK : Non. Je pense que ces derniers mois les Etats-Unis ont été très fermes dans leur soutien à la démocratie en Birmanie. Nous pourrions souhaiter une action plus ferme – cela dépend des événements. Non seulement de la part des Etats-Unis, mais de l'ensemble de la communauté internationale.

AC : Qui pourrait être?

ASSK : Vous le savez, je ne discute jamais de nos projets futurs.

AC : Il y a quelque temps, Mr Burton Levin, ambassadeur des Etats-Unis en Birmanie au cours de l'année 1988, m'a envoyé une vidéo montrant des manifestations devant l'ambassade en faveur de la démocratie. Les bannières et les pancartes tenues par les manifestants montraient clairement leur enthousiasme à l'égard du soutien américain. A cette première étape du mouvement, les manifestants cherchaient-ils un modèle dans la démocratie à l'américaine?

ASSK : Certains, sans doute. Je pense en réalité que l'on doit dépendre de soi-même, avant tout. C'est très bouddhiste, n'est-ce pas? Qui devez-vous vénérer sinon vous-même?

AC : Une flotte de navires américains se trouvait près de la côte à ce moment-là. Avez-vous à un moment ou à un autre espéré une intervention ?

ASSK : Non, non, je savais parfaitement que les navires de guerre américains qui se trouvaient près de la côté n'avaient rien à voir avec notre situation. Je ne suis pas naïve à ce point.

AC : Donc la flotte n'était là que pour évacuer éventuellement des Américains ?

ASSK : Bien sûr !

AC : J'ai regardé à la BBC une interview d'un réfugié rwandais qui déclarait : « Qu'il y ait eu un génocide au Rwanda, cela n'avait aucune signification pour la communauté internationale. Mais si nous étions des gorilles, on aurait remué ciel et terre pour intervenir. »

ASSK : Je ne suis pas sûre que cette remarque soit absolument pertinente. Si on massacrait des gorilles, des associations de défense des animaux s'activeraient pour qu'on arrête le massacre. Mais la question du génocide est tellement plus complexe que la communauté internationale hésite à s'engager.

AC : Je sais que le sujet est complexe, et pourtant la réalité reste qu'un génocide a eu lieu et que la communauté mondiale s'est contentée de regarder. L' « hésitation » a coûté sept cent mille morts. Ne pensez-vous pas que certains dirigeants de pays puissants tergiversent immanquablement quand il s'agit d'assister les impuissants au moment où ils en ont besoin ?

ASSK : Cela dépend des pays. Certains sont toujours prêts à défendre les droits de l'homme et d'autres hésitent beaucoup plus.

AC : Etes-vous déçue par la réponse internationale à la Birmanie ?

ASSK : Non. Evidemment, nous espérons toujours une amélioration et davantage de sympathie et de soutien pour les principes et les valeurs pour lesquelles nous luttons. Cependant, nous devons considérer le fait qu'avant 1988, très peu de gens dans le monde savaient même où se trouvait la Birmanie.

AC : Estimez-vous qu'il est parfois approprié ou justifié qu'un pays intervienne dans les affaires intérieures d'un autre pays dont les autorités créent une situation infernale pour la population ? Est-ce le devoir d'un pays puissant d'aider le plus faible dans de telles circonstances ?

ASSK : Je pense qu'il vaut mieux que l'ensemble de la communauté internationale assume cette responsabilité. Trop de complications surgissent quand on donne à un pays particulier la responsabilité ou le droit de s'ingérer dans les affaires d'un autre. Mais je pense que l'ensemble de la communauté internationale doit reconnaître qu'elle a des responsabilités. Elle ne peut ignorer les graves injustices qui se poursuivent à l'intérieur des frontières d'un pays particulier.

AC : Revenons-en à la question des investissements étrangers en Birmanie. Des centaines de millions de dollars sont déversés dans votre pays, et d'autres attendent la bonne opération sur des comptes bancaires. Je présume que beaucoup, dans les milieux d'affaires, veulent la vérité. Ils n'ont pas envie de jeter des paquets de dollars par les fenêtres, pour ainsi dire. Quel serait le moyen le plus approprié pour que ces investisseurs potentiels rejettent la propagande du Slorc et découvrent la réalité de ce qui se passe vraiment dans votre pays ?

ASSK : Ils pourraient toujours commencer par nous parler. Nous pourrions leur donner une bonne idée de ce qui se passe... si cela les intéresse de découvrir la vérité. Mais beaucoup ne veulent pas savoir.

AC : Donc les investisseurs potentiels devraient prendre rendez-vous avec vous ?

ASSK : Pas nécessairement avec moi. Ils peuvent aussi prendre rendez-vous avec d'autres membres de notre organisation et d'autres membres des forces démocratiques, en position de leur expliquer ce qui se passe vraiment dans ce pays.

AC : Des hommes d'affaires et des politiciens prétendent que l'investissement en Birmanie est une bonne chose parce qu'il crée une classe moyenne et que c'est la façon la plus indiquée d'introduire la démocratie. Que répondriez-vous à cet argument ?

ASSK : Les investissements en Birmanie durant les six dernières années [depuis que le Slorc a pris le pouvoir] n'ont rien fait pour créer une classe moyenne plus forte. Un petit nombre de gens est devenu très riche, et un réservoir de très pauvres augmente rapidement. La grande majorité des fonctionnaires, qui devraient normalement faire partie de la classe moyenne, se battent pour assurer leur subsistance. Leurs salaires sont si bas comparés au coût de la vie qu'ils doivent choisir entre corruption et famine.

AC : Le Slorc présente une image grotesque et inexacte de la réalité de ce pays à son propre peuple. Personne ne croit le journal du Slorc ni sa télévision. La grande majorité de la population compte aujourd'hui sur vos allocutions du weekend pour entendre la vérité et une analyse des faits. Les cassettes et les vidéos de vos interventions vont-elles jusque dans les zones rurales ?

ASSK : Je le crois. Mais on peut apprendre la vérité de différentes manières. Par exemple, tout le monde a été très reconnaissant aux médias officiels birmans d'avoir diffusé intégralement le discours de leur ambassadeur auprès des Nations unies. Cela a donné l'occasion de connaître ce que contenait vraiment la résolution *(rire)*. Sinon, on ne l'aurait pas su. Ainsi la vérité «l'a emporté» d'une manière ou d'une autre.

AC : Que se passe-t-il si les autorités surprennent quelqu'un en train d'écouter vos cassettes ou de regarder une de vos vidéos ?

ASSK : Dans certains cas on a confisqué les postes de télévision et les magnétoscopes, mais ailleurs les autorités ont réellement décrété l'interdiction à «quiconque» de regarder mes vidéocassettes.

AC : Que pensez-vous du recours à des manifestations non violentes en Birmanie aujourd'hui ? Les préconisez-vous ? En tenez-vous compte ? Les découragez-vous ?

ASSK : Pour le moment je ne préconise rien. J'ai toujours dit que l'on travaille par rapport à une situation qui change. Vous ne pouvez pas conserver une politique fixée à tout jamais.

AC : Savez-vous s'il existe des groupes militants de gauche radicaux dans le pays qui prônent les tactiques de guérilla urbaine, comme on l'a vu en Irlande du Nord ou au Moyen-Orient ?

ASSK : Je ne suis pas au courant. Mais il y a probablement des individus qui aimeraient suivre cette voie.

AC : Y a-t-il aujourd'hui des étudiants qui intercèdent auprès de vous pour engager une lutte armée contre le Slorc ?

ASSK : Pas seulement des étudiants, il y a aussi des gens plus âgés qui ont prôné la lutte armée. Ils pensent que ce gouvernement manque tellement de bonnes intentions que la seule manière d'obtenir la démocratie est de l'écraser par la force des armes. A mon avis, c'est la pure frustration qui les conduit à cette conclusion et le fait que l'attitude des autorités est si extrême. L'extrémisme engendre l'extrémisme.

AC : Je peux aisément comprendre leur attitude. Au Nigeria, Ken Saro-Wiwa [écrivain, militant pour les droits de l'homme et l'environnement] l'a résumé sans ménagements dans une lettre, sortie clandestinement de sa cellule de prison quelques mois avant son exécution. « Est-ce que je pense que je vais être exécuté ? Oui. Je m'y attends. Nous avons affaire ici à un groupe de dictateurs militaires de l'âge de pierre, assoiffés de sang. »

Qu'est-ce qui a détourné votre père de l'usage des armes pour renverser le fascisme et l'impérialisme, et l'a conduit vers une solution politique non violente ? A-t-il étudié les principes de Gandhi ?

ASSK : Il n'a pas prôné un mouvement non violent, de non-coopération, à la façon de Gandhi en Inde. Mon père était très intelligent et il utilisait son intelligence d'une manière très pratique. Il était prêt également à admettre ses erreurs. Par exemple, il reconnaissait que c'était par manque de maturité politique, non seulement chez lui mais chez tous les jeunes gens engagés dans le mouvement pour l'indépendance, qu'ils avaient cherché de l'aide auprès d'un pouvoir militaire fasciste [le Japon]. Mais il apprenait très vite et il décida plus tard que la meilleure manière de s'y prendre pour obtenir l'indépendance passait par une solution politique qui ne lésât personne.

AC : Vous considérez-vous davantage comme une

dirigeante politique du style de Gandhi? Ou votre approche de la non-violence vient-elle plutôt de votre compréhension du bouddhisme?

ASSK : Je ne pense pas être une politicienne gandhiste ni bouddhiste. Je suis bouddhiste, bien sûr, et j'ai été guidée par tous les principes bouddhistes que j'ai absorbés durant ma vie. Le fait que j'admire les hommes qui ont dirigé le «premier mouvement d'indépendance» birman signifie aussi que je suis influencée jusqu'à un certain point par leurs principes et leurs actions. Mais la raison première pour laquelle je m'oppose aux moyens violents est que, selon moi, cela risque de perpétrer une tradition qui consiste à changer la situation politique par la force des armes.

AC : Tous vos plus proches collègues – les membres du CE de la NLD – sont d'anciens militaires, la plupart des ex-généraux. Trouvez-vous dans vos discussions qu'ils font peut-être l'effort de comprendre ou d'apprécier votre croyance en la non-violence pour obtenir une solution politique?

ASSK : Pour moi c'est très pratique. Si vous voulez établir une solide tradition de démocratie dans ce pays, l'un des principes fondamentaux pour l'obtenir est d'amener le changement politique pacifiquement en consultant la volonté du peuple par les urnes et non par la force des armes. Si vous voulez la démocratie, vous devez démontrer ses principes; en politique il faut être cohérent.

AC : Pouvez-vous en dire davantage sur la cohérence d'une ligne politique?

ASSK : Si vous affirmez que vous voulez changer un système dans lequel la force prime le droit, alors vous devez prouver que le droit prime la force. Vous ne pouvez pas faire usage de la force pour imposer ce que vous pensez juste et continuer de soutenir que le droit prime la force. Les gens ne sont pas dupes. Quand je me suis rendue en 1989 dans la région du lac Inlay, un moine m'a raconté une histoire. Avez-vous déjà entendu parler de U Po Sein ? C'était un danseur très célèbre d'une troupe de théâtre birmane. Un comédien disait avant le commencement du spectacle : «U Po Sein, personne dans l'assistance ne sait danser aussi bien que toi. Mais personne dans l'assistance n'ignorera le moindre faux mouvement.» C'est pareil en politique. Les gens peuvent paraître apathiques et indifférents mais ils savent si vous faites un faux mouvement, ou si vous n'avez pas été cohérent.

AC : Vous sentez-vous parfois dépassée dans votre position de non-violence, étant donné l'attirance universelle pour la violence ? Vous sentez-vous comme une étoile solitaire, si j'ose dire, au milieu de l'obscurité ? Les dirigeants du monde entier croient en général que «la force prime le droit» et que l'importance de la force détermine en général qui l'emporte à la fin.

ASSK : A mon avis je ne suis pas la seule à refuser que les armes soient un moyen du changement. Mais oui, si vous vous représentez vraiment toutes les armes dans le monde, le tas peut dépasser le mont Everest, non ?

AC : J'ai entendu évoquer une image pour illustrer cela, à propos des armes nucléaires. Si on devait rassembler l'équivalent en TNT de toutes les ogives nucléaires produites sur la planète, on pourrait remplir une file de wagons de train qui représenterait huit fois la distance jusqu'à la lune et retour.

ASSK : Je me demande vraiment pourquoi les gens perdent tant de temps, d'énergie et d'argent à produire ce genre de choses.

AC : Savez-vous précisément d'où viennent les armes que consomme le Slorc ?

ASSK : Je sais que le gouvernement achète beaucoup d'armes à la Chine. Mais ailleurs également. Il y a quelque temps une rumeur courait, selon laquelle de hauts responsables du Slorc se rendaient dans divers pays, y compris en Europe, pour essayer d'acheter des armes.

AC : Quelles sont les principales qualités de conscience que vous tentez de stimuler en vous et que vous encouragez les autres à acquérir, pour en faire le fondement de votre lutte pour la démocratie ?

ASSK : Avant tout, ce que nous aimerions élaborer est une vision. Nous aimerions que les gens voient et comprennent pourquoi un système politique concerne la vie quotidienne. Pourquoi nous ne pouvons pas ignorer la politique et nous intéresser uniquement à l'économie, comme les autorités aimeraient que nous le fassions. Nous voulons qu'ils comprennent que notre lutte pour la démocratie est une lutte pour notre vie de tous les jours, qu'elle n'en est pas distincte. Ce n'est pas une chose que vous faites quand vous avez un peu de temps libre, ou quand vous en avez envie. Vous devez y travailler constamment, car elle retentit constamment sur votre vie. Vous ne pouvez jamais séparer le système politique d'un pays de la façon dont vous menez votre vie quotidienne. C'est au fond l'esprit que nous voulons – la conscience que l'objet de notre lutte n'est pas un objectif lointain ou un idéal. Ce pour quoi nous luttons, c'est un changement dans nos vies de tous les jours. Nous voulons être libérés de la peur et du besoin. Certains aujourd'hui jouissent de la sécurité matérielle, mais ils ne peuvent jamais avoir la certitude qu'elle ne leur sera pas retirée. Tant que nous ne causons pas de tort à autrui, tant que nous ne transgressons pas les lois instaurées afin de nous empêcher de nuire à autrui, nous devons avoir l'assurance que l'on ne nous fera pas de mal, que les autorités ne peuvent pas vous renvoyer de votre emploi, vous chasser de votre maison, vous jeter en prison, ou vous faire exécuter, si vous n'avez rien fait pour justifier de telles actions.

AC : Le Slorc semble avoir la manie d'expulser les gens de leurs maisons par la force et de les réinstaller dans des zones plus «désirables». En 1990, le *New York Times* a rapporté que les autorités «ont réinstallé de force plus de cinq cent mille personnes pour la seule ville de Rangoon», et déplacé ces gens dans des «villes nouvelles» qui se sont révélées n'être rien de plus que «des marécages infestés par la malaria». Apparemment le phénomène s'est produit dans tout le pays et on me raconte qu'il continue aujourd'hui. Qu'y a-t-il derrière ces fréquentes expulsions et confiscations de biens par le Slorc?

ASSK : Partout où ils [le Slorc] pensent qu'ils ont besoin d'un terrain particulier pour un projet immobilier, alors ils chassent les gens...

AC : Ces gens n'ont absolument aucun droit?

ASSK : Non. Aucun.

AC : Ils sont simplement avertis par les autorités qu'ils doivent quitter leur maison à telle date, et c'est tout?

ASSK : C'est exact.

AC : Où vont-ils?

ASSK : La plupart sont déchargés dans les champs et on leur ordonne de construire leurs baraques.

AC: A quel point ce phénomène est-il répandu aujourd'hui?

ASSK : Cela se produit dans toute la Birmanie.

AC : Et la raison?

ASSK : Les déplacements forcés sont principalement destinés à rendre un endroit plus attirant pour les touristes.

AC : Le gouvernement américain a proposé une rançon de deux millions de dollars en échange du citoyen birman Khun Sa, connu de la plupart des gens comme le baron de l'héroïne le plus célèbre du monde, qui fournit approximativement 60 % de l'approvisionnement mondial d'héroïne. Récemment, le Slorc a passé un accord avec lui, dont la nature reste un peu un mystère. Voici ma question. On voit tous les jours à la télévision du Slorc les treize mille soldats de Khun Sa remettant leurs armes, mais où est la marchandise, autrement dit les dizaines de milliers de tonnes d'héroïne ?

ASSK : Je n'ai absolument aucune idée de l'endroit où se trouve l'héroïne. Attendons de voir, l'héroïne va peut-être apparaître…

AC : Est-ce que tout simplement le Slorc a passé un accord d'amnistie avec lui ? A côté de ce type Noriega a l'air d'un rigolo.

ASSK : Vous avez vu des photographies de Khun Sa. A-t-il l'air d'un homme qui craint pour son avenir ?

AC : Je lui trouve l'air drôlement décontracté.

ASSK : Exactement. Il n'a pas du tout l'air nerveux. Il est en termes d'égalité avec les ministres et les commandants [du Slorc]. Il a tout à fait l'air d'un homme qui n'a à s'inquiéter de rien.

AC : Une fois de plus, la stupidité du Slorc me dépasse. Je n'aurais jamais imaginé qu'ils puissent agir ainsi publiquement.

ASSK : On revient à notre vieille question – sont-ils vraiment aussi stupides ? Ou y a-t-il une pensée profonde derrière tout cela ? Dites-moi ce que vous pensez. Tout le monde est absolument stupéfait de constater qu'ils aient pu commettre une telle bêtise.

AC : Comment la NLD s'y prendra-t-elle pour résoudre le problème de l'opium et de l'héroïne en Birmanie ? Et répondrez-vous en fait à la demande des Américains qui veulent l'extradition de Khun Sa pour le juger aux Etats-Unis ?

ASSK : Parlons de la question de l'héroïne – comment nous allons tenter d'éradiquer ce problème. Les gens qui cultivent le pavot pour l'opium ne sont pas très riches. Il le font parce qu'ils n'ont pas d'autres sources de revenus ou bien ils ont peur des trafiquants de drogue qui les obligent à le cultiver. Si nous leur fournissons des sources de revenus alternatives, ils auront moins d'enthousiasme à persévérer. Tout cela est affaire d'éducation. Il ne suffit pas de dire aux gens d'arrêter, nous voulons qu'ils comprennent pourquoi ils doivent arrêter. A la NLD, nous croyons beaucoup en l'éducation. Nous voulons faire comprendre aux gens qu'ils n'ont pas besoin de continuer à cultiver le pavot pour l'opium. Donc nous leur donnerons une aide pratique. Et nous les éduquerons afin qu'ils n'aient plus envie de poursuivre la production d'opium.

AC : Nous le savons, les habitudes sont tenaces, cela prendra un certain temps…

ASSK : Cela prendra du temps, mais peut-être pas autant qu'on le pense, car n'oubliez pas qu'à cette époque de révolution internationale des communications, vous pouvez toucher très rapidement les gens si vous voulez vous en donner la peine.

AC : Et en ce qui concerne Khun Sa ?

ASSK : Nous devrons examiner de cette affaire avec grand soin. Nous ne sommes pas le gouvernement de ce pays. Nous ne sommes pas en position de faire quoi que ce soit à son sujet et nous ne croyons pas qu'il faille faire des commentaires prématurés.

AC : Quelle serait selon vous l'expression particulière de la démocratie en Birmanie ?

ASSK : Je ne sais pas parce que nous n'avons pas encore amorcé notre démocratie. Mais j'aimerais penser que ce serait une démocratie au visage plus compatissant. Une sorte de démocratie plus douce… plus douce parce que plus forte.

AC : S'agirait-il d'une forme de démocratie capitaliste ?

ASSK : Nous n'avons jamais songé à une démocratie capitaliste en tant que telle. Nous ne voyons pas pourquoi la démocratie devrait faire partie du capitalisme ou *vice versa*. Nous pensons que démocratie veut dire volonté du peuple. Cela signifie certaines libertés fondamentales, qui devront inclure les libertés économiques fondamentales tenant compte du capitalisme. Mais cela n'exclut pas que l'Etat aurait la responsabilité d'autres aspects de la nation, tels que l'éducation et la santé.

AC : L'année dernière Sa Sainteté le dalaï-lama a dit que ce que les Chinois font à son peuple «est une sorte de génocide culturel et [que] le temps presse». Il a poursuivi en affirmant que si les Chinois continuent, «il n'y aura plus de Tibet à sauver». Pourrait-on dire la même chose de la Birmanie ? Est-ce que le temps presse ? Y a-t-il une limite dans le temps…

ASSK : Non, évidemment non. Pourquoi devrait-il y avoir une limite dans le temps ?

AC : Je ne sais pas, peut-être que le niveau de désespoir atteindra-t-il son point culminant, dépassera la peur et on assistera à un soulèvement comme en 1988…

146

ASSK : Il y a toujours une limite jusqu'où les individus sont prêts à aller. Cela ne signifie pas nécessairement qu'ils exprimeront leur mécontentement par des manifestations. Mais je ne pense pas que le peuple continuera indéfiniment à accepter l'injustice.

VII

LES SAINTS SONT DES PÉCHEURS
QUI PERSISTENT À ESSAYER...

Alan Clements : C'est, je crois, Sa Sainteté le dalaï-lama qui a dit que nous devions «encourager une reconnaissance – un amour réel pour notre statut commun d'être humain». Cette idée est belle et émouvante, et pourtant elle semble étrangère... quand j'évoque les images épouvantables d'Auschwitz et des camps de la mort, la marée de crânes fendus des champs de la mort de Pol Pot, les corps taillés en pièces par les Hutus rwandais, ou les femmes violées hurlant dans les camps serbes, mon cœur se serre. Je me demande si l'on peut considérer les auteurs de ces atrocités comme des êtres humains. Très franchement, ils n'ont pas l'air humains. Daw Suu, vous semblez vivre et respirer la souffrance de votre pays. Comment faites-vous pour garder votre cœur accessible à la douleur ?

Aung San Suu Kyi : Cela dépend des milieux dans lesquels vous évoluez. J'ai beaucoup de chance que mon entourage ait le cœur si ouvert. Et cette affection mutuelle fait que l'habitude d'ouvrir nos cœurs est toujours là. En outre, si vous savez qu'il y a des gens dans le monde qui sont dignes d'amour, et auxquels vous pouvez vous ouvrir sans danger, je pense que vous êtes mieux préparé à accepter que d'autres aussi pourraient mériter de l'amour.

AC : Je serai plus précis. Comment regardez-vous les gens du Slorc dans les yeux sans éprouver un sentiment d'indignation, vraiment ?

ASSK : On me pose souvent cette question : «Pourquoi n'éprouvez-vous aucun sentiment vindicatif ?» Je pense que certains ne croient pas que nous soyons effectivement libérés de tels sentiments. C'est très difficile à expliquer. L'autre jour, Oncle U Kyi Maung, Oncle U Tin Oo et moi en parlions avec un groupe de nos délégués de la NLD, et nous en avons ri. Apparemment, vous avez demandé à Oncle U Kyi Maung ce qu'il avait éprouvé le jour où il a entendu dire que j'allais être placée en état d'arrestation. Et il a répliqué qu'il n'avait rien éprouvé du tout. Et vous étiez surpris…

AC : Pas seulement surpris, mais choqué. Parce que ce qu'il disait, c'est que, malgré la présence de soldats armés autour de votre maison et bien qu'il fût probable qu'on allait vous conduire à la prison d'Insein, vous avez tous ri de la crise et commencé à la tourner en plaisanterie.

ASSK : Oui, et nous n'éprouvions absolument rien. De nombreux journalistes m'ont demandé : «Qu'avez-vous ressenti lorsque vous avez été libérée ?» J'ai répondu : «Je n'ai rien ressenti du tout.» *(Rire.)* Je pensais vaguement que j'aurais dû ressentir quelque chose, mais ce qui m'inquiétait vraiment, c'était : que dois-je faire, maintenant ? Ensuite le journaliste m'a demandé si j'étais heureuse ou transportée de joie. Je lui ai dit : «Non… rien de tout cela. J'ai toujours su que j'allais être libre un jour. Le point était : eh bien, qu'est-ce que je fais maintenant ?» Mais beaucoup de gens ne me croient pas.

AC : Pour eux, c'est une forme de dénégation ou de refoulement ?

ASSK : Exactement *(rire)*. C'est très étrange.

AC : Quand vous parlez de « n'avoir rien ressenti du tout » après votre libération, voulez-vous dire que le passé est simplement hors de propos ?

ASSK : Je ne pense pas que l'on puisse oublier le passé, mais on doit se servir de ses expériences pour construire un présent et un avenir meilleurs.

AC : Et les victimes qui n'ont pas le ressort ou la profondeur d'esprit que vous possédez, et qui se sentent violées et outrées par les atrocités commises à leur encontre ?

ASSK : Certes. Certes. C'est pourquoi nous parlons de la relation entre vérité et réconciliation. Je pense qu'avant tout leurs souffrances doivent être reconnues. Vous ne pouvez pas effacer le passé. Si vous essayez, il y aura toujours un océan de rancœur chez ceux qui ont vraiment souffert. Ils auront l'impression que leurs souffrances ne sont pas prises en compte, comme s'ils avaient souffert pour rien ; comme s'ils avaient subi la torture pour rien ; comme si leurs fils et leurs pères étaient morts pour rien. Ces gens-là doivent avoir la satisfaction de savoir que leurs souffrances n'ont pas été vaines, et le seul fait d'admettre que l'injustice a été commise évitera beaucoup de ressentiment. Remarquez, les gens sont différents. Certains voudront toujours se venger, ils demeureront assoiffés de vengeance même si tout le monde est d'accord : « Oui, nous savons que vous avez souffert, nous reconnaissons le tort qui a été fait à votre père, à votre fils ou à votre fille. » Il y aura toujours des gens qui ne pourront jamais pardonner. Mais nous devons toujours essayer. Au Chili il a été créé une commission Vérité et Réconciliation, et il en existe une désormais en Afrique du Sud sous l'égide de l'archevêque Desmond Tutu. J'y crois beaucoup. La reconnaissance de l'injustice empêchera, dans une certaine mesure, qu'elle se reproduise. Les gens se rendront compte que si l'on agit ainsi, cela se sait, qu'on ne peut pas le cacher.

AC : Voyez-vous comme un droit essentiel de l'homme la nécessité d'une certaine forme de justice, au-delà d'une simple reconnaissance de l'angoisse et de la souffrance qu'une famille ou un individu a été contraint d'endurer ?

ASSK : Considérons cela comme satisfaction plutôt que besoin de justice. Si vous parlez de la justice comme d'un droit de l'homme, on pourra en déduire qu'il s'agit de droit pur. Dans de nombreux pays où des dictatures sont tombées et où des démocraties ont vu le jour, vous constaterez qu'il n'est pas toujours possible de faire aboutir une action en justice contre les coupables. Pour diverses raisons des compromis ont été nécessaires. Donc parler de «justice» pourrait donner la fausse impression que tout acte contre le droit doit être porté devant un tribunal et que justice doit être faite au sens judiciaire. Je dirais plutôt qu'il faut faire quelque chose pour satisfaire les victimes et les familles de ces victimes.

AC : Je parlais l'autre jour à un ami birman qui lançait un appel passionné pour ce qu'il appelait la «génération 88», ces étudiants de l'université qui ont été le fer de lance des manifestations de masse. Il disait : «Nous sommes impuissants, désespérés et sans but. Le Slorc a écrasé nos espoirs de liberté.» J'aimerais étendre ce sujet au-delà de la Birmanie. Quel conseil pourriez-vous donner à ceux qui vivent dans une telle souffrance psychologique ?

ASSK : Le seul remède est le travail. Je pense que ceux qui font vraiment tout ce qu'ils peuvent, quoi qu'ils fassent, ne ressentent ni désespoir ni impuissance, car ils sont engagés dans l'action. A ceux qui déclarent se trouver dans cet état d'esprit, on doit demander : «Faites-vous tout ce que vous pouvez?» Et je pense que si la réponse est vraiment «oui», alors on ne ressent ni désespoir ni impuissance.

AC : L'expérience montre qu'il y a souvent une période de décalage entre le traumatisme et l'action nécessaire pour le surmonter, une paralysie temporaire de l'esprit, pour ainsi dire. Comment peut-on insuffler du positif dans la période de désespoir et d'impuissance? Comment trouver une signification et une valeur spirituelles et renverser le négatif pour le retourner en sa faveur?

ASSK : Je vais vous proposer un exemple très terre à terre. J'ai souvent observé ceci : quand se produit un simple accident domestique – par exemple, la Cocotte-Minute explose et la soupe jaillit jusqu'au plafond de la cuisine –, ma première réaction est la suivante : «Ce n'est pas grave, du calme.» Il faut prendre les choses à bras le corps. Parce que si vous restez là à vous dire : «La Cocotte-Minute a explosé et il y en a partout», vous allez vous mettre dans tous vos états. Mais je réagis en me disant : «Bon, inutile de hurler. Je ne peux pas espérer que la soupe retourne dans la cocotte mijoter en sécurité. Je dois me mettre à nettoyer.» Alors j'éteins le gaz et je vais chercher un chiffon pour nettoyer le désordre. Ce geste vous calme déjà. Vous vous êtes mis au travail. Si vous vous sentez apathique ou rempli de désespoir et d'impuissance, il faut absolument que vous agissiez. Je ne peux rien contre la perte de la moitié de la soupe. Mais je peux certainement nettoyer les traces du désastre. Alors je peux commencer à penser : «Maintenant, dois-je faire un peu plus de soupe? Ou la remplacer par autre chose?» Vous

vous mettez au travail et vous ne restez pas là à désespérer. Voilà ce que je dirais à ceux qui se sentent désespérés et impuissants : «Ne restez pas inertes. Faites quelque chose.»

AC : En d'autres termes, l'action concrète elle-même est la guérison ?

ASSK : Oui. Il y a toujours quelque chose que vous pouvez faire si vous réfléchissez. J'y crois vraiment.

AC : Pensez-vous qu'il est parfois nécessaire de confier à un proche les émotions souvent traumatisantes que sont le désespoir et le chagrin, sans être pour autant complaisant ?

ASSK : Bien sûr. Après tout, l'explosion d'une Cocotte-Minute est un drame très mineur. Mais s'il s'agit de grands malheurs, par exemple la perte d'un être aimé, je crois que les gens doivent pouvoir en parler et analyser leurs sentiments. Mais, en même temps, il faut les encourager à vivre, à ne pas se contenter de pleurer la personne qu'ils ont perdue. Il faut leur donner tout le soutien affectif possible et tenter de trouver quelque chose de concret qu'ils puissent faire. Par exemple, penser à ceux qui sont encore en vie et qui se soucient d'eux.

AC : Par ailleurs, en même temps que l'immense considération et compassion que vous éprouvez pour les victimes de souffrance, réfléchissez-vous aussi à la façon de créer des conditions de sécurité pour les autorités actuelles quand la lutte pour la démocratie aura triomphé ? En un sens, eux aussi sont victimes, pour ainsi dire, de leur propre peur et de leur propre aveuglement.

ASSK : Il est prématuré d'en parler. Ces questions devront être débattues quand on entamera le dialogue. Mais nous ne voulons pénaliser personne. Nous voulons une société où le processus d'apaisement puisse prendre place rapidement et ce processus doit aussi, dans une certaine mesure, satisfaire les victimes.

AC : Apaisement implique perception d'une blessure – un ou une série de traumatismes psychologiques qui se sont produits dans le passé. Mais le Bouddha a insisté sur le fait qu'il ne faut pas chercher un commencement à la souffrance ni une cause première à l'apparition des émotions douloureuses. Par conséquent, il encourageait ses disciples à ne chercher la libération que dans le présent, à renoncer à fouiller le passé. Pour expliquer cette attitude, il utilisait la comparaison d'un homme atteint par une flèche empoisonnée. Vous la connaissez certainement…

ASSK : Oui.

AC : Bon. Cet homme gît à terre, blessé et mourant. Et tandis que le Bouddha tente de lui sauver la vie en arrachant la flèche, l'homme l'arrête et dit : «Avant que tu ne retires la flèche, je veux savoir qui m'a tiré dessus, pourquoi il m'a tiré dessus, et de quel arbre venait la hampe de la flèche…» Les questions se succèdent, jusqu'au moment où l'homme meurt. Donc je vous demande : comment votre idée de processus d'apaisement s'accorde-t-elle aux enseignements du Bouddha qui conseillent le «non-ajournement» de la libération de la souffrance ?

ASSK : Il faut faire certaines choses immédiatement et d'autres plus tard. Prenez un cas semblable à l'histoire de la flèche : si l'on amène quelqu'un dans une situation d'urgence, vous lui donnez immédiatement un traitement d'urgence. Mais, plus tard, il peut être nécessaire d'examiner l'origine du mal dont il souffre, pour appliquer des remèdes plus efficaces. Maintenant, si nous reprenons la comparaison de la flèche empoisonnée, les premières choses à faire seraient de la retirer, de nettoyer la blessure, et de mettre un pansement. Evidemment, ce n'est pas le moment d'enquêter sur la nature du poison. Mais après, il sera nécessaire de découvrir quelle sorte de poison se trouvait sur la flèche afin de déterminer le bon antidote. Donc chaque chose en son temps.

AC : Dans votre essai *Se libérer de la peur,* vous citiez quelqu'un, je ne sais plus qui, disant : «Les saints sont des pécheurs qui persistent à essayer…»

ASSK : Oui. Je ne me souviens pas qui l'a dit ou écrit, mais je l'ai trouvée par hasard il y a très longtemps et elle m'a toujours beaucoup plu.

AC : Elle me plaît aussi, ce qui introduit ma question. Avant qu'il ne devienne un disciple, saint Paul, connu alors sous le nom de Saül de Tarse, a tué beaucoup de gens, y compris des enfants, qui embrassaient la foi chrétienne. Dans la tradition bouddhiste nous avons aussi des exemples d'archétype de la rédemption, tel Angulimala – le meurtrier en série qui a changé, s'est fait moine et plus tard a atteint l'illumination…

ASSK : Je me demande quel âge ils avaient lorsqu'ils se sont convertis. Savez-vous quel âge avait Angulimala quand il a été transformé par le Bouddha?

AC : Eh bien, d'après certains tableaux que j'ai vus au temple, on le représente assez jeune…

ASSK : Oui on l'imagine assez jeune. Parce qu'il avait entrepris sa collection de doigts très tôt, n'est-ce pas?

AC : Comme il coupait un doigt à chacune de ses victimes et qu'il en avait additionné 999, il a dû commencer tôt. Mais pour en revenir à cette citation, «les saints sont des pécheurs qui persistent à essayer», ces spectaculaires conversions spirituelles…

ASSK : Vous voulez dire cette sorte de conversion qui est comme un éclair de lumière aveuglant?

AC : Non… comment expliquer? C'est facile de diviser la vie en petits compartiments nets : bien et mal, bon et mauvais, moral et immoral, comme si on détenait l'omnipotence. Si nous n'adoptons pas une vision d'ensemble, la portée de cette citation se réduit considérablement, peut-être même disparaît-elle totalement. J'aimerais comprendre comment on peut éprouver plus de compassion pour ceux qui sont considérés comme une menace pour la société? Il m'est arrivé de penser que la peine capitale serait souhaitable…

ASSK : Le pensez-vous vraiment?

AC : A un niveau personnel, pourrais-je vouloir qu'un individu meure pour payer son crime? Plus j'y réfléchis… non, je ne pense pas. Cependant, je sais que si un tueur massacrait des êtres qui me sont chers, je pourrais chercher à me venger…

ASSK : Mais si vous êtes un bon bouddhiste, ne devriez-vous pas tenter de vous changer vous-même plutôt que souhaiter que la peine capitale vous débarrasse des meurtriers?

AC : C'est que certains ne semblent pas rachetables. Ce sont des «tueurs-nés» qui semblent éprouver un plaisir pervers à faire souffrir autrui.

ASSK : Comment savez-vous qu'ils ne sont pas rachetables?

AC : Cela semble probable d'après leur comportement. Qu'en pensez-vous?

ASSK : Je ne suis pas en position de décider qui est rachetable et qui ne l'est pas. Que je ne sois pas capable de racheter certains individus, cela ne signifie pas que leur cas est désespéré. D'autres que moi peut-être en sont capables.

AC : La violence est partout aujourd'hui. Beaucoup de nos quartiers déshérités sont des zones de guerre. Le crime est la peur «numéro un» chez la plupart des Américains. En Birmanie aujourd'hui, la répression ne cesse de s'intensifier. Quelle est la force qui permet de continuer dans de telles conditions?

ASSK : Nous avons pas mal discuté de cette question dernièrement, mes collègues et moi. La réponse est difficile. Il y a quelque chose d'inné dans chaque être humain; même si ce quelque chose peut être adapté, ou transformé, et entraîné dans une direction plus positive, certains sont par nature plus enclins que d'autres à prendre une position forte. Bien sûr le climat social et politique compte beaucoup. Je trouve ahurissant que tant d'individus exécutent naturellement ce que les autorités leur demandent. Ils ont été conditionnés à obéir sans rien mettre en question. Je leur dis de garder toujours l'esprit en quête. Un esprit en quête est d'un grand secours pour résister à la violence ou à l'oppression, ou à tout agissement opposé à ce que vous croyez être bien et juste.

AC : Mais comment peut-on se détourner devant la souffrance, en particulier pour ceux qui ont l'instinct de servir? Est-ce l'aveuglement, encore un autre aspect de la peur, qui trouve une justification à la dérobade et fait que l'esprit et l'âme sont paralysés au moment de venir en aide? Je connais des gens très bien qui veulent servir, rendre à la vie, soutenir l'opprimé, mais la discussion prend fin dès qu'il s'agit de savoir qui fait quoi, où, quand et comment? Ou bien on entend ce genre d'excuses : il y a trop de bouches à nourrir, trop de larmes à essuyer. La vérité reste que beaucoup de gens désireux de servir se retrouvent frustrés au moment de passer à l'action et retournent à leur confort.

ASSK : Eh bien, si vous avez un esprit toujours «en quête», vous trouverez les réponses; si vous pensez toujours aux méthodes et aux moyens d'agir pour servir, vous agirez. Celui qui est «en quête» a une sorte d'esprit qui ne se contente pas de poser des questions, mais cherche vraiment des réponses. C'est pourquoi je dis un «esprit en quête» plutôt qu'un esprit interrogateur.

AC : J'ai constaté que beaucoup de gens se forcent quand l'«esprit en quête» tourne mal, devient culpabilité ou peur. Alors on se fait mal pour servir, pour ainsi dire, et on perd l'amour du service. Serait-il juste de dire que les gens ne doivent pas se forcer à servir mais simplement garder une curiosité active ?

ASSK : C'est un début. L'action vient de la pensée. Cela ne doit pas être une espèce d'action impulsive, soutenue par aucun principe. Je pense que le processus de quête, la recherche de réponses et d'une issue à tout problème, est un premier pas. Le second consiste à mettre les réponses en action.

AC : Revenons à 1988. D'après ce que je comprends, quand la Ligue nationale pour la démocratie a été fondée, il existait trois sections qui se sont rejointes ; et le groupe que vous dirigiez représentait les intellectuels birmans – les artistes, les musiciens, les juristes…

ASSK : En effet.

AC : J'ai apporté une citation de Vaclav Havel, qui explique le rôle de l'intellectuel dans la société. Quand je l'ai lue pour la première fois, j'ai immédiatement pensé à vous. Il écrit : « L'intellectuel doit constamment déranger, il doit révéler la misère du monde, il doit être provocant par son indépendance, il doit se rebeller contre tout ce qui est caché et mettre au jour les pressions et les manipulations, il doit être principalement sceptique à l'égard des systèmes… pour cette raison, un intellectuel ne peut pas entrer dans un rôle qui pourrait lui être assigné… et essentiellement il n'est à sa place nulle part : il se détache, irritant, où qu'il soit.»

ASSK : Je suis d'accord avec tout ce que dit Vaclav Havel. Je dirais qu'au fond, pour devenir un intellectuel, vous devez savoir contester. Je pense que tout le monde en est capable. Reste que cela ne suffit pas pour faire un intellectuel. Être un intellectuel, cela requiert aussi une sorte de discipline philosophique – c'est essentiel. Les intellectuels sont très importants dans toute société. Parce que ce sont eux qui, comme le dit la citation, provoquent les gens, les ouvrent à de nouvelles idées, les poussent vers de nouvelles hauteurs. C'est l'une des tragédies de la Birmanie : aucune place n'est accordée à l'intellectuel dans la société. Le véritable intellectuel, du genre que décrit Vaclav Havel, on ne lui permettrait pas de survivre en Birmanie.

AC : Pourquoi ?

ASSK : Il devrait soit se réprimer comme intellectuel, soit quitter la Birmanie, soit subir la prison. Il doit choisir entre ces trois possibilités.

AC : Donc, par sa fonction, un régime totalitaire tend vers une société stupide, anonyme, qui écrase les intellectuels ?

ASSK : L'intellectuel, par sa capacité à contester, menace l'esprit totalitaire qui entend que l'on obéisse aux ordres et que l'on accepte les décrets sans discussion. Il y aura toujours des heurts entre l'esprit totalitaire et celui de la remise en cause. Ils ne vont pas ensemble.

AC : Mais c'est précisément la tâche à laquelle vous êtes confrontée, vous qui recherchez un dialogue authentique et une éventuelle réconciliation avec le Slorc.

ASSK : Ce n'est pas parce que vous faites partie d'un

régime totalitaire que vous n'avez pas une étincelle de doute dans la tête.

AC : Quel est le principal facteur qui favorise cette forme d'esprit ?

ASSK : Pour commencer, vous devez vous intéresser au monde qui vous entoure. Si vous êtes sourd et aveugle, vous n'aurez pas idée de mettre en question les événements.

AC : L'absence de remise en question vient-elle d'une peur non reconnue ? Le syndrome de l'autruche la tête dans le sable ? Si j'ose voir et entendre le monde autour de moi et en moi, il faudra d'abord que je change moi-même.

ASSK : Non, je ne pense pas que ce soit seulement la peur. Nous sommes tous nés différents, et l'éducation intervient aussi. On peut naître avec un esprit critique, s'il n'est pas encouragé il s'émousse. Si vous recevez un coup de matraque chaque fois que vous soulevez une question, vous apprenez à ne plus en soulever. Et peu à peu, vous oubliez même probablement comment poser des questions. Si vous n'êtes pas né avec un esprit critique, on vous a peut-être appris à le développer. Ma mère ne m'a pas encouragée à poser des questions, mais elle ne m'a certainement jamais découragée non plus. Elle ne disait pas : « Pose des questions. » Mais quand j'en posais, elle était toujours présente, même si elle ne pouvait fournir les réponses.

Et puis, bien sûr, on nous a appris la légende de Pauk Kyine. Ce que nous a enseigné cette légende est que si vous ne cessez de poser des questions, vous recevrez des réponses. Si vous ne cessez de voyager, vous atteindrez votre but. Si vous restez vigilant et ne dormez pas trop, vous vivrez longtemps. Voilà ce qu'on nous apprenait, enfants. La plupart des enfants birmans connaissent cette histoire et les maximes par cœur. Voyez, dans cette légende, le héros sauve sa vie en restant vigilant toute la nuit et en observant de près le monde qui l'entoure.

AC : Vous ne le savez peut-être pas vous-même, mais comment êtes-vous arrivée à cet amour de la vérité ?

ASSK : Je ne suis pas née avec, c'est une question de formation. Ma mère m'a appris à être honnête. En fait, elle se mettait très en colère si je ne disais pas la vérité…

AC : S'appuyait-elle sur un principe pour expliquer que l'honnêteté est préférable à la tromperie ?

ASSK : Elle n'expliquait pas toujours pourquoi il est nécessaire d'être honnête. Elle répétait que l'honnêteté est bonne et la malhonnêteté mauvaise. J'ai accepté cela très tôt. Ma mère était naturellement courageuse et honnête – j'ai dû faire des efforts pour acquérir ces qualités. C'était très bien pour moi parce que cela me donne l'assurance que d'autres aussi peuvent travailler pour acquérir de telles qualités.

AC : Vous semblez vivre sur un rythme impitoyable, vous rencontrez chaque semaine des centaines de gens. Il y a aussi une file interminable de journalistes étrangers qui vous demandent des interviews. Plus vos interventions publiques le week-end et les réunions du Comité exécutif de la NLD, dont les décisions peuvent retentir sur des millions de vies. Comment maintenez-vous une telle intensité ? Devez-vous parfois vous arrêter et retrouver ce lieu de calme intérieur, afin de continuer ?

ASSK : Je m'arrête chaque soir parce que le soir je suis seule, c'est un moyen automatique de me mettre à l'écart de l'action. Bien sûr, il y a des moments où je dois travailler très tard dans la nuit. Dans ce cas je n'ai pas beaucoup de temps pour faire le point. A peine mon travail fini je vais me coucher. Mais normalement je dispose de quelques jours dans la semaine où à 7 heures du soir tout est tranquille et je suis seule dans la maison. Et là je me rends compte qu'il y a toujours changement. En un sens on vit à deux niveaux – le tumulte du monde extérieur et le calme de la vie intérieure. Et cela m'apparaît pleinement presque chaque soir.

AC : Lorsque vous disposez de ces précieux et rares moments de solitude le soir, que faites-vous habituellement ?

ASSK : Cela dépend. Quelquefois je dois faire les choses les plus banales, ranger mes vêtements ou mon bureau. Parfois je m'assois pour lire. Je dois dire que ces deux ou trois jours par semaine où je finis tôt, une grande partie du temps est consacrée à ranger le fouillis qui s'est accumulé. Mais c'est très paisible. C'est du travail manuel. Je mets simplement les choses à leur place, c'est tout. C'est presque mécanique.

AC : Etes-vous bien organisée ?

ASSK : J'étais parfaitement organisée. Je savais exactement où se trouvaient chaque livre, chaque magazine. Mais je crains de ne plus être l'être depuis ma libération. Je n'ai pas eu le temps de remettre chaque chose à sa place.

AC : Vous arrive-t-il à un moment de vous dire : c'est trop, je suis épuisée, assez pour aujourd'hui ?

ASSK : Quelquefois je suis fatiguée. J'aimerais dormir douze heures d'affilée ou simplement rester au lit un week-end entier, deux jours à ne rien faire – sauf lire pour le plaisir. C'est ainsi que j'imagine de vraies vacances. Mais je n'en ai tout simplement pas le temps.

AC : Depuis votre libération, faites-vous parfois quelque chose rien que pour le plaisir ?

ASSK : Il y a beaucoup de plaisir dans ma vie quotidienne. Les gens avec qui je travaille sont si gentils et ils ont un tel sens de l'humour. Hier nous avons fêté l'anniversaire commun de mes deux cousins, le Dr Sein Win [Premier ministre du gouvernement birman en exil] et Ko Cho. Nos *lugyi* – nos anciens comme nous les appelons – sont venus, U Aung Shwe, U Kyi Maung, U Tin Oo, U Lwin [membres du CE de la NLD] et nos tantes – leurs épouses. C'était une fête simple : pas grand-chose, à part du gâteau, du thé et des chips. Mais nous avons tous passé un très bon moment. Chaque jour aussi apporte beaucoup de joie et de bonheur – parler avec mes collègues, déjeuner avec le personnel du bureau – le seul fait de me trouver avec des gens si bons qui luttent ensemble est en soi nourrissant et enrichissant. J'ai de la chance d'être entourée de gens aussi extraordinaires.

AC : Outre qu'ils sont vos collègues de la NLD, qui sont pour vous U Tin Oo et U Kyi Maung ? Puisqu'ils sont tous les deux un peu plus âgés que vous, sont-ils aussi vos mentors ou des figures paternelles ?

ASSK : Je les considère comme mes oncles. Des oncles sont des gens qui remplacent le père, donc je les considère en un sens comme des figures paternelles. Mais en même temps, lorsque nous travaillons ensemble, ils sont vraiment mes collègues. Au jour le jour, ce sont aussi des amis, sauf que je n'aime pas leur parler comme à des amis, car cela les met au même niveau que moi. J'aime penser qu'ils sont supérieurs, parce qu'ils sont plus âgés, et en ce sens, je les respecte. Et pourtant, les amis sont ce qu'il y a de plus précieux au monde. Les amis signifient pour moi plus que toute autre chose. Donc sans vouloir manquer de respect, peut-être pourrais-je dire qu'ils sont deux de mes meilleurs amis – ou pour employer cette vieille expression, «guide, mentor et ami». Ils sont très différents de caractère mais ils sont également attachants et également dignes de confiance.

VIII

«JE N'AI JAMAIS APPRIS À HAÏR MES GEÔLIERS...»

Alan Clements : Avant votre retour en Birmanie, en mars 1988, vous avez vécu une existence plutôt classique dans votre maison d'Oxford. Du moins, jusqu'à ce que l'on vous annonce que votre mère avait subi une crise cardiaque et que vous rentriez à Rangoon. Cinq mois plus tard, vous étiez au centre d'une révolution aux dimensions nationales. S'agissait-il pour vous d'une spectaculaire transformation, ou la transition a-t-elle été plus progressive ?

Aung San Suu Kyi : J'ai été progressivement entraînée dans le mouvement. Pour commencer, je me trouvais à l'hôpital veillant sur ma mère, et j'entendais ce qui se passait. Puis on venait m'expliquer à quel point la situation politique et économique était mauvaise. Je ne disais pas grand-chose, j'écoutais simplement.

AC : Il n'y a pas eu un moment d'épiphanie où vous avez compris que l'heure était venue de vous engager dans la lutte populaire pour la démocratie ?

ASSK : Non. Je ne me souviens pas d'un tel moment, ce fut beaucoup plus progressif.

AC : En somme, lorsque vous êtes revenue en Birmanie pour veiller sur votre mère souffrante, vous n'imaginiez pas du tout que vous alliez vous engager en politique ?

ASSK : Je n'imaginais pas que la lutte pour la démocratie allait avoir lieu ainsi. Je pense que personne ne l'imaginait. Je savais que des choses allaient changer en Birmanie parce que, déjà en 1987, les gens étaient extrêmement malheureux. Ils exprimaient aussi plus ouvertement leur insatisfaction. Et avant mon arrivée à la fin de mars, les problèmes avec les étudiants avaient déjà commencé. Le 13 mars, Maung Phong Maw [un étudiant de l'Institut de technologie de Rangoon] avait été tué. A l'époque où je suis arrivée, je savais, comme d'autres, que la Birmanie n'allait pas rester passive. Mais je ne pense pas que je prévoyais plus que quiconque qu'on verrait se déployer ces manifestations en faveur de la démocratie.

AC : Pendant les années que vous avez passées à l'étranger, connaissant bien les conditions dans lesquelles votre peuple vivait, éprouviez-vous une angoisse constante, désireuse de faire quelque chose pour votre peuple sans savoir comment vous y prendre ?

ASSK : Non. Bien sûr, la situation ne me plaisait pas. Au cours de mes visites à Rangoon, quand je venais passer trois ou quatre mois avec ma mère, chaque fois que des amis nous rendaient visite, à un moment ou un autre la conversation tournait inévitablement sur la situation du pays.

AC : Pouviez-vous déjà à l'époque envisager l'idée d'un changement politique alors qu'une dictature solide comme un roc durait depuis plus de trois décennies ?

ASSK : Pendant toutes ces années, j'ai toujours été très consciente du fait que la majorité des Birmans étaient de plus en plus insatisfaits de la situation. Beaucoup d'entre nous avaient la conviction qu'il devrait y avoir un changement.

AC : Imaginiez-vous comment se produirait ce changement, ou quand ?

ASSK : Non.

AC : Une fois que les manifestations ont commencé, les gens étaient-ils préparés à une réaction militaire aussi violente ? Quelqu'un l'avait-il prévue ? Si l'on y réfléchit, ce n'était pas la première fois que Ne Win réprimait la dissidence par la violence.

ASSK : Déjà deux étudiants avaient été tués par balle. Je ne pense pas que c'était entièrement inattendu.

AC : Avez-vous pris part aux manifestations ?

ASSK : Non.

AC : Etait-ce pour une raison politique ?

ASSK : Non. C'était en partie parce que je veillais constamment sur ma mère à l'hôpital quand les manifestations ont eu lieu. Mais je ne pense pas que j'y aurais pris part de toute façon. Si vous demandez pourquoi, je dirais que je suis le genre de personne qui en général n'aime pas participer aux manifestations. Mais si j'avais estimé nécessaire de le faire, je l'aurais probablement fait.

AC : Vous avez évidemment exprimé votre considération pour la vision, le courage et la détermination de ces étudiants qui les organisaient et les menaient.

ASSK : Oh, oui ! Je les ai admirés. Je soutenais totalement ce qu'ils faisaient.

AC : Même si vous n'avez pas participé aux manifestations, vous êtes-vous dans une certaine mesure engagée dans leur organisation ?

ASSK : Non. Je faisais simplement partie de l'immense majorité silencieuse qui les soutenait.

AC : Quand votre domicile est-il devenu le quartier général de la coordination centrale de la lutte ?

ASSK : Beaucoup plus tard – après la mi-août.

AC : Vous avez prononcé votre premier discours public à la pagode Shwedagon en août 1988, au cours duquel vous avez annoncé votre entrée en politique. On dit que cinq cent mille personnes y assistaient. Avec tous ces partisans venus pour vous voir, avez-vous pensé qu'un passage de la dictature à la démocratie était à portée de main, ou que la lutte serait longue et prolongée ?

ASSK : A ce moment-là, je ne pense pas que quiconque ait su combien de temps prendrait le changement. Je crois que beaucoup s'attendaient à une issue plus rapide et pensaient que l'établissement de la démocratie n'était qu'une question de mois.

AC : Avez-vous su d'avance que le Slorc allait prendre le pouvoir le 18 septembre 1988 ?

ASSK : Il y avait de nombreuses rumeurs de coup d'Etat militaire en préparation.

AC : Cette information a-t-elle modifié votre façon d'envisager la meilleure méthode de lutte non violente ? Avez-vous pris des dispositions en prévision du coup d'Etat ?

ASSK : Quelles dispositions pouvions-nous prendre ? Nous organisions seulement une force plus unie pour la démocratie, et nous avons continué.

AC : Le 9 juillet 1989, vous avez annulé une marche qui devait avoir lieu le lendemain, Jour du Martyr, en déclarant : «Nous ne voulons pas mener notre peuple au carnage.» Quand vous repensez à cette journée – la veille de votre arrestation et le jour anniversaire de la mort de votre père –, qu'est-ce qui vous vient à l'esprit? Que ressentez-vous, presque sept ans plus tard et après plusieurs mois de liberté?

ASSK : Eh bien, ce ne fut pas une décision facile à prendre. J'ai compris que si je n'étais pas blessée... d'autres pourraient l'être. Continuer aurait été irresponsable. Si d'autres avaient été blessés alors que je restais indemne, je n'aurais pu vivre avec cette responsabilité.

AC : Saviez-vous à ce moment-là que vous seriez arrêtée un jour?

ASSK : Nous entendions dire depuis quelque temps que je serais arrêtée après le 19 juillet.

AC : Comment l'avez-vous entendu dire?

ASSK : Des rumeurs, beaucoup de rumeurs.

AC : Que s'est-il vraiment passé le jour de votre arrestation?

ASSK : Eh bien, le matin... J'essaie de me rappeler la séquence exacte. Un de mes cousins est entré et il a dit qu'il y avait des soldats partout et qu'il se passait quelque chose d'anormal. Puis le fils d'Oncle U Tin Oo est arrivé en voiture et il nous a appris que son père avait voulu sortir faire un tour le matin et qu'on lui avait interdit de quitter sa résidence. Il pensait que nous allions tous être arrêtés. Nous en étions tous sûrs.

AC : Que ressentiez-vous dans ce moment difficile?

ASSK : Je ne suis pas sûre d'avoir ressenti beaucoup d'émotion. J'ai juste mis des affaires dans un sac pour les emporter en prison. Nous pensions tous que nous serions emmenés à la prison d'Insein.

AC : Votre mari Michael était-il avec vous à ce moment?

ASSK : Non. Mais Kim et Alexander étaient là.

AC : Vos enfants étaient-ils choqués, paniqués?

ASSK : Non, pas du tout. Je leur ai simplement expliqué – Michael devait arriver quelques jours plus tard – que si leur père n'arrivait pas très vite parce qu'il n'obtenait pas de visa ou quelque chose du même genre, des dispositions seraient prises pour leur retour. J'ai demandé à des amis, au cas où Michael ne serait pas autorisé à entrer, de s'occuper du retour des enfants. C'est tout. Ils ont compris.

AC : Quand il a été clair que vous ne seriez pas emmenée à la prison d'Insein mais que vous étiez placée en résidence surveillée, vous avez entrepris une grève de la faim. Etiez-vous prête à tenir la distance, si nécessaire ?

ASSK : Je ne dis jamais : je vais faire ceci ou cela, parce que je sais qu'en politique on doit être souple. Je ne suis pas de ces gens qui peuvent dire : grève de la faim jusqu'à la mort. Je pense que cela ne mène strictement à rien.

AC : Mais vous avez fait cette grève avec un objectif très clair.

ASSK : Oui, on fait une grève avec un but bien déterminé.

AC : Quelqu'un vous assistait-il ? Qui prenait soin de vous ?

ASSK : Mes fils étaient avec moi. Puis Michael est arrivé quelques jours plus tard.

AC : Ce doit être un événement assez dramatique de voir votre femme ou votre mère poursuivre une grève de la faim...

ASSK : Vous savez, dans notre famille, nous ne donnons pas dans le mélodrame. Nous pensons à l'aspect pratique de la situation. Je n'encourage pas le mélodrame. Je n'aime pas cela.

AC : Vous êtes extrêmement rationnelle à cet égard...

ASSK : Non, je pense simplement que le mélodrame est très bête. On doit resté équilibré.

AC : Mais la simplicité des émotions pures, sans parler de mélodrame ?

ASSK : Rien ne mérite qu'on laisse paraître son émotion. En quoi l'émotion nous aide-t-elle ? Elle nous fait juste dépenser plus d'énergie.

AC : Combien de temps a duré votre grève de la faim ?

ASSK : Onze jours.

AC : Qu'est-ce qui vous a décidée à y mettre fin ?

ASSK : Je suis parvenue à un arrangement avec les autorités, concernant les jeunes [les jeunes employés de la NLD] qui avaient été pris dans la maison.

AC : Les autorités ont-elles respecté cet arrangement ?

ASSK : Oui, je dois dire qu'elles l'ont respecté. Elles ont affirmé qu'elles traiteraient bien ces jeunes gens, et elles l'ont fait. Ils n'ont pas été torturés. Du moins ceux qui ont été pris ici.

AC : Votre résidence surveillée signifiait-elle que vous étiez coupée de toute communication extérieure ? Le téléphone coupé ?

ASSK : Nous avons trouvé drôle la coupure de la ligne téléphonique. J'avais toujours pensé qu'on débranchait quelque part au central. En fait non, ils sont venus et ils ont coupé les fils du téléphone à l'aide d'une paire de ciseaux et ils ont emporté l'appareil. Nous avons trouvé cela très drôle *(rire)*.

AC : Votre mise en résidence surveillée représentait un archétype du sacrifice. D'un côté se trouvait votre famille, et de l'autre, vos principes. Le Slorc vous a offert la liberté de quitter le pays si vous le vouliez à condition que vous acceptiez l'exil, mais vous avez fait preuve d'une conviction plus profonde en restant en Birmanie pour poursuivre le combat.

ASSK : Comme mère, le plus grand sacrifice a été d'abandonner mes fils, mais j'ai toujours été consciente du fait que d'autres avaient sacrifié beaucoup plus que moi. Je n'ai jamais oublié que mes collègues qui sont en prison souffrent non seulement physiquement mais mentalement pour leur famille qui n'est pas en sécurité dehors, dans l'immence prison qu'est la Birmanie, soumise à un régime autoritaire. Les prisonniers savent que leurs familles n'ont aucune sécurité. Les autorités peuvent à tout moment prendre des mesures contre les familles. Parce que leurs sacrifices sont beaucoup plus grands que le mien, je ne peux pas le considérer comme un sacrifice. Je le considère comme un choix. Evidemment, ce n'est pas un choix que j'ai fait joyeusement, mais je l'ai fait sans réserves, sans hésitation. Evidemment, j'aurais préféré ne pas perdre toutes ces années de la vie de mes enfants. J'aurais préféré de beaucoup les passer avec eux.

AC : Votre famille vous a-t-elle soutenue ?

ASSK : Ma famille m'a beaucoup soutenue, ce qui aide énormément. Et en plus, bien sûr, je n'ai pas été totalement coupée de ma famille. Nous ne vivons pas ensemble, mais ce n'est pas arrivé d'un seul coup. Parce que quand je suis entrée en politique, ma famille se trouvait ici, avec moi qui m'occupais de ma mère. Ce n'était pas comme si brusquement je quittais mes proches, ou qu'ils me quittaient. La transition a été progressive et j'ai eu la possibilité de m'y adapter. A part les deux ans et quatre mois, pendant ma résidence surveillée, où je n'avais aucun contact avec eux, il n'y a pas eu de rupture brutale.

AC : Ont-ils envie de venir vivre ici avec vous ?

ASSK : En ce moment, non. Et je ne les y encourage pas

parce que je ne pense pas que les autorités aient particulièrement envie de leur rendre la vie heureuse.

AC : Pouvez-vous rester en communication avec eux ?

ASSK : Oui, ils me téléphonent une fois par semaine et
écrivent chaque fois qu'ils le peuvent.

AC : Daw Suu, si vous me permettez, j'aimerais vous
poser une question personnelle. Dans quelle mesure tout ce
que vous avez vécu a-t-il retenti sur votre mariage ?

ASSK : Je ne veux pas évoquer ma relation personnelle
avec les membres de ma famille. Je crois à la vie privée.

AC : Je respecte tout à fait ce principe, mais si je puis me
permettre, pour que ce soit bien clair, sur quoi repose selon
vous la nécessité de préserver la vie privée ?

ASSK : Les gens ont le droit de faire leurs propres choix.
Et le droit d'avoir leur vie privée. C'est à eux de décider ce
qu'ils souhaitent révéler de leur vie privée. C'est la liberté de
choix. Il y a des gens qui aiment parler de leur vie privée –
qui adorent cela. Je n'ai rien à leur dire. Ce n'est pas ainsi que
je fais les choses, mais bien sûr, c'est leur choix.

AC : Mais qu'est-ce qui marque la séparation entre ce qui
est publiable et ce qui est privé ?

ASSK : Ce qui ne relève pas de mon travail politique est
privé, et je ne parle que de choses qui concernent le public.
Comme je l'ai dit, la vie privée doit être respectée. Qu'il
s'agisse de la mienne ou de celle des autres. Je pense que
mes collègues ont la même position. C'est pourquoi nous
n'avons jamais attaqué personnellement qui que ce soit, ni
fait allusion à la vie privée des gens, ni même à leurs points
faibles.

AC : Par intégrité, vous évitez en général de parler négati-
vement des gens ?

ASSK : Sur le plan personnel, oui. Bien sûr, nous avons dû parler des auteurs d'actions politiques.

AC : Vous avez affiché des passages de discours de votre père sur les murs du vestibule en bas. Dans quel but ?

ASSK : J'ai pensé que ce serait éducatif pour les agents de sécurité [du Slorc] qui se trouvaient ici.

AC : Leur parliez-vous quelquefois ? Se montraient-ils amicaux ?

ASSK : Bien sûr, je leur parlais. Ils étaient toujours très polis et certains étaient très amicaux.

AC : Au cours d'une de nos conversations précédentes, vous avez dit : «Je n'ai jamais appris à haïr mes ravisseurs, donc je n'ai jamais eu peur.» Ce constat que «vous n'avez jamais appris à haïr vos geôliers» est-il l'aboutissement d'un raisonnement mental ou est-il apparu brusquement un jour où vous les avez regardés en face ?

ASSK : Il faut, là encore, en revenir à mon éducation. Je vous ai sans doute raconté que ma mère ne m'a jamais appris à haïr, même ceux qui ont tué mon père. Je n'ai jamais entendu une seule fois ma mère tenir des propos haineux sur les hommes qui ont assassiné mon père.

AC : Jamais ?

ASSK : Non… et elle ne m'a certainement jamais rien dit qui aurait pu me faire éprouver du ressentiment, encore moins me remplir de haine. Bien sûr, avant d'entrer en politique en Birmanie je pensais que j'étais aussi capable de haine que n'importe qui. Cependant, plus tard j'ai compris que je ne connaissais pas la haine véritable, mais que je pouvais la voir chez mes geôliers.

AC : Vous pouviez vraiment voir la haine dans leurs yeux ?

ASSK : Oui, la véritable haine et la méchanceté.

AC : Quels étaient alors vos sentiments à leur égard ?

ASSK : J'aimais bien la plupart d'entre eux en tant qu'êtres humains – je ne pouvais pas m'empêcher de voir leur côté humain, qui est sympathique. Cela ne veut pas dire que ce qu'ils faisaient me plaisait. Beaucoup de choses qu'ils faisaient et qu'ils font encore ne me plaisent pas du tout. Et ne croyez pas que j'étais angélique et que je ne me mettais jamais en colère. Bien sûr je me mettais en colère. Mais je n'ai jamais perdu de vue le fait que c'étaient des êtres humains. Et comme tous les êtres humains, ils ont un côté sympathique.

AC : Avez-vous fait de votre résidence surveillée une sorte de vie monastique ?

ASSK : Je suis partie du principe que je devais être très disciplinée et respecter un emploi du temps strict. Je pensais que je ne devais pas perdre mon temps ni me laisser aller *(rire)*. En fait, je n'ai pas trouvé cela difficile du tout. Je trouvais très commode de m'astreindre à un emploi du temps régulier et j'avais assez à faire pour remplir mes journées.

AC : Quel était votre emploi du temps quotidien ?

ASSK : Eh bien, je me levais à 4 h 30 et je méditais une heure. Puis j'écoutais la radio environ une heure et demie. Ensuite venaient mes exercices, suivis d'un peu de lecture avant mon bain. Suivait un programme de lecture, nettoyage, raccommodage ou n'importe quoi dont j'avais décidé que ce serait mes travaux de la journée.

AC : Comment vous souteniez-vous ?

ASSK : Par l'activité. Ce n'est pas comme être assis dans une cellule de prison. J'avais à occuper d'une maison qui devait rester rangée et propre. Je pouvais écouter la radio et

175

lire. Je pouvais coudre. Je pouvais faire toutes les choses normales que j'imagine être le lot quotidien de beaucoup de
gens, sauf sortir et recevoir des amis.

AC : Donc votre vie en incarcération a été un immense
silence rempli d'activités personnelles – tâches ménagères,
lecture, radio et couture ?

ASSK : Non, je n'y pense pas du tout comme à un
immense silence. C'était des jours ordinaires. Vous savez, les
gens aiment dramatiser. Ce n'est pas aussi dramatique que
cela. Ce l'est beaucoup plus pour des gens qui sont brusquement arrêtés chez eux et conduits dans une cellule de prison.
Moi, j'ai simplement continué à vivre dans la maison où
j'étais avant.

AC : Aviez-vous idée du temps que les autorités avaient
projeté de vous garder en détention ?

ASSK : La première décision de détention disait un an,
mais nous savions que c'était reconductible.

AC : Pensiez-vous que votre détention pouvait se prolonger indéfiniment, peut-être même à vie ?

ASSK : Oui. Après la première prolongation, j'envisa-
geais sérieusement que cela pourrait durer indéfiniment. En
particulier après qu'ils eurent modifié la loi.

AC : Les autorités vous ont-elles fait clairement
comprendre que vous seriez libre si vous quittiez le pays et
des membres du Slorc sont-ils venus directement vous voir
pour négocier un règlement ?

ASSK : Non, une fois seulement ils ont suggéré que ce
pourrait être une bonne idée. Mais ils ne me l'ont jamais for-
mulé de la même manière qu'à d'autres : «Si elle quitte le
pays… elle peut être libre.» Mais ils savaient que je savais
parce que c'était rendu public sur la BBC.

AC : Vous n'avez jamais été tentée par leur offre de liberté ?

ASSK : Non.

AC : Quelle a été votre réaction à leur suggestion ?

ASSK : D'abord la surprise qu'ils aient pu penser que j'accepterais. Dans une certaine mesure cela montrait qu'ils ne me connaissaient pas du tout. Et je ne suis pas la seule. En général ils ne connaissent pas vraiment les gens. Ce doit être très difficile à ceux qui utilisent l'intimidation et leur pouvoir pour réprimer les autres d'en avoir l'occasion. Ils n'ont pas appris la technique, pour ainsi dire, qui permet de connaître autrui. Peut-être ont-ils pris l'habitude de penser que l'on peut intimider ou acheter tout le monde.

AC : Nous avons tous nos moments sombres où nous devons nous débattre avec nos démons. Avez-vous parfois éprouvé une rage à donner des coups de poing dans le mur ?

ASSK : J'ai tapé très fort sur les touches de mon piano le jour où j'ai entendu qu'Oncle U Tin Oo avait été condamné à quatre ans de travaux forcés. Cette nouvelle m'a mise de mauvaise humeur. Je trouvais la décision terriblement injuste. J'éprouvais une pure colère.

AC : A un certain moment au cours de votre détention avez-vous entrepris une pratique intensive de la méditation ?

ASSK : Non. Mais il m'arrivait parfois de méditer davantage parce que cela me faisait du bien. Je pense que c'est la même chose pour tous ceux qui méditent. Une fois que vous avez découvert les joies de la méditation, pour ainsi dire, vous avez tendance à y consacrer des périodes plus longues.

AC : Quelles étaient ces joies que vous découvriez ?

ASSK : Les étapes que j'ai traversées sont celles que le *sayadaw* U Pandita a décrit dans son livre, *In This Very Life.* Je suis comme tous les autres adeptes de la méditation – rien qui sorte de l'ordinaire.

AC : Votre radio était votre lien avec le monde. Qu'écoutiez-vous ?

ASSK : Les nouvelles. J'écoutais principalement le service international de la BBC, les programmes birmans de la BBC et de VOA et La Voix démocratique de la Birmanie. J'écoutais aussi la radio française, mais plutôt pour entretenir mon français. Parfois j'écoutais la radio japonaise mais je ne pouvais pas toujours la prendre, car il y avait d'autres choses que je voulais écouter en même temps sur le service international de la BBC. Donc au bout d'un certain temps j'ai cessé d'écouter la radio japonaise.

AC : Votre période d'incarcération a coïncidé avec des changements nombreux et spectaculaires dans le monde, des événements qui ont modifié la face politique du monde. Il y en a trop pour les mentionner tous, mais quels sont ceux qui ont suscité en vous le plus d'intérêt ?

ASSK : Tout ce qui était lié à un mouvement démocratique m'intéressait terriblement. Tout ce qui se passait en Europe de l'Est, en Union soviétique, en Afrique du Sud, aux Philippines, au Bangladesh, au Pakistan, en Amérique latine – tout ce qui avait à voir, n'importe où, avec le développement d'un système de gouvernement démocratique ou un mode de vie plus démocratique m'intéressait beaucoup.

AC : Aviez-vous la télévision ?

ASSK : J'avais une télévision que j'avais en fait empruntée, ainsi qu'un magnétoscope pour montrer à des étudiants un programme de langue anglaise. Ces appareils sont restés avec moi pendant les six ans *(rire).*

AC : Etiez-vous autorisée à recevoir et envoyer de la correspondance ?

ASSK : J'ai tenu une correspondance avec ma famille pendant environ une année, mais pas après mai 1990. En fait, c'était plutôt mon choix.

AC : Fondé sur ?

ASSK : Deux choses. L'une était qu'ils [le Slorc] semblaient penser qu'ils me faisaient une faveur extraordinaire en me laissant communiquer avec ma famille. Alors que c'était mon droit. Or, n'ayant jamais accepté aucune faveur, *a fortiori* je ne pouvais en accepter de leur part. En outre, je ne pensais pas qu'ils avaient le droit de me maintenir en résidence surveillée au-delà d'un an. En fait, ils n'avaient pas le droit d'arrêter les membres de la NLD qui avaient gagné les élections. Pour moi, c'était une forme de protestation contre les injustices qu'ils perpétraient aussi bien que l'indication que je n'accepterais pas de faveurs de leur part.

AC : Vous n'avez rien accepté des autorités, même pas un sou ?

ASSK : Non.

AC : Comment avez-vous survécu ?

ASSK : J'ai vendu une partie de mes meubles.

AC : Comment vous êtes-vous débrouillée pour les vendre ?

ASSK : Les agents de la sécurité les ont vendus pour moi. Enfin, ils ne les ont pas vendus, ils les ont gardés dans l'entrepôt. Ils me les ont payés et le jour de ma libération ils ont tout rapporté. Ils voulaient me les rendre, mais j'ai dit que je ne pouvais pas accepter tant que je les aurais pas remboursés. Je leur ai demandé de les reprendre jusqu'à ce que j'aie rassemblé assez d'argent.

AC : Et comment mangiez-vous ? Qui faisait vos courses ?

ASSK : Une jeune fille venait pendant la semaine, tous les matins, et elle faisait mes courses. Elle s'occupait de ma nourriture et de tout.

AC : J'ai appris que vos ressources étaient si maigres que vous aviez à peine de quoi manger, vos cheveux ont commencé à tomber et à certains moments vous étiez trop faible pour sortir du lit.

ASSK : Oui, à certaines périodes.

AC : Etiez-vous désespérée ? Craigniez-vous la faim ?

ASSK : Ma théorie était que si je mourais de quelque chose, ce serait probablement d'une crise cardiaque due à la faiblesse, plutôt que de faim.

AC : Vous aviez des problèmes cardiaques ?

ASSK : Non, mais c'est toujours un risque en cas de sous-alimentation.

AC : En quoi diriez-vous que votre incarcération vous a changée ? Sentez-vous qu'à certains égards elle vous a fait mûrir ?

ASSK : On pourrait dire qu'elle m'a fait mûrir, mais après tout j'aurais mûri de toute façon. On devient plus mûr en vieillissant, qu'on soit ou non en résidence surveillée.

AC : Aviez-vous des livres préférés ?

ASSK : Je disposais de certains livres que j'aimais beaucoup. J'ai apprécié l'autobiographie de Nehru. J'avais un vieil exemplaire d'*Orgueil et Préjugés,* que j'ai relu, plutôt pour le plaisir de la langue. Mais beaucoup de lectures étaient purement liées au travail, si j'ose dire – politique, philosophie, etc.

AC : Ecriviez-vous pendant votre détention ?

ASSK : Non. Je ne voyais pas l'intérêt d'écrire à moins de pouvoir faire sortir mes écrits pour qu'ils soient publiés.

AC : Manifestement certains textes sont sortis – votre essai *Towards a True Refuge* («Vers un vrai refuge»)...

ASSK : Oui. J'ai écrit quand Michael est venu et quand j'ai voulu envoyer à l'extérieur des discours ou quand des arrangements ont été faits pour que j'envoie des discours par l'intermédiaire des autorités, ce qui est arrivé deux fois. Les autres discours, je les ai envoyés par l'intermédiaire de Michael.

AC : Comment avez-vous été informée de votre libération?

ASSK : Le chef de la police et deux membres des services de sécurité sont venus vers 4 heures de l'après-midi m'en faire part.

AC : Vous avait-on préalablement avertie?

ASSK : On m'a annoncé vers 1 heure qu'ils allaient se présenter vers 4 heures.

AC : Quelle a été votre première réaction?

ASSK : Ma première idée, je suppose, a été qu'ils venaient m'annoncer ma libération. Puis j'ai pensé à ce que devait être mon premier geste...

AC : Qu'avez-vous décidé?

ASSK : Que j'allais demander à Oncle U Kyi Maung et à Tante Kyi Kyi de venir me voir car j'avais de très bonnes relations d'amitié avec tous les deux. De plus, Oncle U Kyi Maung était le responsable de la NLD qui dirigeait notre parti au moment des élections.

AC : Avez-vous immédiatement repris l'engagement d'unifier la NLD et de poursuivre la lutte?

ASSK : Bien sûr. J'ai demandé à Oncle U Kyi Maung de me rejoindre parce que j'avais absolument l'intention de continuer.

AC : Combien de temps après votre libération avez-vous commencé vos conférences publiques ?

ASSK : Le lendemain, précisément. Mais je suis juste sortie pour dire bonjour, simplement prononcer quelques mots de salutation.

AC : Votre période d'incarcération a-t-elle eu des conséquences positives ?

ASSK : Eh bien, je pense que si le Slorc ne m'avait pas placée en résidence surveillée, notre mouvement n'aurait pas suscité autant d'intérêt. C'est toujours un tort de réprimer quelqu'un en qui vous voyez un ennemi et qui n'a pas d'armes. Le Slorc, en se montrant aussi dur et oppresseur dans sa manière de s'y prendre avec l'opposition, nous a apporté beaucoup de sympathie de la part du pays et du reste du monde.

IX

LA VIOLENCE N'EST PAS LA BONNE VOIE...

Alan Clements : Je suis frappé par une distinction majeure entre les dirigeants de mouvements politiques non violents. Il semble qu'il y ait deux principes fondateurs de la non-violence. Une version trouve sa source dans la croyance en Dieu : sa force et son inspiration ont pour origine une conception théiste ou monothéiste de l'univers, de la vie et de l'humanité, telle qu'on l'observe dans les mouvements conduits par Martin Luther King, le Mahatma Gandhi, Vaclav Havel et Nelson Mandela avant la formation de l'Umkhonto [l'aile militaire de l'ANC en Afrique du Sud]. Chacun de ces dirigeants, croyait plus ou moins en une conception soit chrétienne soit hindouiste de l'existence. L'autre principe s'inspire de l'*anatta* – le concept bouddhiste du vide, ou des corrélations, qui ne comporte aucun dieu permanent, entité, ou «figure-objet» dans l'au-delà. Sa Sainteté le dalaï-lama du Tibet en est un exemple. Un autre est le moine bouddhiste vietnamien, Thich Nhat Hahn qui, vous le savez sans doute, a dirigé un mouvement pacifiste non violent pendant la guerre du Vietnam et a été proposé pour le prix Nobel par Martin Luther King en 1968. Bien entendu, il y a vous, Aung San Suu Kyi, fervente bouddhiste.

Si l'on se réfère à ces exemples, toutes les expressions théistes de la non-violence ont été victorieuses dans leurs luttes alors que les bouddhistes n'ont jamais réussi à provoquer un changement politique – Thich Nhat Hahn le reconnaît dans ses écrits et le dalaï-lama affirme que «le temps s'épuise vite au Tibet». Dans votre propre lutte, ici en Birmanie, les résultats restent incertains et la répression du Slorc s'intensifie chaque jour. Qu'en pensez-vous?

Aung San Suu Kyi : Mais au Vietnam, en particulier au Sud-Vietnam, il y a de nombreux chrétiens, et beaucoup d'entre eux occupaient des positions clés pendant la guerre. Ngo Dinh Diem était catholique. Je pense que c'est l'une des raisons de l'échec du mouvement bouddhiste, il y avait beaucoup de non-bouddhistes au pouvoir. Le mouvement bouddhiste n'a pas pu influencer ceux qui occupaient une position cruciale.

AC : Mais que peut-on dire de la conviction des théistes par rapport aux adeptes de l'*anatta*?

ASSK : Je me demande s'il ne s'agit pas de quelque chose de plus pratique. Des mouvements organisés jouent un rôle essentiel dans le fonctionnement du monde chrétien. Ses Eglises fonctionnent de cette manière. Tandis que les bouddhistes ne sont pas vraiment organisés autour de leurs monastères. Même si l'on peut fréquenter le monastère local, ou avoir son monastère favori pour y faire ses dévotions, on ne reste pas nécessairement limité à ce seul monastère. Ce n'est pas comme les chrétiens qui fréquentent la même église pendant des années et des années, et ce faisant développent des relations de congrégation. Peut-être vos parents aussi allaient-ils à la même église et connaissez-vous beaucoup de monde grâce à votre relation constante avec les autres pratiquants. Vous savez aussi à quoi ressemblaient leurs parents et quelles affiliations ils avaient. C'est la base de la formation d'un mouvement organisé. J'ai souvent pensé que c'était probablement une des raisons pour lesquelles les mouvements politiques d'origine chrétienne ont tendance à décoller rapidement et efficacement. L'organisation est déjà en place. Regardez l'Amérique latine, vous constaterez que de nombreux mouvements politiques contre les dictatures, même s'ils n'étaient pas non violents, étaient fondés sur l'église, ce qui leur permettait de démarrer assez vite. Même dans les pays islamiques, la mosquée est organisée formellement et entretient des réunions régulières chaque semaine. Ce type d'organisation n'existe pas dans les pays bouddhistes.

AC : Vous ne pensez donc pas que le succès de ces mouvements résulte de leur foi en Dieu ?

ASSK : Je pense qu'il tient seulement au fait que les gens se rencontrent régulièrement. Même en Inde, le gouvernement ne peut pas interdire aux musulmans d'aller à la mosquée. Cela engendrerait une trop grave réaction. Mais les bouddhistes, où peuvent-ils se rencontrer ? Si les bouddhistes commençaient à se rencontrer une fois par semaine dans un monastère particulier, le MI se jetterait immédiatement sur eux pour connaître le sujet de la réunion. Mais vous ne pouvez pas empêcher les gens d'aller à l'église. Dans les pays d'Europe de l'Est, ils ont bien essayé. Mais une fois l'attention des pays occidentaux fixée sur eux ou s'il avaient à solliciter des prêts de l'Occident, ils ne pouvaient plus maintenir l'interdiction d'aller à l'église. C'est ce qui s'est passé en Pologne. Une énorme activité politique avait son centre à l'église.

Maintenant prenez un exemple en Birmanie. En juin dernier Oncle U Kyi Maung a commencé à réunir chaque jeudi chez lui quelques vieux amis pour le thé et une bonne discussion. Que s'est-il passé ? Ils ont été arrêtés par le MI, détenus et interrogés plusieurs jours. Si quelqu'un envisageait d'organiser une réunion régulière dans un monastère pour cent ou deux cents personnes, il y aurait de graves conséquences. Alors que dans les pays chrétiens, le gouvernement infiltre peut-être l'église à l'aide d'informateurs, mais il a l'obligation d'autoriser ces congrégations à se rencontrer régulièrement. C'est un grand avantage pour tout mouvement populaire.

AC : Le président Nelson Mandela écrit dans son autobiographie, *Un long chemin vers la liberté,* qu'en 1961 «le temps de la lutte non violente était terminé... Nous n'avions d'autre choix que le recours à la violence». Pour justifier le passage de la non-violence à la violence, il citait une vieille expression africaine : «On ne peut pas affronter les attaques de la bête sauvage à mains nues.» Néanmoins, certains au sein de l'ANC objectaient : «La non-violence était un principe inviolable, pas une tactique qu'il faudrait abandonner quand elle ne marcherait plus.» A cela M. Mandela rétorquait : «[Je] croyais exactement le contraire... la non-violence était une tactique qu'il fallait abandonner quand elle ne marchait plus... C'était une erreur et c'était immoral d'exposer notre peuple à des attaques armées de la part de l'Etat sans lui offrir une certaine forme d'alternative.» Mais, si je ne me trompe pas, vous voyez dans l'activisme politique non violent un principe moral et spirituel et non une simple tactique politique ?

ASSK : Non, pas exactement. C'est aussi une tactique politique. Les coups d'Etat militaires – et il y en a eu suffisamment en Birmanie – sont des moyens violents de changer les situations et je ne veux pas encourager ni perpétuer cette tradition qui consiste à provoquer le changement par l'usage de la violence. La méthode elle-même nous menacerait tout le temps. Parce qu'il y a toujours des gens qui ne sont pas d'accord avec la démocratie. Si nous parvenons à l'obtenir par la violence, cela signifie que le noyau dur de nos adversaires pensera : « C'est par la violence qu'ils ont changé le système, donc si nous pouvons développer nos propres méthodes de violence, qui sont supérieures aux leurs, nous reprendrons le pouvoir. » Et nous resterons dans ce cercle vicieux. Pour moi il s'agit autant d'une tactique politique que d'une conviction spirituelle : la violence n'est pas la bonne voie. Elle ne nous aiderait absolument pas à construire une démocratie solide.

AC : Mais lorsque vous constatez que les méthodes non violentes ne sont plus efficaces, avez-vous le devoir en tant que dirigeante de modifier votre tactique non violente pour aller à l'essentiel, pour ainsi dire, de votre lutte, ou maintenez-vous vos principes en pensant : « Advienne que pourra » ?

ASSK : Vous savez que nous prenons toujours des décisions collectives...

AC : Oui, je sais cela...

ASSK : Et tant que je ferai partie d'une organisation démocratique je devrai me conformer aux décisions collectives.

AC : Alors permettez-moi de poser la question autrement. Daw Suu, j'aimerais vous comprendre. La non-violence est-elle un principe éthique et spirituel immuable qui ne changera jamais quelles que soient les conditions de la lutte ?

ASSK : Nous avons toujours dit que nous ne désavouerons jamais les étudiants ou d'autres qui ont adopté la violence. Nous savons que leur but est le même que le nôtre. Ils veulent la démocratie et ils pensent que la meilleure méthode pour y parvenir est la lutte armée. Nous ne prétendons pas que nous avons le monopole des méthodes justes pour atteindre au but. En outre, nous ne pouvons pas garantir leur sécurité. Nous ne pouvons pas dire «suivez-nous sur la voie de la non-violence et vous serez protégés» ni que nous aboutirons sans provoquer une relation de cause à effet. C'est une promesse que nous ne pouvons faire. Nous avons choisi la voie de la non-violence simplement parce que nous pensons qu'il vaut mieux politiquement pour le pays, à long terme, démontrer que l'on peut provoquer des changements sans le recours aux armes. Ce fut une politique claire de la NLD depuis le début. Là, nous ne pensons pas du tout à des questions spirituelles. Peut-être, en ce sens, différons-nous du Mahatma Gandhi, qui aurait probablement condamné tous les mouvements qui ne sont pas non violents. Je ne suis pas sûre. Il a affirmé une fois que, s'il devait choisir entre violence et lâcheté, il choisirait la violence. Donc, même Gandhi, censé être le grand chef de file de la non-violence, tolérait l'exception…

AC : Mais pourquoi ne pas choisir la violence par compassion, si c'est le mot juste, plutôt que d'en faire un choix contre la lâcheté ? Nelson Mandela écrit : «La direction commet un crime contre son propre peuple si elle hésite à aiguiser ses armes politiques là où elles sont devenues moins efficaces.» Ne dit-il pas que l'attachement à la non-violence devient en fait un acte de violence contre son propre peuple, quand l'approche non violente n'est plus efficace ?

ASSK : Cela dépend de la situation et je pense que dans le contexte de la Birmanie d'aujourd'hui, les moyens non violents sont la meilleure méthode pour atteindre notre objectif. Mais je ne condamne certainement pas ceux qui mènent le «juste combat», si l'on peut dire. Mon père l'a fait et je l'admire énormément pour cela.

AC : Donc vous gardez vos options ouvertes et vous ne vous enfermez pas dans une approche particulière?

ASSK : Nous gardons toutes nos options ouvertes. Il est très important d'être souple. Nous avons choisi la non-violence parce que c'est la meilleure façon de protéger le peuple, et à long terme elle assure la future stabilité de la démocratie. C'est pourquoi mon père est passé de la violence à la non-violence. Il savait qu'il valait beaucoup mieux pour l'avenir du pays constituer un Etat démocratique par des moyens politiques et par la négociation, plutôt que par des moyens militaires. C'est la même chose pour Nelson Mandela. Il est revenu à la non-violence sitôt que possible. Bien sûr, avant il avait eu recours a la violence parce que la voie non violente ne payait pas et qu'elle était perçue comme une faiblesse plus que comme une force. Mais à cette époque les choses étaient différentes. Quand Nelson Mandela et d'autres Sud-Africains ont d'abord tenté l'approche non violente, le monde était si activement engagé dans la bataille idéologique entre l'Est et l'Ouest qu'on ne s'intéressait pas aux droits de l'homme. Dans un monde brutal, Nelson Mandela et les autres estimaient qu'ils devaient choisir des moyens susceptibles d'avoir un impact et de faire progresser leur situation. A l'heure actuelle, nous pouvons encore utiliser les moyens politiques non violents pour parvenir à nos fins. Si vous avez un choix, une chance égale de succès, il faut choisir la voie non violente, car cela signifie moins de victimes.

AC : Je ne pense pas que violence et non-violence soient des domaines aussi clairement opposés, en réalité. Certes, on a tendance à faire des catégories, noir et blanc, mais est-il possible d'avoir des forces armées motivées par la philosophie de la non-violence, ou est-ce complètement contradictoire dans les termes? Pouvez-vous philosophiquement adopter l'état d'esprit d'un militant non violent même si vous êtes un combattant capable d'user de la violence quand vous êtes mis en demeure de le faire?

ASSK : Vous devez définir ce que vous entendez par violence. Si pour vous il s'agit d'une action nuisible aux autres, vous élargissez la définition à tel point qu'aucun de nous n'est capable de réelle non-violence. Même si votre intention est d'aider une personne, vous pouvez la faire souffrir en lui disant une vérité douloureuse. Sous cet angle, il est très difficile de parler de pure non-violence.

En général, ce que nous entendons par violence, c'est la violence physique. Tant que vos pensées, vos émotions, vos paroles, ne se traduisent pas dans une action physique, les gens admettront plus ou moins que vos méthodes sont non violentes. Cela, je crois, peut être mis en pratique. Vous pouvez effectivement éviter de commettre des actes qui causent une souffrance physique aux autres. Bien sûr, certains objecteront que la souffrance mentale est pire que la souffrance physique...

AC : Oui, le Bouddha a dit cela...

ASSK : Vous introduisez là, dans ce débat, la question de savoir si un acte physique qui inflige de la douleur à quelqu'un est réellement pire qu'un mot ou une action qui produit une douleur mentale.

AC : Je sais que dans les pays occidentaux il a été très facile pour beaucoup d'entre nous de voir dans la machine militaire un organe d'agression violente. Nous le jugeons comme l'antithèse de l'*ahimsa* ou de la non-violence. Mais je me demande s'il y a un moyen d'éviter une division aussi aiguë entre ceux qui ont recours aux armes «à bon droit» et ceux qui n'emploieraient jamais de moyens violents en aucune circonstance?

ASSK : Prenez l'exemple de la Birmanie, pendant la période de la résistance contre les Japonais. L'armée birmane était née dans le peuple et en faisait partie. Pendant cette période, les gens ne voyaient certainement pas l'armée comme «eux» et eux-mêmes comme «nous». Nous étions un tout. Même après l'indépendance, aussi longtemps que la Birmanie a été un pays démocratique, cette division entre les militaires et les civils n'existait pas. Ce syndrome du «eux et nous» est apparu après que les militaires eurent pris le pouvoir et furent devenus une élite sociale. Les privilégiés et les non-privilégiés: tout se résume à ce clivage. Privilège parce qu'ils détiennent les armes, l'argent ou le pouvoir et que les autres n'ont rien.

AC : Pour en revenir à Nelson Mandela, j'ai été particulièrement intéressé par le récit qu'il a fait de ses épreuves aux journalistes américains du *Washington Post* venus l'interviewer à la prison de Robben Island. Ces derniers, semble-t-il, tentaient de lui coller l'étiquette de communiste et terroriste, ainsi que de non-chrétien. Ils affirmaient que le révérend Martin Luther King ne s'était jamais réclamé de la violence. Mandela répliqua qu'il était chrétien et que même le Christ qui était un pacificateur, quand il n'avait pas le choix, employait la force pour chasser les marchands du temple.

ASSK : Oui. Il a utilisé un fouet, n'est-ce pas? Je ne pense pas que l'on puisse se permettre d'être dogmatique en politique. Le dogmatisme est l'un des plus grands dangers en ce domaine.

AC : Un autre élément de son livre qui m'a impressionné, c'est le pouvoir du chant, les images émouvantes de son procès dans un tribunal bondé de ses partisans de l'ANC chantant et psalmodiant. Et quand ils étaient en prison pendant les premiers temps du mouvement, il explique comment tous chantaient et scandaient des hymnes toute la nuit.

ASSK : C'est très africain, non ?

AC : En effet. Mais pourriez-vous imaginer que les cinq mille personnes venues vous entendre le week-end se mettent à chanter des chants de liberté ? Existe-t-il dans le mouvement une tradition qui ferait du chant et de la danse un moyen de nourrir les forces unifiantes de l'amour et de la détermination ?

ASSK : En fait, nous n'avons pas ce genre de tradition fondée sur le chant et la danse. Certes, des jeunes gens chantaient des chants démocratiques pendant les événements de 1988 et 1989. Mais je ne pense pas que ce soit la même chose que la tradition africaine où on se donne la main en chantant. Chanter ensemble comme forme d'expression communautaire, même si ce n'est pas un chant politique, n'est pas une tradition chez les Birmans. C'est peut-être différent pour d'autres groupes ethniques en Birmanie. Je sais que nous avons toujours considéré les Karens comme de particulièrement bons chanteurs, et je me demande si l'on ne trouve pas davantage chez eux cette sorte de communauté du chant et de la danse.

AC : En vous regardant, vous et vos collègues, parler à la foule le week-end, je pensais que votre usage de l'humour pouvait avoir un effet comparable à celui du chant. Les gens rient constamment...

Aung San et Daw Khin Kyi, les parents de Aung San Suu Kyi, le jour de leur mariage. (coll. privée)

Daw Khin Kyi. (coll. privée)

Aung San. (coll.privée)

Aung San, Daw Khin Kyi et leurs enfants. Aung San Suu Kyi est au premier plan. (coll. privée)

Aung San Suu Kyi enfant
avec sa mère et son frère aîné.
(coll. privée)

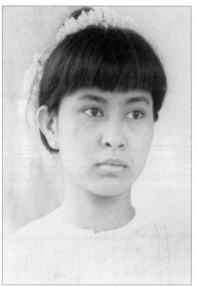

Aung San Suu Kyi à l'âge de six ans.
(coll. privée)

Aung San Suu Kyi adolescente.
(coll.privée)

Aung San Suu Kyi avec son fils
aîné Alexander, au Népal, en 1973.
(coll. privée)

8 août 1988, Rangoon : les étudiants manifestent en brandissant le portrait du général Aung San. (Alain Evrard)

Mai 1988 : Grève de la faim des étudiants réclamant le retour à la démocratie et la fin du système du parti unique.
(Zunetta Liddell)

Août 1988 : Un étudiant
embrasse les pieds d'un soldat...
(Ryo Takeda)

Août et septembre 1988 :
Sur les ordres du dictateur
Ne Win, l'armée massacre
les manifestants.
(Alain Evrard)

Le général Khin Nyunt, chef du
service de renseignement de l'armée.
(Alan Clements, Burma Project, USA)

Travail forcé,
chaînes aux pieds.
(Peter Skilling)

Derrière les barbelés entourant la résidence d'Aung San Suu Kyi, on aperçoit un des nombreux hôtels de luxe en cours de construction. (Alan Clements, Burma Project, USA)

Un des posters écrits par Aung San Suu Kyi et affichés dans son vestibule pour l'édification de ses geoliers. Ici, une citation du Pandit Nehru. (Leslie Kean, Burma Project, USA)

Any achievement that is based on widespread fear can hardly be a desirable one, and an 'order' that has for its basis the coercive apparatus of the State, and cannot exist without it, is more like a military occupation than civil rule... it was the duty of the ...State to preserve...*dharma* and *abhaya* — righteousness and absence of fear. Law was something more than mere law, and order was the fearlessness of the people.

La résidence d'Aung San Suu Kyi à Rangoon. (Alan Clements, Burma Project, USA)

Première réunion de Aung San Suu Kyi avec ses fils Alexander (à gauche) et Kim après deux ans et huit mois de séparation. (coll. privée)

Aung San Suu Kyi,
haranguant la foule par-dessus
son portail. (Alan Clements,
Burma Project, USA)

Aung San Suu Kyi
donnant une conférence de
presse quelques jours après sa
libération. Juillet 1995.
(Yamamoto Munesuke)

La foule applaudissant
Aung San Suu Kyi,
le lendemain de sa libération.
(Stuart Isett)

Aung San Suu Kyi et U Kyi Maung sur les marches de la maison de Aung San Suu Kyi.
(Leslie Kean, Burma Project, USA)

Aung San Suu Kyi faisant une offrande de nourriture à Sayadaw U Pandita le jour de l'anniversaire
de la mort de sa mère. (Alan Clements, Burma Project, USA)

Aung San Suu Kyi rendant
visite à Thamanya Sayadaw
en octobre 1995.
(coll. Burma Project, USA)

Décembre 1995 : une rare photo de famille :
Alexander, Kim, Aung San Suu Kyi
et Michael Aris. (Akira Tazaki)

Le comité exécutif de la NLD : au premier plan, de droite à gauche U Lwin, U Kyi Maung, U Aung Schwe, U Tin Oo, Aung San Suu Kyi. (coll. Burma Project, USA)

Aung San Suu Kyi, au cours d'une célébration chez elle de la fête de l'Indépendance, s'adresse à deux ex-prisonniers politiques victimes de la torture. (Alan Clements)

U Tin Oo, vice-président
de la NLD.
(Alan Clements)

Aung San Suu Kyi
déjeune avec des membres
de la NLD.
(Yamamoto Munesuke)

U Tin Oo, Aung San Suu Kyi
et U Kyi Maung s'adressent à la foule
par-dessus le portail. (Irène Slegt)
(Juin 1996)

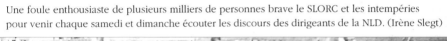

Une foule enthousiaste de plusieurs milliers de personnes brave le SLORC et les intempéries pour venir chaque samedi et dimanche écouter les discours des dirigeants de la NLD. (Irène Slegt)

Aung San Suu Kyi,
juin 1996.
(Alison Wright)

Un auditoire fasciné...
(Irene Slegt)

ASSK : Oui, on pourrait dire que c'est une particularité des Birmans. Ils ont vraiment le sens de l'humour et l'esprit vif. Je pense aux blagues que racontaient ces comédiens qui ont été arrêtés peu après leur spectacle dans ma résidence, la semaine dernière. Ces blagues n'attaquaient pas directement le Slorc en tant que tel, mais tout le monde savait exactement ce qu'elles signifiaient.

AC : Je vous vois en général rire avec vos collaborateurs et ils m'ont tous dit à quel point vous êtes drôle…

ASSK : Je dois admettre que j'ai toujours eu un certain sens de l'humour. Je vois toujours le côté ridicule des choses, ce qui m'aide beaucoup parce que je ris de ma propre situation. Vous savez, je me suis trouvée dans des situations que certains auraient trouvées assez désagréables. Mais ce serait prétentieux. Souvent, je les trouvais plutôt drôles. Et, je crois vous l'avoir déjà dit, je ne pense pas que nous ayons jamais eu une seule réunion [avec les membres du CE de la NLD] où nous n'ayons ri au moins un peu. Evidemment, nous n'étions pas dans une situation heureuse, mais la gravité des événements est une chose sur laquelle nous pouvons tous plaisanter. En fait, beaucoup de Birmans plaisantent sur le travail forcé, sur la prison. Cela fait vraiment partie de la culture birmane.

AC : Oui, je m'en suis aperçu. L'autre jour nous étions plusieurs à écouter U Win Htein [l'assistant d'Aung San Suu Kyi] qui décrivait son récent interrogatoire au cours duquel le MI l'a cuisiné pendant vingt-sept heures d'affilée. A mesure qu'il déroulait son histoire, tout le monde s'est mis à rire aux larmes devant l'absurdité du comportement du Slorc. U Win Htein n'était pas du tout préoccupé par sa propre souffrance. Je crois qu'il a dit : « C'était assez désagréable », mais c'est tout…

ASSK : En effet, il s'agissait de la façon dont ils [le MI du Slorc] lui parlaient – leurs questions et leurs opinions nous paraissent assez absurdes. Ils sont tellement dépassés, en réalité, ils ne sont pas du tout en contact avec le réel. Ce qu'ils pensent est tellement différent de ce qui se passe réellement que cela en devient absurde.

AC : Interrogé sur la relation entre souffrance et absurdité, Vaclav Havel a dit : «S'il fallait que quelqu'un accentue le sérieux dramatique de son visage à mesure que s'aggravent les problèmes auxquels il est confronté, il serait rapidement pétrifié et deviendrait la statue de lui-même…»

ASSK : Oui, à mon avis, le sens de l'humour exige une certaine dose d'objectivité dans la situation, c'est la raison pour laquelle il est si sain. Si vous voyez les choses dans leur ensemble, vous leur trouvez toujours un côté humoristique. Voilà pourquoi nous rions dans des situations qui aux yeux de certains semblent si sérieuses. Je veux dire, quand U Win Htein et d'autres riaient au récit de son interrogatoire, c'est qu'ils le voyaient, dans son ensemble, plutôt ridicule; mais considéré sous un seul angle, il devient exaspérant, humiliant, ou même effrayant pour certains.

AC : Daw Suu, une question simple : que signifie l'amour pour vous?

ASSK : Je ne pense pas vraiment à l'amour d'une façon abstraite. Quand je pense au *metta,* je le sens dans notre mouvement, en particulier entre mes collaborateurs et moi. Nous travaillons comme une famille – nous ne sommes pas seulement des collègues. Nous avons un souci et une affection véritables les uns pour les autres. C'est la base de notre relation. Cela tient peut-être beaucoup au fait que nous devons travailler dans des conditions si difficiles. Seul le *metta* est assez fort pour maintenir ensemble des gens qui affrontent une telle répression et qui courent à tout moment le risque d'être traînés en prison. Et plus nous travaillons ensemble, plus le lien de *metta* croît entre nous. De là ces relations d'amitié et d'affection se sont étendues à tous nos proches, et le sentiment d'être une famille s'est accru. Une famille qui partage l'amour de la justice, l'amour de la liberté, l'amour de la paix et de l'égalité.

Mais revenons à la question plus terre à terre de l'humour. Si vous êtes habitué à rire d'une situation, vous commencez à rire de vos propres problèmes. Vous vous mettez à voir le côté absurde et drôle des choses et vous cessez de prendre vos ennuis au sérieux. De la même façon, si vous avez l'habitude de donner de l'amitié et de l'affection, il vous est beaucoup plus facile de les offrir même à des gens qui se croient peut-être vos ennemis.

AC : Comment pouvez-vous éprouver de l'affection pour des tyrans ?

ASSK : Cela arrive. Je ne me vois jamais en train de les opprimer, de prendre ma revanche ou de leur faire passer un mauvais quart d'heure. De telles pensées ne me procureraient aucune satisfaction, et ce ne sont pas des images que je trouve particulièrement plaisantes ni désirables. Ce que j'imagine, en revanche, c'est le moment où toute cette animosité aura disparu et où nous pourrons être amis.

AC : Nous avons déjà évoqué le fait que l'insécurité est la base des régimes autoritaires – manque de confiance dans sa propre dignité, sa propre valeur, et par conséquent méfiance à l'égard des autres. A ce propos, j'aimerais vous demander si l'on peut trouver de la force dans la vulnérabilité, au lieu de la voir comme une faiblesse. En effet, des millions de femmes dans le monde aujourd'hui, après des siècles de répression masculine, nous amènent à considérer la vulnérabilité comme une vertu et une force, une voie vers le pouvoir et non une barrière à celui-ci. Qu'en pensez-vous? D'où vient le vrai pouvoir?

ASSK : Le «pouvoir des sans-pouvoir», disait Vaclav Havel. Je pense que le pouvoir vient de l'intérieur. Si vous avez confiance en ce que vous faites et que vous êtes renforcé par la conviction que ce que vous faites est juste, en soi cela constitue un pouvoir, et ce pouvoir est très important quand vous tentez d'accomplir quelque chose. Si vous ne croyez pas en ce que vous faites, vos actes manqueront de crédibilité. Quels que soient vos efforts, des incohérences apparaîtront.

AC : Et en ce qui concerne la question des femmes?

ASSK : Bien entendu, les femmes sont consciemment et inconsciemment objets de discrimination. Vous trouverez peu de femmes à de hauts niveaux de l'administration, et, à l'évidence, ce n'est pas parce qu'elles sont moins capables que les hommes.

AC : Et les droits des femmes en Birmanie?

ASSK : On m'interroge souvent là-dessus et j'ai toujours dit très franchement : «En Birmanie les hommes non plus n'ont pas de droits.» Je sais que les hommes sont le sexe privilégié en Birmanie, comme dans beaucoup d'autres parties du monde, mais en ce moment les hommes sont aussi vulnérables à l'injustice et à l'oppression. Donnons donc d'abord à chacun ses droits fondamentaux. Essayons d'empêcher que des hommes soient jetés en prison. Cela ne veut pas dire que des femmes ne sont pas incarcérées aussi. Mais il y a probablement cent ou même mille fois plus d'hommes prisonniers politiques que de femmes. Donc, en ce moment je trouve qu'il est très difficile de penser à un mouvement des femmes en Birmanie en dehors de celui dans lequel sont engagés les hommes. Mais je suis sûre que cette question des droits des femmes se posera dès que nous aurons obtenu la démocratie et que tout le monde jouira de ses droits politiques fondamentaux.

AC : J'aimerais revenir au mouvement des femmes à un niveau plus universel. Parleriez-vous de signes positifs ?

ASSK : Sans aucun doute, grâce au mouvement de libération de la femme, les femmes ont obtenu plus d'égalité dans le domaine de l'emploi et on leur accorde plus de positions de responsabilité. Leurs problèmes font également l'objet d'une plus grande attention. Même dans les pays en développement où ils sont encore secondaires, les hommes commencent à prendre conscience du fait qu'ils doivent aider leurs femmes ; au moins, leur rendre la vie moins difficile physiquement. Il n'est pas admissible que les femmes doivent trimer seulement parce qu'elles sont femmes. Dans de nombreuses communautés rurales elles travaillent physiquement plus dur que les hommes. Les hommes sont censés les protéger au cas où surgirait un lion ou un tigre, ou si une invasion a lieu. De telles circonstances se font quand même de plus en plus rares.

AC : Il est temps que les hommes cessent de croire que les femmes veulent ou même ont besoin qu'ils les protègent.

ASSK : Oui. Je pense que les hommes, dans certaines communautés, y trouvent une occasion d'aller discuter pendant que leurs épouses astiquent leurs arcs et leurs flèches.

AC : Vous considérez-vous comme féministe ?

ASSK : Non.

AC : Vous avez écrit : «Il ne suffit pas de fournir aux pauvres une assistance matérielle. On doit leur octroyer un pouvoir suffisant pour que change la perception qu'ils ont d'eux-mêmes et qu'ils cessent de se voir impuissants et incapables dans un monde indifférent.» Pouvez-vous développer la notion d'octroi de pouvoir ?

ASSK : Je pense qu'il faut donner aux gens un contrôle raisonnable sur leur propre destin. Ils doivent sentir qu'ils ont un certain pouvoir sur ce qui leur arrive. C'est cela l'octroi de pouvoir. Mais aucun de nous ne peut en fin de compte décider ce qui nous arrivera. Il y a trop de facteurs en jeu.

AC : Nelson Mandela mentionne dans ses mémoires que l'une des questions dont lui et ses collègues de l'ANC ont beaucoup parlé pendant leurs nombreuses années de prison était : comment soutenir la conscience de la lutte dans l'esprit des gens. J'aimerais vous demander comment vous et les cadres de la NLD faites en sorte d'activer le désir des gens pour la liberté et le porter jusqu'à un niveau de dynamique, comme en Afrique du Sud où le mouvement a été galvanisé au point qu'on ne pouvait plus l'arrêter…

ASSK : Ce que nous devons faire comprendre, c'est que la lutte concerne tout le monde. C'est ce que nous expliquons toujours. La démocratie concerne votre emploi et l'éducation de vos enfants ; la maison où vous vivez et la nourriture que vous mangez ; le fait que vous ayez ou non à demander la permission de rendre visite à vos proches dans un village voisin ; que vous puissiez ou non moissonner votre propre récolte et la vendre à qui vous voulez. La lutte assurera leur vie quotidienne. Il ne sert à rien de dire à un agriculteur que la démocratie assurera de meilleurs modes d'investissement.

Pour lui cela ne signifie rien. La démocratie, c'est lui assurer le droit de semer ce qu'il veut, de récolter quand il pense que la moisson est prête, et puis de la vendre au meilleur prix. C'est cela la démocratie. Pour un homme d'affaires, la démocratie est un système qui comporte des lois commerciales solides, que font respecter les institutions de l'Etat. A partir de là il connaît ses droits et ce qu'il est autorisé à faire ou non. Il sait comment se protéger si quiconque enfreint ces droits. Pour un étudiant, la démocratie est le droit de pouvoir étudier dans de bonnes écoles et en paix, et de ne pas risquer la prison pour avoir ri avec ses amis d'une caractéristique amusante d'un ministre. La démocratie est le droit de discuter de vos points de vue politiques avec vos amis et de vous asseoir autour d'un thé sur le campus et de parler de ce que vous voulez, sans vous demander si le MI vous écoute.

Quand Oncle U Kyi Maung était en détention, un agent des renseignements militaires qui l'interrogeait lui a demandé : «Pourquoi avez-vous décidé de devenir membre de la Ligue nationale pour la démocratie?» Il a répondu : «Pour votre bien.» Voilà pour quoi nous luttons : la vie quotidienne de chacun, y compris les membres du MI.

X

PERSONNE D'AUTRE QUE MOI
NE PEUT M'HUMILIER...

Alan Clements : Daw Suu, qu'est-ce qui vous pousse à lutter pour votre peuple ?

Aung San Suu Kyi : Quand j'ai décidé pour la première fois de prendre part au mouvement pour la démocratie, c'était avant tout par sens du devoir. D'autre part, ce sens du devoir était très lié à mon amour pour mon père. Je ne pouvais pas le séparer de l'amour pour mon pays et, par conséquent, du sentiment de responsabilité envers mon peuple. Mais peu à peu, comme beaucoup d'autres qui ont été incarcérés, j'ai découvert la valeur de la bonté. Nous avons compris que ce sont les sentiments d'hostilité qui engendrent la peur. Je l'ai déjà expliqué, je n'ai jamais eu peur, même au milieu de ces troupes hostiles, c'est pourquoi je n'ai jamais ressenti d'hostilité à leur égard. Cela m'a permis de comprendre qu'il y a un certain nombre de principes fondamentaux communs à beaucoup de religions. Nous, les bouddhistes birmans, nous mettons énormément l'accent sur le *metta*. C'est la même idée que dans la citation biblique : « L'amour parfait chasse la peur. » Même si je ne peux pas affirmer que j'ai découvert « l'amour parfait », je pense que c'est un fait que vous n'avez pas peur des gens que vous ne haïssez pas. Bien sûr, il m'est arrivé de me mettre en colère contre certains de leurs agissements, mais la colère comme émotion passagère est assez différente du sentiment de haine ou d'hostilité soutenue.

AC : La possibilité que la haine se développe d'une façon dramatique augmente si la violence est dirigée contre une personne en particulier, à la fois psychologiquement et physiquement. Les prisons de votre pays sont pleines de prisonniers politiques ; certains sont régulièrement torturés par les autorités militaires.

ASSK : Je ne cherche pas à m'attribuer une vertu extraordinaire quand je dis que je ne ressens aucune hostilité à l'égard des soldats. C'est encore une part de mon héritage, car j'ai été élevée dans l'idée que les soldats font partie de la famille – comme des fils de mon père. Ce sentiment m'a été inculqué dès mon jeune âge, je ne peux donc pas m'en défaire aisément. Mais je comprends pourquoi d'autres qui ont été si maltraités sont incapables de développer une attitude qui ne soit pas hostile.

AC : En somme, votre vision de la Birmanie démocratique inclut une réconciliation authentique avec vos oppresseurs – le Slorc. Comment, selon vous, l'individu peut-il affronter son adversaire et éventuellement gagner son amitié et sa compréhension, sans chercher à le vaincre ?

ASSK : Cela commence en chacun, n'est-ce pas ? Vous devez développer votre force spirituelle intérieure, car ceux qui possèdent cette force ne ressentent pas la haine ou l'hostilité puisqu'ils n'éprouvent pas la peur. Tout est lié. Si vous pouvez considérer quelqu'un avec sérénité, vous serez capable de surmonter les sentiments de peur, mais *a contrario* il ne peut y avoir de sérénité si la peur est là. Cependant, je précise que les gens ordinaires comme nous, au sein de la NLD, ne sont pas parvenus à ce niveau où l'on est capable de considérer tout le monde avec amour parfait et sérénité. Mais je pense que beaucoup d'entre nous, dans l'organisation, ont eu l'occasion de développer leur force spirituelle, car nous avons été forcés de passer de longues années seuls en détention et en prison. D'une certaine manière, nous le devons à ceux qui nous ont mis là.

AC : Quelle est la qualité essentielle prônée par votre mouvement?

ASSK : La force intérieure. La fermeté spirituelle qui vient de la conviction que votre action est juste, même si vous n'en tirez pas un bénéfice concret immédiat. Le sentiment de faire quelque chose qui contribue à consolider vos pouvoirs spirituels. C'est très puissant.

AC : Martin Luther King utilisait l'expression «insatisfaction divine». Il encourageait son peuple à se lasser de l'injustice, à devenir «inadapté», comme il disait, au système raciste qui l'opprimait. Alors, à un certain niveau, vous parlez de réconciliation authentique, mais en même temps, incitez-vous la population à entretenir un malaise croissant et à exprimer son désaccord envers le Slorc?

ASSK : Il ne s'agit pas vraiment d'entretenir un «malaise» croissant. Nous ne souhaitons pas non plus que les gens se sentent en désaccord. Notre tâche principale est de les encourager à mettre la situation en question, à ne pas tout accepter. Acceptation ne signifie pas sérénité. Certains semblent penser que les deux notions vont de pair. Pas du tout. Parfois, le seul fait d'accepter ce que vous ne voulez pas accepter, alors que vous savez que vous ne devriez pas l'accepter, détruit votre sérénité et votre paix intérieure, parce que vous trouvez en conflit avec vous-même.

AC : Refuser la complaisance est l'objectif principal ?

ASSK : Oui, car la complaisance est très dangereuse. Ce que nous voulons, c'est libérer les gens de la complaisance. En réalité, chez beaucoup, il ne s'agit pas vraiment d'un sentiment de complaisance. On accepte souvent les choses par peur ou par inertie. Il faut extirper cette tendance à accepter sans question, qui, d'ailleurs, n'est pas du tout bouddhiste. Après tout, le Bouddha n'a jamais accepté le *statu quo* sans le remettre en question.

AC : En effet, il l'a même mis en question radicalement, c'est la base de ses enseignements.

ASSK : Oui, absolument. Dans le bouddhisme, vous connaissez les quatre ingrédients du succès ou de la victoire : *chanda* – désir ou volonté ; *citta* – attitude droite ; *viriya* ou persévérance ; et *panna* – sagesse. Nous estimons qu'il faut cultiver ces quatre qualités pour réussir. Et le degré préalable à ces quatre degrés est le questionnement. A partir de là vous découvrez vos véritables désirs. Ensuite vous devez développer le *chanda*. Le *chanda* n'est pas vraiment le désir. Comment le décririez-vous ?

AC : On traduit normalement *chanda* par «désir de faire» ou «intention». Toute action commence par lui. Là où il y a une volonté, il y a une voie.

ASSK : Oui. Il faut développer l'intention de faire quelque chose à propos de la situation. De là vous devez acquérir l'attitude juste puis persévérer avec sagesse. Alors seulement votre effort aboutira. Bien sûr, les cinq préceptes moraux fondamentaux sont essentiels : ils évitent de s'égarer, pour ainsi dire. Avec l'aide des préceptes, nous arriverons là où nous voulons. Nous n'avons besoin de rien d'autre.

AC : Ce que vous faites, c'est stimuler le courage individuel de mettre en question, d'analyser...

ASSK : Et d'agir. Je rappelle aux gens que le *karma* signifie en réalité agir, pas se croiser les bras. Certains pensent que le *karma* est la destinée ou le destin, et qu'il n'y a rien à faire, que l'avenir est déterminé par leurs actes passés. C'est souvent ainsi que l'on interprète le *karma* en Birmanie. Mais le *karma* n'est pas cela du tout. C'est agir, c'est l'action. Vous créez sans cesse votre propre *karma*. Le bouddhisme est une philosophie très dynamique et il est dommage que certains oublient cet aspect de notre religion.

AC : J'ai souvent remarqué dans la culture bouddhiste birmane que les gens parlent de la souffrance qu'ils endurent dans les circonstances présentes comme s'il s'agissait simplement du fruit amer du *karma* ou le résultat d'actions passés malsaines. Ils diront : « J'ai introduit cette souffrance en moi par ma propre ignorance passée et par conséquent je dois la supporter dans le présent. »

ASSK : C'est une excuse pour ne rien faire et c'est complètement contraire à notre vision bouddhiste. Si ce qui arrive maintenant est le résultat du passé, raison de plus pour travailler plus dur maintenant à changer la situation...

AC : Et dans cette optique la meilleure façon de changer un présent défavorable est de réaliser des *kusala*. Par exemple, faire des donations aux monastères ou des offrandes à une pagode, ou contribuer à l'édification d'un lieu saint, etc. Dans l'intention d'engendrer du *karma* salutaire qui, espèrent les gens, améliorera leur vie future. Ce qui évidemment ne change en rien la source la plus immédiate de leur souffrance, qui est le Slorc.

ASSK : Cette attitude est extrêmement courante. Peut-être devons-nous encourager davantage l'idée qu'on peut s'attirer beaucoup de mérite en travaillant pour les autres, autant qu'en travaillant pour soi-même. En fait, j'aimerais qu'un plus grand nombre de nos bouddhistes birmans comprennent ce principe.

AC : Votre lutte pour l'indépendance tient-elle compte du fait que notre propre libération est inextricablement liée à celle d'autres êtres humains ?

ASSK : Dans notre mouvement, j'emploie un argument simple, très concret. Je dis toujours : «Je ne peux pas le faire toute seule. Si vous voulez la démocratie, il ne faut pas compter sur moi ou sur la NLD uniquement. La démocratie signifie gouvernement du peuple, par le peuple, et pour le peuple. Si vous voulez la démocratie, vous devez travailler pour elle. Vous devez participer. Plus de gens s'engageront, plus vite nous atteindrons notre but.

AC : Vous parlez fréquemment de la force de l'unité et de sa nécessité. Mais vous êtes cernée par le Slorc. Trouvez-vous frustrant de ne pas pouvoir encore vraiment organiser et unifier le peuple ?

ASSK : Ce n'est pas frustrant parce que nous unifions le peuple, pas à un rythme spectaculaire, mais nous unifions le peuple, pas mal. Et nous faisons en sorte de résoudre les problèmes au sein de notre organisation. La direction de la NLD est très unie, et cela nous renforce. Nous n'avons jamais de problèmes entre nous. Que U Aung Shwe et U Lwin aient été dehors [pas en prison], alors que U Tin Oo, U Win Htein, U Kyi Maung et moi étions enfermés, n'a eu aucune incidence sur notre unité. Les autorités ont beaucoup de mal à le croire. Je ne pense pas que le Slorc croie vraiment que nous avons une unité absolue et que nous prenons des décisions collectives. Ils pensent que l'un de nous domine les autres. Soit je les domine, soit U Kyi Maung ou U Tin Oo m'influence, quelque chose de ce genre. Mais il n'en est rien. Ils voient cela d'un point de vue militaire, où le commandant fait descendre les ordres et tous les autres disent : «Oui, oui, oui.» Ils trouvent sans doute impensable l'idée même d'une décision collective.

AC : Vous avez dit au cours d'un entretien précédent que «tout le monde doit s'élever contre les cruelles injustices» du Slorc. Cela me rappelle les propos de Martin Luther King : «Pour chaque Noir qui est bafoué, nous avons mille Noirs de plus, qui sont au bord d'être bafoués. Pour chaque professeur qui est renvoyé de son travail, nous avons quatre mille professeurs qui attendent de postuler à cet emploi. Pour chaque maison d'un Noir détruite par une bombe, nous avons cinquante mille maisons, qui sont au bord d'être bombardées, pour la vision et le futur que nous voulons.» Votre peuple est-il prêt à se lever et à dire : nous remplirons les prisons afin d'atteindre notre objectif de justice et de liberté ?

ASSK : Je ne pense pas que notre mouvement soit parvenu à ce niveau. La lutte est toujours plus difficile lorsqu'elle oppose des gens de même race et de même religion. Il n'y a rien qui vous distingue excepté vos principes et vos objectifs.

AC : L'apartheid des principes...

ASSK : Je veux dire ceci : quand Martin Luther King déclare «pour chaque maison d'un Noir qui est détruite par une bombe, nous avons cinquante mille maisons qui sont au bord d'être bombardées», je ne sais pas si la bonne volonté intervient. C'est probablement plutôt qu'il y a cinquante mille maisons de Noirs qui savent qu'elles sont aussi vulnérables que celle qui a été bombardée.

AC : Mais, Daw Suu, je pense que la «bonne volonté» était là. Et c'était la force de la lutte – l'unité dynamique. Désirez-vous vraiment faire naître dans votre peuple cet esprit d'unité dynamique que King a fait naître chez les Noirs ? La volonté de se dresser contre les injustices.

ASSK : Certes, on veut qu'il soit uni. Mais c'est ce vers quoi nous devons travailler, progressivement. C'est une tâche qui ne sera jamais achevée. Je ne pense pas que l'unité soit jamais complète – du moins dans le monde humain. Et même si je comprends et accepte que notre unité n'est pas complète, cela ne me conduit pas au désespoir. Il faut seulement continuer à travailler dans cette direction tout le temps.

AC : L'une des forces du mouvement de King était qu'il sentait, comme beaucoup de Noirs, que, quelles que soient la violence et la cruauté des Blancs contre leurs marches non violentes, manifestations, sit-in et boycottages, en définitive, la justice et la bonté étaient de leur côté. Les «compagnons cosmiques», disait King, ou les qualités naturelles de l'univers nées de leur conviction dans la religion chrétienne. Il disait que cette présence de Dieu «sachant» quand ils affrontaient la brutalité était un des principaux facteurs du maintien de l'unité populaire. Donc, même si la situation s'assombrissait, ils savaient toujours qu'ils avaient une compagnie cosmique. Mais ce n'est pas vrai dans le bouddhisme, n'est-ce pas ? L'univers ne prend pas partie, mais il est toujours juste, en raison de la loi de la cause et de l'effet ?

ASSK : Oui. Dans le bouddhisme, vous le savez, nous croyons que vous paierez pour tout le mal que vous avez commis, et que vous récolterez les récompenses de tout le bien que vous avez fait. Et à cause de cela, beaucoup de bouddhistes pensent que, si les autorités sont cruelles et injustes, vous n'avez rien à faire du tout, elles auront ce qu'elles méritent. Je n'accepte pas cela. On ne doit pas rester assis en attendant que le *karma* rattrape les autres. Mais je pense qu'il y a cette croyance sous-jacente, non seulement chez les chrétiens et les bouddhistes, mais aussi chez des peuples du monde entier, qu'à la fin le droit prévaudra – la lumière devra venir. Je ne prétends pas que tout le monde soutient cette opinion, mais la majorité des gens certainement.

AC : Je sais que c'est une belle conviction de soutenir que «à la fin, le droit prévaudra.» Quelle preuve avez-vous pour affirmer : «La lumière devra venir»? C'est précisément le contraire qui semble le plus proche de la réalité, pour des millions de gens.

ASSK : Quoi que vous puissiez dire, le monde est meilleur. Car à notre époque vous ne pouvez pas traîner quelqu'un sur une place publique, lui couper la tête, sans que personne en dise un mot. Quel gouvernement aujourd'hui irait pendre, éviscérer et écarteler quelqu'un, au vu et au su du public, et penser qu'on va le laisser faire? Nous sommes moins barbares, l'humanité est plus civilisée, quoi que vous puissiez dire. Cela ne signifie pas qu'il n'y a pas encore d'horribles tortures, mais elles se déroulent en coulisse. Et au moins les gens commencent à apprendre que ce n'est pas acceptable. Prenez un pays comme l'Angleterre, qui est supposé être la mère de la démocratie. Vous pouvez sans doute exprimer bien des critiques à propos de l'Angleterre, mais si les Anglais avaient attrapé l'espion soviétique, Kim Philby, et l'avaient pendu, éviscéré et écartelé en public, pensez-vous que les Anglais auraient supporté cela? Même s'il s'agissait d'un traître, cette époque était révolue. On a donc progressé et pas seulement dans les pays démocratiques, mais même dans l'ancienne Union soviétique. Bien sûr, les Russes ont exécuté des traîtres, mais ils ne les ont certainement pas amenés sur la place Rouge pour leur couper la tête en public. C'est un progrès. Cela montre que les gens commencent à comprendre que la barbarie n'est pas acceptable, que c'est quelque chose dont il faut avoir honte et que nous devons nous efforcer d'éliminer. Vous ne pouvez nier qu'il existe un mouvement croissant pour contrôler les instincts sauvages de l'homme.

AC : J'aimerais immédiatement vous dire ce que je pense de la question…

ASSK : Oh! allez-y!

AC : Il y a eu plus de guerres et d'assassinats au XXe siècle que dans tous les siècles précédents réunis. Ken Saro-Wiwa, l'écrivain et militant pour l'environnement nigérian, vient d'être pendu à la vue du monde entier. Qui plus est, la couverture par CNN et la BBC du cauchemar bosniaque, vingt-quatre heures sur vingt-quatre, pendant quarante-trois mois de «nettoyage ethnique», a fait les feux de l'actualité. J'ai besoin d'autres preuves à l'appui de votre point de vue.

ASSK : Disons-le ainsi. Les valeurs de civilisation sont devenues plus dominantes. Prenez la Birmanie sous les rois birmans : ceux qui n'avaient plus la faveur du roi étaient exécutés par des méthodes très cruelles. Aujourd'hui, la Birmanie a été accusée de très nombreuses violations des droits de l'homme. Mais les autorités l'admettent-elle ? Non. Elles disent : «Non, nous n'avons pas perpétré ces actes.» Alors qu'au temps des anciens rois birmans, il n'était pas question de le nier. Ils le faisaient, c'est tout. C'était leur prérogative et personne n'aurait osé leur poser de questions. Et ils n'auraient pas pensé être obligés de même prétendre qu'ils n'avaient rien fait. C'est un progrès.

AC : Vous affirmez que votre pays est devenu plus civilisé ?

ASSK : Oui. Il est devenu plus civilisé. Songez à l'époque des rois birmans, quand ils avaient réellement le pouvoir de vie et de mort sur le peuple. Je ne dis pas qu'un gouvernement autoritaire n'a pas pouvoir de vie et de mort sur le peuple, mais au moins il sait que le principe n'en est pas acceptable. C'est un progrès.

AC : C'est de la duplicité calculée...

ASSK : C'est un progrès. Ils ont honte d'admettre des atrocités, même s'ils les commettent. Au moins ils savent qu'au fond il est inacceptable de torturer et de tuer des gens gratuitement. Et ils nient toujours qu'ils le font. C'est donc un premier pas ; ils se rendent compte que ce qu'ils font n'est pas acceptable. La seconde étape consiste à savoir que c'est mal.

AC : Vous leur laissez beaucoup de latitude...

ASSK : Non. Je ne dis pas que leurs instincts sont meilleurs ou pires que ceux des anciens rois. Mais les rois n'éprouvaient pas le besoin de tempérer leurs sentiments de vengeance ou de cruauté. Ils estimaient qu'ils avaient parfaitement le droit d'abuser de ces sentiments. Au moins les autorités ici ne pensent pas réellement que c'est leur droit de torturer et de tuer. Ils peuvent le faire, et ils le font. Mais ils ne l'admettront pas. S'ils n'en ont pas honte et s'ils pensent que c'est parfaitement correct, alors pourquoi ne disent-ils pas simplement : «Oui, nous torturons. Et alors?» Maintenant, un membre du Slorc a-t-il jamais admis qu'il torturait? Ils l'ont toujours nié. Ils disent : «Non, la torture n'existe pas en Birmanie.» Ils continuent de le nier à un point ridicule. Récemment, le représentant [du Slorc] à l'Assemblée générale a déclaré : «Il n'y a pas de violations des droits de l'homme en Birmanie.» Pourquoi disent-ils cela? S'ils pensent qu'il est correct de faire ce qu'ils font, ils devraient dire : «Oui, nous faisons cela. Et alors? Quel mal y a-t-il?» Pourquoi ne peuvent-ils pas le dire?

AC : Eh bien, c'est soit de la pure lâcheté, du mensonge pathologique, soit un aveuglement à vous couper le souffle. Ou peut-être, seulement peut-être, reconnaissent-ils que c'est mal et, comme vous dites, ils ne l'admettent pas. Hier, dans le journal du Slorc, on citait un discours public du ministre du Commerce : «Quant aux accusations de violations des droits de l'homme, travail forcé et ainsi de suite au Myanmar, [que l'on sache que notre]... Myanmar s'est fermement engagé à respecter la Déclaration universelle des droits de l'homme des Nations unies. Et nous, le gouvernement, sommes totalement contre les violations des droits de l'homme.»

ASSK : Pourquoi, c'est ce que je veux dire...

AC : Il poursuit ainsi : «Mais, là j'aimerais ajouter que la conception orientale des droits de l'homme n'est pas la même que la conception occidentale.»

ASSK : Oui, mais il se contredit lui-même car il affirme qu'il respecte pleinement la Convention des Nations unies sur les droits de l'homme. Mais bien sûr, les autorités ne cessent de se contredire elles-mêmes et de s'embrouiller.

AC : Qu'est-ce qui est derrière cette idée que le concept oriental des droits de l'homme n'est pas le même que le concept occidental?

ASSK : Cela ne veut rien dire. Simplement ils savent qu'ils violent les droits de l'homme, donc c'est de l'autodéfense. Voilà tout.

AC : Un argument stupide?

ASSK : Totalement stupide ! Je me souviens qu'un jour, au début, un membre du Slorc a dit : « Oh ! ces gens qui réclament les droits de l'homme vont-ils bientôt réclamer des camps de nudistes ? » Il est évident qu'il n'avait aucune idée de ce que « droits de l'homme » signifie.

AC : Vous pensez vraiment qu'ils ont perdu tout contact avec la réalité ?

ASSK : C'est une question très intéressante. Nous nous le sommes souvent demandé nous-mêmes. Il y a peu, je vous ai proposé une citation de Karl Popper : « Il n'y a pas de mal… seulement de la stupidité. » On peut apprécier la valeur de cette remarque.

AC : Le ministre du Commerce du Slorc termine son discours en disant : « Et le peuple du Myanmar vit heureux dans la liberté, les droits de l'homme et la démocratie… libre de toute espèce d'interdiction. » Daw Suu, vous avez gagné, la Birmanie est plus civilisée aujourd'hui qu'autrefois.

ASSK : Vous voyez bien, c'est tout à fait flagrant. Je ne sais pas comment appeler cela ! Eh bien, on croit rêver.

AC : Pourquoi ont-ils dépensé de l'argent pour imprimer cela en anglais, rien de moins ? Il faut être fou pour croire ce qu'on lit.

ASSK : Ils pensent peut-être que nous avons besoin de rire un peu de temps en temps.

AC : En revanche, la semaine dernière ils ont affirmé dans leur journal qu'ils forment en fait une « dictature ». Manifestement, ils ne semblent pas éprouver la moindre honte ni le besoin de le cacher.

AC : Oui, ils constituent un des rares gouvernements dans le monde qui ait jamais admis officiellement ne pas être du tout un gouvernement *de jure*.

AC : La «réconciliation» entre la NLD et le Slorc va exiger des autorités qu'ils trouvent au fond d'eux-mêmes le courage de surmonter leur peur et d'admettre leurs erreurs. Vous leur demandez d'être de véritables humains. S'il doit y avoir un dialogue et une réconciliation authentiques, ils ne peuvent naturellement pas les sortir de leur chapeau. Ils auront besoin d'un véritable revirement. Pour la première fois, je ressens vraiment de la compassion pour eux. Ce sera un défi colossal...

ASSK : Oui. J'ai lu quelque part qu'il est toujours plus difficile à l'auteur d'un acte cruel de pardonner à sa victime, qu'à la victime de pardonner à son bourreau. J'ai d'abord trouvé cela très étrange, mais je pense que c'est vrai. La victime peut pardonner parce qu'elle a une position morale supérieure, pour ainsi dire. Elle n'a pas de raison d'avoir honte. Bien sûr, elle pourrait avoir honte si elle s'était conduite très mal, ou si elle avait rampé. Alors elle pourrait concevoir de la haine pour son persécuteur, fondée non pas vraiment sur ce que son persécuteur lui a fait, mais sur ce qu'elle s'est fait à elle-même.

Chtcharansky, je crois, disait que lorsqu'il était en prison il devait se rappeler sans cesse : «Personne d'autre que moi ne peut m'humilier, personne d'autre que moi ne peut m'humilier.» Je pense que si vous n'avez rien fait qui soit honteux, alors vous pouvez pardonner à votre bourreau. Mais le bourreau trouve difficile de pardonner à la victime parce qu'il sait qu'il a commis un acte de honte. Et chaque fois qu'il voit sa victime il se rappelle sa honte. Cela lui rend le pardon difficile. Je pense que c'est la même chose avec la victime qui trouve difficile de pardonner au bourreau. Mais la victime qui s'est bien comportée trouve assez facile de pardonner au bourreau. Parce que chaque fois qu'elle voit le bourreau, je suis sûre qu'elle est renforcée par le souvenir de sa noble conduite – son courage. Elle peut dire : «J'ai résisté aux tortures de cet homme avec dignité.» Et d'une certaine manière, il lui devient plus facile de pardonner à son bourreau.

AC : Vous pouvez vraiment voir les gens du Slorc dans cette maison, assis avec vous et disant : «Daw Suu, nous allons résoudre cela ensemble»?

ASSK : *(Sourire.)* Oh, parfaitement! Je n'ai aucun problème à envisager une telle chose. Je prends peut-être mon désir pour la réalité, c'est ainsi que certains l'interprètent, mais cela devra arriver un jour. Je ne sais pas qui sera impliqué, mais cela arrivera…

AC : Vous en êtes persuadée?

ASSK : Oh oui! C'est la seule manière pour que le pays s'en sorte. Voyez-vous, plus vite ils iront, moins il y aura de *dukkha* pour tous les gens concernés. Voyez l'ex-Yougoslavie. Finalement, ils ont dû discuter. Mais pensez au nombre de gens qui ont souffert. C'est pourquoi nous disons : «Tout finit autour d'une table.» Les gens intelligents se précipitent à la table d'abord, tandis que ceux qui ne sont pas intelligents se jettent sur les armes.

AC : Dans votre essai *La Quête de la démocratie*, vous écrivez : «La bonté est en un sens le courage de soigner.» Pouvez-vous en dire plus?

ASSK : Ce n'est pàs tout à fait une idée qui m'est propre. J'en ai discuté avec un ami médecin il y a très longtemps. Je disais que j'avais une vision un peu idéaliste des médecins et des infirmières, parce que ma mère était une infirmière très dévouée et compatissante. Tous ses patients l'adoraient parce qu'elle faisait bien son travail, et en même temps elle était très gentille et attentionnée. Et ce médecin disait : «Les médecins et les infirmières en général ne sont pas ainsi, car beaucoup d'entre eux n'ont pas le courage de s'occuper complètement de tous leurs patients. Ils doivent se rendre un peu insensibles, sinon ils ne pourraient pas s'occuper de tous ceux qui souffrent.» Il ajoutait : «Certains, bien entendu, sont vraiment compatissants et font tout ce qu'ils peuvent. Mais ils sont une minorité, car trop peu de gens ont le courage de se permettre de compatir à la souffrance. C'est trop épuisant, à moins que vous ne soyez très fort et courageux.»

AC : Le courage de se permettre de compatir ?

ASSK : Oui, et de soigner. Vous devez avoir des ressources terribles de compassion et de force, parce que vous en distribuez tout le temps. Et à moins d'en avoir beaucoup, vous en manquez très vite. Vous n'y arrivez pas.

AC : Daw Suu, quand les choses arrivent à ce point, comment faites-vous ?

ASSK : Je pense que ce qui nous soutient réellement, c'est le sentiment que nous sommes du côté de la morale, pour employer une expression très démodée. Et le *metta* entre nous nous aide à tenir.

AC : Etes-vous démodée ?

ASSK : Eh bien, parler de moralité, du juste et de l'injuste, de l'amour et de la bonté, c'est plutôt considéré comme démodé ces temps-ci, n'est-ce pas ? Mais après tout, le monde est une sphère. Peut-être que tout va recommencer de nouveau et que je suis en avance sur l'époque.

XI

«Nous ne pouvons compter que sur nous-mêmes...»

Alan Clements : Quand vous vous représentez une Birmanie démocratique, que voyez-vous d'abord ?

Aung San Suu Kyi : Certainement pas un grand pouvoir ni des privilèges pour la NLD. Nous imaginons moins de souffrance pour le peuple. Nous n'avons pas une vision idéaliste de la démocratie. Nous ne pensons pas à des institutions abstraites mais à ce qu'elle peut faire pour contribuer au bonheur et au bien-être du peuple. Nous voulons un pays dans lequel existe une règle de droit, où les gens soient en sécurité dans la mesure où l'on peut être en sécurité dans ce monde, où on les encourage et les aide à acquérir une éducation, à élargir leur horizon, où l'on favorise les conditions contribuant au bien-être de l'esprit et du corps. C'est pourquoi je dirais que le *metta* est au cœur de notre mouvement – un désir de soulager les êtres humains.

AC : Comment parvenez-vous à concilier la démocratie comme vision, la démocratie comme méthode, et la démocratie comme état d'esprit ? Je vous pose cette question parce que j'ai souvent vu l'attachement à un objectif le compromettre, sinon empêcher de l'atteindre réellement.

ASSK : Eh bien, je pense que les trois doivent être simultanés. Tout d'abord ce doit être un état d'esprit. Vous devez incarner la démocratie. Ensuite vous devez élaborer la méthode pour atteindre votre vision. Vous ne pouvez pas vraiment séparer les trois, ils vont ensemble. C'est très bouddhiste, n'est-ce pas ? Travail, action et indépendance. Le travail et l'action relèvent du *karma* – action et faire. Et bien sûr, l'indépendance est très bouddhiste. Nous disons : *«Atta hi attano natho.»* «Finalement nous ne devons dépendre que de nous-mêmes.»

AC : Manifestement, dans votre appel au dialogue et à la réconciliation avec le Slorc, un certain niveau de pardon est indispensable, équilibré par un certain degré de justice. Mais qu'est selon vous l'indulgence, qualité essentielle pour pardonner de manière authentique à ses oppresseurs ?

ASSK : Pardonner signifie au fond la capacité à voir la personne indépendamment de l'acte et à reconnaître que, même si elle a commis cet acte, cela ne veut pas dire qu'elle est irrécupérable. Certains aspects de sa personne sont acceptables. Identifier totalement une personne à son acte est le signe d'une réelle incapacité à pardonner. Par exemple, si vous pensez toujours à un meurtrier sous l'angle du meurtre, vous ne pourrez jamais lui pardonner. Mais si vous pensez au meurtrier objectivement, comme à une personne qui a commis un meurtre, et en qui il y a d'autres aspects que l'acte qu'il a commis, alors vous serez en position de lui pardonner.

AC : Mais quelle qualité d'esprit doit-on posséder pour considérer objectivement son ennemi et séparer ses actes cruels des autres aspects de son être ?

ASSK : Il suffit d'une vision tolérante. Quelqu'un qui est tolérant sait certainement qu'un meurtrier n'est pas entièrement le meurtre, mais une personne qui a commis un meurtre. Il faut distinguer le meurtrier et le meurtre. Remarquez, il y a des meurtriers qui ont assassiné si souvent qu'ils sont presque entièrement meurtre, mais je pense qu'il y en a peu. En fin de compte, la qualité requise est une capacité à comprendre le sujet, à voir les choses dans leur ensemble en acquérant une vision tolérante.

AC : Vos collègues m'ont fait parfaitement comprendre que si le Slorc n'a pas envie de parler avec vous et la NLD, cela vient sans aucun doute de la peur. Ils m'ont expliqué que c'est leur peur de perdre le pouvoir qui se traduit par la peur de «perdre leur sécurité – propriété, richesse, privilège et statut». Selon eux également, «ils ont peur pour la sécurité de leurs familles». Et à l'origine de tout cela se trouve leur «peur du châtiment». Vous encouragez continuellement les sans-pouvoir dans votre pays à s'élever contre les injustices, mais croyez-vous que les agents du Slorc aient le courage de surmonter leurs peurs?

ASSK : Pour surmonter vos propres peurs, vous devez d'abord commencer par montrer de la compassion envers les autres. Quand vous avez commencé à traiter les gens avec compassion, bonté et compréhension, alors vos peurs se dissipent. C'est tout simple.

AC : Qu'est-ce qui donne le courage de franchir le précipice de la peur?

ASSK : Ça, je ne peux pas dire. Je pense qu'il y a des gens qui ont été inspirés par les enseignements de grands maîtres, ou bien qui ont été transformés parce que quelqu'un leur a montré ce que signifie vivre sans la peur. Et pour certains, peut-être n'est-ce pas un seul facteur, mais une combinaison d'expériences qui les a menés à la conclusion qu'ils devaient changer. Il n'y a pas une seule solution pour tout le monde. Chaque être humain est différent.

AC : Quel est le moyen d'activer cette compassion dont vous parlez ?

ASSK : Parfois, bien sûr, ce n'est pas en activant la compassion que vous faites changer les gens. Parfois les gens changent parce qu'ils trouvent qu'il n'y a pas d'autre voie possible pour leur bien. Quand vous prenez l'ancien gouvernement d'Afrique du Sud, les dictatures militaires latino-américaines, et d'autres gouvernements autoritaires en Europe de l'Est, je pense qu'ils ont accepté le changement parce qu'ils ont compris qu'il était inévitable et qu'il valait mieux pour eux l'accompagner. Mais ce dont je parle, c'est du changement réel qui vient de l'intérieur, parce qu'on apprend la valeur de la compassion, de la justice et de l'amour.

AC : Il est triste qu'un réel changement ne se produise qu'au prix de tant de sang et de violence...

ASSK : Oui, c'est très triste. Je me demande pourquoi certains ne voient que ce qu'ils veulent voir, comme s'ils avaient des œillères. Pourquoi ne voient-ils pas le tableau dans son ensemble ? Prenons le cas des élections en Birmanie. Les autorités ont pensé manifestement que la NLD n'obtiendrait pas une majorité aussi écrasante. Beaucoup de gens – y compris des observateurs et des journalistes étrangers – étaient arrivés à la conclusion que la NLD obtiendrait probablement le plus grand nombre de sièges, mais pas la majorité absolue. Qu'est-ce qui les menait à cette conclusion ? Je peux comprendre que les journalistes étrangers aient eu une fausse impression de ce qui se passait dans le pays. Ils n'étaient autorisés à venir que pour une brève période et n'avaient jamais le droit de parler librement à ceux qui pouvaient savoir. Mais il est stupéfiant que les autorités, avec toute la machinerie gouvernementale à leur disposition et tous leurs agents dans les services de renseignement qui espionnent tout le monde, n'aient pas compris que les résultats allaient tourner d'une façon écrasante en faveur de la NLD.

AC : Cela ne devrait pas vous étonner, vous avez fréquemment employé le mot «stupide» pour définir le Slorc. Mais pouvaient-ils vraiment être à ce point stupides? Ne s'agissait-il pas d'une ruse folle? Après tout, les résultats ont montré que la plupart des représentants élus ont été emprisonnés.

ASSK : Je ne pense pas qu'on en soit à ce point de folie. A mon avis cela relève peut-être plus de l'ignorance que de la stupidité. Parce que les gens ont toujours peur de dire une vérité qui ferait retomber sur eux la colère des dictateurs. Et il est vraisemblable que leurs hommes à la base savaient probablement quel tour les élections allaient prendre mais n'osaient pas dire la vérité à leurs supérieurs.

AC : Que le Slorc ait tenu les élections en premier lieu, pour ensuite dissoudre les résultats, me semble une de ses plus colossales erreurs. Est-ce que le Slorc ne sait pas contrôler ses erreurs de calcul? C'est le pire de tout ce qu'ils ont sur le dos.

ASSK : Il me semble bien qu'en réalité ils ne savent pas comment prendre la situation. Ils ne sont pas les seuls – je pense que peu de dictateurs savent vraiment mener un pays à long terme. Ils ont des œillères. Du fait de leur nature même, les gouvernements autoritaires et les dictatures s'interdisent d'apprendre la vérité, car les gens qui vivent sous ces régimes prennent l'habitude de la cacher, à eux et entre eux. Tout le monde perd l'habitude de dire la vérité, et certains vont même jusqu'à perdre l'habitude de voir la vérité. Ils voient ce qu'ils veulent voir, ou seulement ce qu'ils pensent que leurs supérieurs veulent qu'ils voient. Si on prend cette habitude, on acquiert ensuite celle de ne pas oser entendre ce qu'on ne veut pas entendre. On finit par ne plus voir, entendre ou dire la vérité. Et à long terme cela émousse l'intelligence.

AC : Une contorsion totale du moi et l'épuisement de la créativité ?

ASSK : Oui. Sous les régimes autoritaires, où vous n'êtes autorisé à exprimer que certaines choses, le développement du talent subit une distorsion. Il ne peut pas s'épanouir. Comme un arbre qui se déforme parce qu'il est forcé de pousser dans une certaine direction – celle qui est acceptable aux yeux des autorités. Donc l'épanouissement authentique ou l'éclosion du talent et de la créativité sont impossibles.

AC : Pourquoi le Slorc trouve-t-il la diversité si abominable ?

ASSK : La peur. La peur de perdre le pouvoir. La peur de voir la vérité en face. La peur de découvrir que s'ils regardent la vérité en face il leur faudra admettre qu'ils ont fait toutes sortes de choses qu'ils n'auraient pas dû faire.

AC : Dans une lettre que Vaclav Havel adressa au président de la Tchécoslovaquie quelques années avant la révolution, il décrivait le régime ainsi : «Entropie : une force qui réduisait progressivement la quantité d'énergie et la diversité de la société à un état d'uniformité maussade et inerte.» Il concluait cette lettre par la prédiction que tôt ou tard, le régime serait victime de son propre «principe de mort», disant que «la destruction de la vie ne peut apporter aucun bien». D'où vient dans le psychisme humain – dans la mentalité du totalitarisme – ce besoin maladif d'emprisonner ou d'écraser la liberté?

ASSK : Je pense qu'un régime despotique a peur des opinions différentes et des attitudes différentes dans ses propres rangs et ne peut pas permettre qu'elles s'épanouissent, ni agissent de façon autonome. C'est le véritable despotisme.

AC : Pourquoi les gens ont-ils si peur les uns des autres qu'ils ne peuvent permettre des différences d'opinion? Qu'est-ce que cela recouvre?

ASSK : Je suppose que c'est leur propre étroitesse et leurs propres limitations qui leur font craindre l'ampleur du possible.

AC : Vous employez souvent l'expression «se libérer de la peur». Si nous la renversons en peur de la liberté, cela a-t-il une signification pour vous?

ASSK : Bien sûr, il existe ce que Vaclav Havel appelle le «choc de la liberté». Il a évoqué tous les problèmes qui ont surgi en République tchèque après qu'elle est devenue une démocratie. Vous devez vous adapter à un état de liberté quand vous sortez d'un état de captivité. Certains n'ont pas de problèmes d'adaptation. Certains en ont. C'est vrai même pour des ex-prisonniers, parce qu'en prison ils ont pris l'habitude de faire les choses selon une certaine routine.

AC : J'aimerais entendre vos commentaires sur une citation de Martin Luther King. Il dit : «Voilà la véritable signification et la valeur de la compassion et de la non-violence, nous aider à voir le point de vue de l'ennemi, à entendre ses questions, à connaître l'opinion qu'il a de nous-mêmes. Car de son point de vue nous pouvons voir en fait les faiblesses fondamentales de notre propre condition, et si nous sommes mûrs, nous pouvons apprendre à grandir et profiter de la sagesse de nos frères qu'on appelle l'opposition. »

ASSK : Tout cela se résume au fait que vous pouvez tirer profit des critiques si vous savez les prendre convenablement. Il y a deux manières d'envisager les critiques. Si elles ne sont pas justifiées, au moins vous apprenez quelque chose sur la personne qui vous critique. Par exemple, si vos ennemis font des critiques totalement injustifiées, vous apprenez leurs valeurs, leurs attitudes, leurs normes. Mais si la critique est justifiée, encore mieux, vous pouvez apprendre à vous perfectionner.

AC : Quand vous regardez en arrière depuis, disons, 1988 – l'époque où vous entrez en politique et où vous assumez un rôle de direction dans la lutte pour la démocratie en Birmanie –, rétrospectivement, avez-vous depuis commis des erreurs dont vous êtes consciente ?

ASSK : Je me suis posé la question. Je suis sûre que j'ai commis des erreurs, mais je peux pas dire lesquelles. En politique, seul le temps peut dire si un pas a été une erreur ou non. Un geste accidentel peut se révéler très utile à la cause. Et puis quelque chose que vous avez fait en toute bonne volonté, en prenant beaucoup de précautions, peut à long terme nuire à votre cause. C'est difficile à dire. Qu'ai-je fait ? Si je regarde ma carrière politique, j'ai toujours exigé le dialogue. Je ne pense pas que l'on puisse appeler cela une erreur. Ensuite, certains affirmaient que je critiquais le gouvernement trop librement. Est-ce une erreur ou non ? Certains pourraient objecter que si je ne les avais pas critiqués ils auraient parlé avec moi. Mais ils n'ont même pas pris la peine de parler avec U Aung Shwe [l'actuel président de la NLD], qui ne les a jamais critiqués et qui a fait de son mieux pour être coopératif. Et pour quel résultat ? Beaucoup ont perdu confiance en U Aung Shwe, avant que nous ne soyons libérés et que nous recommencions à travailler ensemble. Certains l'accusaient d'être trop conciliant. Donc qu'est-ce qui est correct et qu'est-ce qui ne l'est pas ? Nous ne le saurons pas jusqu'à ce que cette époque appartienne au passé et que nous ayons acquis la démocratie. Et même alors, on n'aura jamais toutes les réponses.

AC : A vos yeux, que signifie essentiellement le pouvoir ?

ASSK : Le pouvoir, cela signifie la responsabilité envers tous ceux qui vous ont confié ce pouvoir et faire de son mieux pour eux. C'est une grande responsabilité. Et si ce mieux n'est pas assez bon, cela devient vraiment une très grande responsabilité. Je pense que quelqu'un qui est intelligent doit alors admettre : «Je ne suis pas assez bon», et se retirer. Malheureusement, ce n'est pas ce que le pouvoir signifie pour beaucoup de ceux qui le détiennent ou le veulent. Pour eux le pouvoir signifie privilèges. Mais si vous partez du principe que le pouvoir signifie responsabilité, alors le pouvoir risque de vous attirer beaucoup moins.

AC : En lisant les vies d'autres combattants de la liberté, Mandela, Gandhi et King, j'ai été frappé de constater que chacun d'eux était sans cesse confronté à des luttes personnelles parce que la marge de manœuvre était étroite entre leur responsabilité et la fidélité à leurs convictions, et qu'ils savaient que leurs décisions retentissaient sur des millions de vies. Daw Suu, quel effet cela vous fait-il de supporter la tension et le poids de ce niveau de responsabilité ?

ASSK : C'est notre travail, notre travail quotidien. Vous ne restez pas là à vous dire : «Oh ! Je porte cet énorme fardeau de responsabilité.» Vous n'avez simplement pas le temps.

AC : Donc vous ne ressentez pas une telle responsabilité comme un fardeau ?

ASSK : Non, pas particulièrement. Si je me contentais de considérer la responsabilité que représentent les espoirs du peuple centrés sur moi, alors je suppose que cela pourrait devenir un énorme fardeau. Mais je n'ai pas le temps de m'arrêter pour y réfléchir dans les moindres détails. On travaille et on fait de son mieux.

AC : On vous a appelée « la femme providentielle de la Birmanie »...

ASSK : Qu'est-ce qu'on entend par là ?

AC : J'allais précisément vous poser la question...

ASSK : Eh bien, vous savez, je suis bouddhiste, donc la « providence » n'a pas pour moi une grande signification, car je crois dans le *karma*. Et *karma* signifie agir. Vous créez votre propre *karma*. Et dans un certain sens, si je crois au destin, c'est quelque chose que je crée pour moi-même. Voilà la méthode bouddhiste.

AC : Estimez-vous parfois que vous vivez aujourd'hui en quelque sorte une vie qui n'a rien à voir avec celle que vous auriez choisi de vivre ?

ASSK : Non, je ne pense pas mener une vie complètement différente du genre de vie que j'aurais aimé vivre. Bien sûr, j'aurais aimé avoir ma famille autour de moi, en particulier élever mes enfants – les voir grandir. Mais ce n'est qu'une part de ma vie, mon pays aussi fait partie de ma vie. Je pense que la vie est immense et ouverte, et son champ peut inclure beaucoup de choses. Donc, je n'estime pas que je vis une vie anormale. Je sais aussi qu'il faut faire des choix dans la vie et laisser tomber certaines choses. Seuls les gens qui manquent de maturité pensent qu'ils peuvent faire tout ce qu'ils veulent dans la vie.

AC : La notion d'espoir a-t-elle un sens pour vous ?

ASSK : Oh! oui, mais je pense que l'espoir doit être accompagné de l'effort. L'espoir ce n'est pas prendre ses désirs pour la réalité, rester là à se dire : «Je désire ceci ou cela et cela peut arriver.» Ce genre d'attitude est trop insipide pour mériter le terme d'espoir. Si vous luttez pour un objectif, vous avez le droit d'espérer réussir. Mais si vous ne faites rien, alors je ne pense pas que vous ayez le droit de dire : «J'espère la démocratie.» C'est purement prendre ses désirs pour la réalité.

AC : Beaucoup de gens ici vous considèrent comme leur symbole d'espoir, celle qui leur apportera la liberté. Comment les mettez-vous en garde contre cette croyance ?

ASSK : En les convainquant qu'eux aussi peuvent agir. Beaucoup de gens ont tendance à adopter l'opinion suivante : «Il n'y a rien à faire.» Ou bien : «Nous ferions si nous pouvions, mais…» C'est une absurdité. Chacun peut donner un coup de main, petit ou grand, s'il se décide. Chacun a un rôle à jouer. Des occasions de favoriser la cause de la démocratie, il s'en présente tout le temps. Par exemple dire «non» à quelqu'un qui tente de vous forcer à faire quelque chose que vous ne devez pas faire. Ou aider quelqu'un qui agit pour la démocratie. On peut défendre la justice et défendre les droits de l'homme. Si on assiste à une grave violation des droits de l'homme, on peut prendre un stylo et l'écrire, et envoyer cette lettre à quelqu'un qui pourra intervenir.

AC : Comment se fait-il que certains des plus grands dirigeants de notre époque, dont on reconnaît les nobles valeurs morales, vont chercher l'amour dont ils ont besoin en se trompant eux-mêmes ? Et plus spécifiquement, comment un grand dirigeant peut-il contrôler son propre aveuglement, s'il en est victime ?

ASSK : Qu'entendez-vous par «contrôler l'aveuglement» ?

AC : Il y a en chacun de nous un certain degré d'ignorance qui nous empêche de voir la réalité. Par contrôle de l'aveuglement, je veux dire : quelles sauvegardes les gens peuvent-ils acquérir, même des dirigeants éminents et respectés, pour entretenir leur jugement éthique et ne pas se laisser inconsciemment attirer dans des activités trompeuses ?

ASSK : Je ne connais pas de sauvegardes. Comme je l'ai déjà dit, je pense que les gens doivent persister à essayer. Je ne pense pas que quiconque puisse se permettre de ne rien faire et de dire : «Voilà, je suis parfait ; je n'ai plus besoin d'essayer.» La réponse est simple. Une conscience de soi constante. C'est très bouddhiste et je ne trouve aucun grand mystère là-dedans. Ce qui ne veut pas dire que tous ceux qui essaient de développer la conscience y parviennent dans la mesure où ils y aspirent. Même les moines doivent pratiquer cet exercice tout le temps. Un effort constant est toujours nécessaire.

AC : Pratiquant moi-même la méditation, je sais que la conscience est essentielle. Mais l'aveuglement n'est-il pas un voile subtil et insidieux ? La corruption de la conscience peut se produire en un rien de temps. Comment être conscient de ce que l'on ne voit pas de soi-même ?

ASSK : Tout le monde pratique un genre d'aveuglement, pas seulement ceux qui ont le pouvoir. On dit : «Il n'y a rien à faire dans cette situation et nous devons l'accepter.» En soi, c'est de l'aveuglement. Si l'on veut vraiment s'engager, il y a toujours quelque chose à faire. L'aveuglement n'est pas la prérogative des puissants. C'est simplement une défaillance humaine à laquelle nous sommes tous enclins. Et la meilleure défense contre elle est la conscience de ce que vous êtes en train de faire, même si vous essayez de vous tromper vous-même. Si vous avez vraiment développé la conscience, vous savez que vous tentez de vous tromper vous-même, ou vous devriez le savoir en tout cas.

AC : Pourquoi est-il si difficile d'admettre ses limites et ses erreurs ?

ASSK : Parce que, je suppose, les gens se sentent vulnérables – ils ont peur qu'on se moque d'eux ou qu'on les critique. Personne n'aime être critiqué. C'est très humain. Les êtres humains aiment qu'on les apprécie. Ils aiment se sentir bons. Et je suppose que la plupart des critiques les blessent. Certains sont capables d'exprimer des critiques sans qu'elles soient blessantes. Je pense que c'est un grand don pas très répandu.

AC : Au cours de vos conférences publiques du week-end, vous critiquez fréquemment les actions du Slorc, mais vous n'attaquez jamais aucun de ses membres personnellement. Je sais que l'objectif fondamental de vos critiques est de changer le système, mais comment fait-on la distinction entre une attitude politique plus aimable à l'égard de l'adversaire comme moyen de changement, et la critique des actions ?

ASSK : Politiquement, vous critiquez les actions, quel qu'en soit l'auteur. Il n'est pas nécessaire que ce soit un adversaire en tant que tel. Parfois, au sein de la NLD, nous devons critiquer ce que font certains de nos membres parce que cela influe sur le travail de notre parti. Donc nous ne réservons pas nos critiques au Slorc. Mais quand les gens du Slorc ont pris le pouvoir, ils ont dit qu'ils maintiendraient une position neutre et ne prendraient pas parti. Ils voulaient seulement s'assurer qu'il y aurait des élections libres et impartiales. Mais le temps passant, il est devenu évident qu'ils ne faisaient rien de ce genre. Ils tentaient d'écraser la NLD. Ils nous attaquaient de toutes les manières possibles. Alors nous avons commencé à critiquer le Slorc. Cela devenait nécessaire. Donc, bien sûr, je critique le Slorc quand je prends la parole le samedi et le dimanche. Parce que je lis tout haut les lettres des gens qui expriment ce qu'ils voient comme des injustices.

AC : Je suis désolé d'insister là-dessus, mais ce n'est qu'une façon pour moi de tenter de vous comprendre en tant que dirigeante. Aimez-vous votre ennemi dans sa transformation ou le critiquez-vous pour qu'il se transforme ?

ASSK : Je vous ai déjà dit que je n'étais pas parvenue à l'étape où je puisse affirmer que je ressens du *metta* à l'égard de tout le monde. Et je ne pense pas pouvoir affirmer que je sens ces vagues débordantes de *metta* à l'égard du Slorc. Mais il est vrai que je n'éprouve d'hostilité envers aucun d'eux. Je serais très heureuse d'être en termes amicaux avec eux. Je n'ai jamais employé de termes injurieux à leur sujet, non seulement en public mais même en privé. J'ai dit qu'ils étaient stupides, ou bien qu'ils se comportaient comme des fous, et je ne suis jamais allée plus loin dans mes propos.

AC : Vous arrive-t-il de mettre en question votre façon d'aborder votre lutte ?

ASSK : Bien sûr. Croire dans le *metta* ne veut pas dire que vous vous absteniez de critiquer là où la critique est nécessaire.

AC : Je suis d'accord. Mais la question principale ici ne concerne-t-elle pas le moyen le plus efficace de provoquer le changement – d'attendrir vos oppresseurs et de soulager la population entière de sa souffrance ?

ASSK : Nous avons appris de l'expérience que l'attitude

du *metta* est mal interprétée par les autorités. Ils y voient une faiblesse.

AC : Comment interprètent-ils la bonté comme une faiblesse?

ASSK : Eh bien, prenons-la dans le contexte politique. Pendant mes six ans de résidence surveillée, et pendant que Oncle U Kyi Maung et Oncle U Tin Oo étaient en prison, Oncle Aung Shwe a tenté avec beaucoup de difficulté de maintenir la NLD, de même qu'il a tenté d'établir une relation harmonieuse avec le Slorc. Il n'a jamais rien dit qui aurait pu soulever une objection de leur part. Pendant ces six ans, la NLD s'est comportée d'une manière si courtoise que certains l'ont accusée de pure lâcheté et d'absence de volonté d'agir. Et le résultat? Ils [le Slorc] s'en sont pris de plus en plus lourdement à la NLD.

AC : On était donc arrivé à un point de la lutte où l'attitude du *metta* se révélait moins efficace que votre approche actuelle?

ASSK : Nous n'avons pas renoncé à l'attitude du *metta*. Au fond, nous sommes toujours prêts à travailler avec eux sur la base d'une compréhension et d'une bonne volonté réciproques. Mais cela ne signifie pas que nous allons nous contenter d'attendre. Nous croyons à l'action. C'est le *metta* actif, faire ce qui est nécessaire à un certain moment.

AC : Vous avez tenu pendant trois jours en mai dans votre résidence une conférence avec les députés élus. Quel était l'objectif principal de cette conférence?

ASSK : Vous le savez, le 27 mai était le sixième anniversaire des élections de 1990, dont les résultats ont clairement montré que le peuple birman voulait un gouvernement démocratique. Mais ces résultats n'ont pas été honorés par le

Slorc. Néanmoins, nous croyons très fortement que les députés élus ont des responsabilités envers ceux qui les ont élus. Donc nous avons décidé de réunir une conférence pour discuter d'une politique future et voir ce que nous pouvons faire pour aider le peuple. Evidemment nous avons réuni les membres élus qui n'étaient pas en prison, en exil, ou tués.

AC : Quelles décisions ont été prises à cette conférence ?

ASSK : Outre la décision de poursuivre le combat pour la démocratie et de réclamer une Birmanie qui serait gouvernée par un Parlement civil tel qu'il a été élu en 1990, la conférence a habilité le comité exécutif à rédiger une nouvelle constitution.

AC : Quelles sont vos impressions au sujet de la réaction du Slorc à cette conférence ?

ASSK : Ils ont paniqué, pensant que nous allions réunir un Parlement et créer des troubles. En réalité c'est intéressant parce qu'ils ne cessent de dire que les membres élus de la NLD ne représentent rien et pourtant l'idée de notre rassemblement semble les avoir rendus extrêmement nerveux. En un sens la réaction du Slorc a été une reconnaissance de notre soutien public.

AC : Beaucoup de gens ont été arrêtés. Savez-vous combien sont encore détenus par le Slorc et connaissez-vous la situation de votre assistant personnel, U Win Htein, et de votre coordonateur pour les médias internationaux, U Aye Win ?

ASSK : Nous savons que cent cinquante des personnes retenues sont maintenant libérées. Personnellement nous avons entendu qu'il y avait eu environ trois cents arrestations. Nous ne sommes pas certains de ce qui est arrivé à la centaine de personnes restante. Mais nous savons en toute certitude qu'au moins quatre membres élus sont encore détenus à Rangoon. Plus treize délégués non élus qui ont été arrêtés avant la conférence. Donc rien qu'à Rangoon il y a environ vingt à vingt-quatre personnes qui ont été arrêtées avant la conférence et dont on est sans nouvelles depuis. U Win Htein et U Aye Win sont aux mains des renseignements militaires. Et ces gens ne bénéficient d'aucun droit de la défense. Comme vous le savez, le Slorc ne respecte pas les lois existantes et ce qu'ils font est contraire aux lois existantes. Ils ne cessent de répéter, quand ils veulent nous attaquer, qu'ils ne sauraient tolérer aucune action contraire aux lois existantes. Mais ce sont eux qui constamment bafouent la loi.

AC : Pourquoi pensez-vous que le Slorc permet la poursuite de vos conférences de week-end après vous avoir strictement mise en garde pour que vous cessiez ? Et continuerez-vous quoi qu'il puisse arriver, à moins que vous ne soyez de nouveau arrêtée ou qu'ils ne barricadent votre rue comme ils l'ont fait le Jour de l'An ?

ASSK : Jusqu'alors les autorités n'étaient jamais intervenues. En fait, en août de l'année dernière, deux journalistes ont demandé à un membre très important du gouvernement pourquoi ils permettaient que ces conférences aient lieu. «Voyons jusqu'à quand les gens vont continuer à venir !» a-t-il répliqué. Ils semblaient tenir pour certain que les gens se désintéresseraient rapidement et que la foule disparaîtrait. Mais, comme vous l'avez vu, après notre retrait de la Convention nationale et les arrestations, la foule était énorme [dix mille personnes] et il y avait beaucoup de nouveaux visages, malgré le danger. Les gens voulaient nous signifier leur approbation au fait que nous poursuivions notre travail en dépit de la répression et des intimidations que nous

devons affronter. C'est une démonstration de soutien populaire. Les autorités maintenant ont seulement fait savoir
qu'elles ne voulaient pas que ces conférences continuent et
qu'il pourrait y avoir des problèmes demain, mais nous ne
pensons pas qu'elles aient le droit de les empêcher de continuer, en particulier quand elles-mêmes tiennent ce qu'elles
appellent des «manifestations spontanées» en faveur du
Slorc. La foule n'a cessé d'augmenter après notre retrait de la
Convention nationale, ce qui montre deux choses : un, les
gens en général n'aiment pas beaucoup la Convention nationale et ils comprennent que la NLD n'y assiste pas tant que
des discussions sérieuses n'ont pas lieu; deuxièmement, la
population se rallie à nous en période difficile. Ils ont pensé
que nous aurions beaucoup de problèmes après avoir quitté la
Convention et ils ont montré qu'ils nous soutenaient. Même
chose lorsque nous avons convoqué la conférence du parti,
qui s'est transformée en congrès du parti. Tous les membres
élus avaient été arrêtés, sauf dix-huit.

AC : Y a-t-il actuellement une sorte de dialogue qui se
poursuit en coulisse entre la NLD et le Slorc?

ASSK : Absolument pas.

AC : Pourquoi le Slorc ne vous met-il pas simplement dans
un avion pour vous expulser du pays? A votre avis, qu'est-ce
qui les empêche de prendre cette simple mesure au lieu de
vous laisser poursuivre vos activités?

ASSK : Ils ne peuvent pas m'expulser! Je suis citoyenne
birmane et aucun pays ne m'accepterait à moins que je ne
demande l'asile politique, ce que je ne ferai certainement pas.

AC : Si en fait le Slorc autorisait un Parlement à se réunir
sur la base des résultats de leurs élections libres et impartiales
de 1990, qu'imaginez-vous qui pourrait se passer?

ASSK : Quoi que nous fassions, nous le ferons en vue de la réconciliation nationale. Si le Slorc convoquait un Parlement conformément aux résultats de 1990, nous apprécierions le geste et nous souhaiterions certainement que le Slorc soit compris dans le processus de réconciliation nationale.

AC : Voilà plusieurs mois que nous avons discuté de cette question, mais pensez-vous vraiment qu'il soit possible d'acquérir la démocratie en Birmanie sans des sanctions économiques internationales ? Et sinon, pourquoi ne réclamez-vous pas de sanctions contre le Slorc ?

ASSK : Nous ne pensons pas que les sanctions économiques soient la seule manière d'apporter la démocratie en Birmanie. De nombreux facteurs entrent en jeu et vous ne pouvez jamais dire à l'avance ce qui va produire le changement crucial. Je pense que des efforts conjugués de la communauté internationale sont très utiles. Nous croyons à l'importance de la communauté internationale. Vous le savez, notre principal soutien se trouve ici, à l'intérieur de la Birmanie, nous dépendons du soutien de notre peuple pour obtenir la démocratie, mais nous sommes aussi conscients de l'énorme importance de la communauté internationale. Le Slorc affirme ne pas se soucier de ce que pensent les autres pays. Mais il fait énormément d'efforts pour obtenir coopération et aide économique à l'extérieur. A notre époque, personne ne peut être indifférent à ce que pense le reste du monde, donc nous ne sommes pas indifférents à l'opinion internationale. Mais nous n'aimons pas évoquer trop facilement des sanctions économiques et, quelles que soient les mesures prises, nous voulons être sûrs qu'elles aideront vraiment notre pays à progresser vers la démocratie. Parfois il est vrai que certaines mesures impliquent une souffrance à court terme, même si je ne crois pas que le peuple birman souffrirait tellement des sanctions puisque la majorité du peuple, les masses, profite très peu des perspectives économiques qui sont apparues depuis que le Slorc a pris le pouvoir.

AC : A ce point critique de la lutte, en particulier à la lumière de l'intensification spectaculaire de la répression du Slorc, demandez-vous à tous les investisseurs étrangers de retirer immédiatement leurs intérêts commerciaux en Birmanie ?

ASSK : Pas encore. Nous disons qu'il ne doit pas y avoir de nouveaux investissements en Birmanie tant qu'il n'y a pas un progrès vers la démocratie. De plus, nous demandons à ceux qui ont déjà investi en Birmanie d'examiner ou de réexaminer la situation et de repenser leurs engagements.

AC : Si la démocratie est acquise, qu'arrivera-t-il aux investissements qui sont détenus conjointement par des compagnies étrangères et par le Slorc ? Ces investissements seront-ils nationalisés dans une Birmanie démocratique ? Ou seront-ils modifiés, l'argent perdu ou remboursé aux investisseurs ?

ASSK : Nous examinerons chaque cas individuellement et nous nous assurerons que ce qui est fait est juste et tient compte du bien du peuple. Nous n'aimerions pas que les investisseurs souffrent inutilement. Nous n'aimerions pas que le Slorc souffre inutilement. Nous ne croyons pas qu'il faille imposer quelque chose aux autres simplement pour dire ou montrer que nous sommes en position de le faire.

XII

LE PEUPLE BIRMAN VEUT LA DÉMOCRATIE...

Alan Clements : Une des questions les plus élémentaires, et pourtant essentielle : que signifie pour vous être humain ?

Aung San Suu Kyi : En tant que bouddhiste, si vous voulez vraiment considérer pourquoi nous, êtres humains, sommes là, c'est assez simple : nous essayons d'atteindre l'illumination et d'utiliser la sagesse acquise pour servir les autres, afin qu'eux aussi puissent être libérés de la souffrance. Nous ne pouvons pas tous être des Bouddhas, mais je me sens la responsabilité de faire tout ce que je peux pour atteindre un certain degré d'illumination et de l'employer pour soulager la souffrance des autres.

AC : Dans le monde entier des gens reconnaissent le sacrifice considérable que vous avez fait en restant en résidence surveillée et loin de votre famille, plutôt que d'accepter l'offre que vous faisait le Slorc de quitter la Birmanie et de prendre le chemin de l'exil. Mais vous avez tenu à préciser qu'il s'agissait d'un «choix» et «non d'un sacrifice». Est-il juste de dire que votre choix était en partie fondé sur une conception élargie de la famille, qui selon vous comprenait vos collègues de la NLD et l'ensemble du peuple de votre pays ?

ASSK : Oui et non. Je dois admettre que je n'ai pas fait un effort conscient pour élargir ma conception de la famille. Simplement mes collègues sont devenus ma famille parce qu'ils sont chaleureux et affectueux. Nous partageons le même objectif, nous nous faisons confiance, et nous avons un sentiment d'unité. Comme nous avons un but commun, cela a fait naître un sentiment de type familial. En plus, je dois ajouter que, peut-être parce qu'ils savent que je suis seule, ils s'occupent de moi comme pourrait le faire une famille.

AC : Vous avez dit que vous vous efforciez d'éduquer le peuple de votre pays pour l'aider à avoir le courage de parler haut et fort, de mettre en question et d'affronter l'injustice et l'autorité répressive. J'aimerais vous demander de me confier, en tant que mère, vos réflexions sur la manière dont les parents peuvent stimuler chez leurs enfants les qualités de curiosité libre et ouverte?

ASSK : Eh bien, j'ai encouragé la libre curiosité chez mes enfants simplement en répondant autant que je le pouvais à leurs questions. Petits, ils avaient l'habitude de poser beaucoup de questions, en particulier Alexander [son fils aîné]. Et je m'efforçais de répondre à toutes. Je ne repoussais rien en considérant que cela n'avait pas d'importance. Et si sa question concernait quelque chose que je ne savais pas et à quoi je ne pouvais pas répondre, je me renseignais dans un livre, puis je tentais de lui répondre. Ma mère était très bien pour cela. Jamais elle ne m'a empêchée de poser des questions. Tous les soirs quand elle revenait du travail, elle s'allongeait parce qu'elle était assez fatiguée. Et puis je me mettais à tourner autour de son lit et chaque fois que j'arrivais au pied, je posais une question. Vous imaginez, ce n'est pas long de faire le tour d'un lit. Et pas une fois elle n'a dit : «Je suis trop fatiguée, arrête de m'interroger.» Remarquez, à beaucoup de mes questions elle ne pouvait pas répondre. Je me souviens de lui avoir demandé : «Pourquoi l'eau s'appelle-t-elle eau?» Là, il est très difficile de trouver une réponse. Mais elle n'a jamais dit : «Ne me pose pas des questions aussi absurdes.» Elle essayait de répondre ou elle disait simplement : «Je ne sais pas.» Je la respectais pour cela.

AC : Comment peut-on semer et cultiver les germes de la grandeur et de l'amour dans l'esprit d'un jeune adulte pour qu'il cherche à rendre l'humanité meilleure?

ASSK : Vous devez d'abord faire une distinction entre l'ambition et le désir de faire quelque chose pour le monde dans lequel vous vivez. Beaucoup de jeunes gens aujourd'hui sont ambitieux ou veulent accéder à la grandeur sans savoir ce que cela signifie vraiment. Beaucoup veulent être célèbres, privilégiés et traités comme des stars. Ce n'est pas exactement vouloir servir le monde. Malgré tout, il est difficile d'expliquer comment on encourage la grandeur chez les jeunes. Je pense qu'il faut commencer très tôt. Et il ne suffit pas que les parents essaient de vous inculquer ces valeurs. Je pense que vous devez vous trouver dans un environnement où vous voyez ces valeurs respectées. S'il fut facile à ma mère de m'inculquer l'idée de servir, c'est que je savais que mes parents étaient respectés pour le service qu'ils avaient rendu à la nation. Je sentais que servir était un objectif pour lequel on pouvait désirer lutter. Mais dans beaucoup de sociétés contemporaines, à la fois à l'Ouest et, j'en ai peur, de plus en plus à l'Est, la démarche se réduit à la recherche de la réalisation matérielle. Dans un environnement comme celui-là, il est souvent difficile aux parents tout seuls de tenter d'inculquer un sens du service. Mais il faut encore essayer.

Bien entendu, il faut faire attention à ne pas manquer de tact avec les jeunes en essayant de leur donner des conseils, parce qu'en général ils ne réagissent pas avec bonheur à des suggestions maladroites.

AC : Daw Suu, quelles sont selon vous les principales caractéristiques du peuple birman – une culture d'une étonnante diversité comprenant soixante-quatre groupes indigènes et deux cents langues et dialectes différents ?

ASSK : Je ne peux pas parler de ce qui concerne les ethnies, ce serait présomptueux de ma part. Je ne peux parler que de l'ethnie birmane, parce que c'est la mienne. Il y a un grand nombre de groupes ethniques en Birmanie et les Birmans ne sont qu'un de ces groupes – le plus important, nous appartenons à l'ensemble tibéto-birman. Je n'ai pas étudié les cultures des différentes ethnies de Birmanie assez profondément pour les commenter, si ce n'est que ma mère m'a toujours appris à les considérer très proches de nous, insistant sur leur loyauté. Elle parlait constamment de ces peuples avec énormément de respect et de cordialité.

Au sujet des Birmans en Birmanie, la première chose qui vient à l'esprit est le fait qu'ils sont bouddhistes. Mais aussi le fait que tout Birman n'est pas un bon bouddhiste. Un autre aspect des Birmans est que ce sont des gens pittoresques. Je les vois en Technicolor, pour ainsi dire. Je pense que les Birmans sont très portés non seulement sur les vêtements éclatants, mais aussi sur les émotions vives.

AC : Quatorze des quinze minorités ethniques armées en Birmanie qui ont combattu le Slorc ont conclu des accords de «cessez-le-feu» avec lui. Deux questions : que pensez-vous de ces accords et, quand vous aurez acquis la démocratie, comment la NLD parviendra-t-elle à travailler avec ces groupes pour les unifier et les faire entrer dans un pays démocratique ?

ASSK : Il n'y a pas de véritable cessez-le-feu. Ces groupes n'ont pas déposé les armes. Donc il est assez clair que ces cessez-le-feu ne sont pas des accords de paix permanents. Ce que nous voudrions obtenir, c'est un accord de paix permanent appliqué à l'ensemble du pays. Et le seul moyen d'y parvenir est de créer un cadre dans lequel toutes les minorités ethniques puissent formuler sans crainte leurs espoirs, leurs aspirations, leurs insatisfactions. Un cadre légal leur permettrait d'exprimer tous leurs sentiments, et ce faisant nous pourrons parvenir à une entente. Nous ne pensons pas que cette union puisse être construite par les seuls Birmans – elle doit l'être par tous les groupes ethniques. Nous voulons que tous soient impliqués dans la construction de la nation. Nous voulons une convention nationale authentique qui permette à tous les groupes ethniques de participer librement et pleinement, et de cette convention nous espérons que sortira une Constitution qui tienne vraiment compte du peuple birman. Sur ce fondement solide nous voulons construire une vraie relation avec les ethnies de Birmanie.

AC : Je pense que beaucoup de gens à l'Ouest ont une notion stéréotypée des pays d'Asie du Sud-Est, en particulier les nations les moins développées comme le Laos, la Cambodge, le Vietnam et la Birmanie, à les voir comme des nations mystérieuses, étrangères, à des dizaines de milliers de kilomètres de leurs rivages, tandis que d'autres ont souvent de ces pays la vision très générale de contrées qui ont baigné pendant des décennies dans l'horreur et le sang ; les guerres au Vietnam et au Laos, le génocide de Pol Pot au Cambodge, les trente ans de dictature brutale de Ne Win dans votre pays et, bien sûr, la répression toujours exercée par le Slorc. Et vous, une Birmane qui a vécu dans les pays occidentaux pendant vingt-trois ans, comment voyez-vous les liens entre la Birmanie et les pays occidentaux ?

ASSK : On ne peut nier notre héritage colonial, que cela nous plaise ou non. Une grande partie de la législation existante en Birmanie de même que notre système éducatif ont été introduits et influencés par le gouvernement colonial. Les écoles, les hôpitaux et les chemins de fer – toutes ces marques du colonialisme –, sont arrivés en Birmanie par l'intermédiaire d'une puissance occidentale. A part cela, je pense que les Birmans en général sont par nature une race tolérante, et aussi très ouverte aux autres cultures et aux idées différentes. Mais le système autoritaire qui nous a été imposé nous a rendus intolérants.

AC : Quelques mois avant votre mariage, le 1er janvier 1972, vous avez écrit à Michael : «Je ne demande qu'une chose, c'est que, si jamais mon peuple a besoin de moi, tu m'aides à accomplir mon devoir envers lui. Est-ce probable, je ne sais pas, mais la possibilité existe.» Vous faisiez preuve manifestement d'un fort sens du devoir envers votre peuple, dès l'âge de vingt-six ans, peut-être même avant. Comment avez-vous senti évoluer au cours des années ce sens du devoir, qui est le centre de votre vie depuis votre retour en Birmanie en 1988 ?

ASSK : Je ne sais pas si l'on peut parler d'un processus d'évolution. Je pense qu'il m'a été inculqué dès l'enfance. Il a toujours été là, et il s'est manifesté quand c'est devenu nécessaire.

AC : Un germe cultivé depuis l'enfance qui a pris racine quand l'environnement était propice ? Ou bien était-ce inné ?

ASSK : Je pense que le sens du devoir peut être inné. Certains ont un sens du devoir plus fort que d'autres, et bien sûr votre éducation détermine à qui vous pensez le réserver. Ma mère m'a enseigné que je devais ce devoir à mon peuple.

AC : Mais pourquoi?

ASSK : Par ce qu'elle m'a raconté sur mon père. Et bien entendu, il y a certainement quelque chose dans mes gènes qui me fait pencher vers le sens du devoir.

AC : Vous m'avez dit: «La vérité est pouvoir. Le pouvoir de la vérité est vraiment énorme. Et je pense que cela fait très peur à certains», précisant que la vérité, fondamentalement, c'était la «sincérité». Mais qu'y a-t-il dans la sincérité – l'authenticité de l'esprit – qui fasse si peur à certains?

ASSK : Au fond, la sincérité est le désir de ne tromper personne. C'est pourquoi la sincérité est vérité, parce que la sincérité signifie que vous ne tentez de tromper personne. A moins bien sûr que vous ne vous mentiez à vous-même. Dans ce cas, vous devez commencer par être sincère avec vous-même avant de pouvoir l'être avec les autres. Mais certains pensent qu'il leur est nécessaire de tromper les autres et peut-être même de se mentir à eux-mêmes, afin de se sentir à l'aise dans qu'ils font.

AC : Donc à certains égards, la sincérité est comme un miroir brillant et net qui oblige l'esprit de mauvaise foi à se sentir un peu mal à l'aise avec lui-même?

ASSK : Oui. Un miroir brillant et net peut montrer beaucoup de choses que vous préféreriez ne pas voir.

AC : Où le concept de sincérité se rattache-t-il au code moral des préceptes bouddhistes?

ASSK : Je suppose que cela revient à éviter le *musavada* – éviter ce qui n'est pas vrai – ne pas tromper. Et la sincérité ne signifie pas simplement ne pas tenter de tromper, mais elle signifie aussi s'efforcer de tendre vers les autres.

AC : Donc la sincérité active est un intérêt pour le bien-être d'autrui ?

ASSK : Oui. Bien sûr il y a des gens qui veulent atteindre les autres pour se gagner leur bonne opinion, mais pas d'une manière sincère. Ils trichent ou ils mentent pour gagner la bonne volonté ou le soutien des gens. La sincérité est liée à l'envie d'aller vers les autres honnêtement et ouvertement.

AC : Le détournement et l'abus de pouvoir a été un sujet de débat perpétuel. A votre avis existe-t-il certaines sauvegardes pour se protéger de la corruption lorsqu'on acquiert du pouvoir ?

ASSK : Je suppose que ce qu'il vous faut, c'est le courage de vous regarder en face. Je pense que c'est la meilleure sauvegarde contre la corruption. Si vous êtes assez brave pour vous regarder en face, vraiment regarder dans le miroir et vous voir sans aucune flatterie, alors je pense que vous n'êtes pas menacé par la corruption. En tant que bouddhiste, je ne peux m'empêcher de penser que, si l'on a vraiment compris le sens de l'*anicca,* on ne peut pas courir après le pouvoir et la richesse au détriment de son être moral.

AC : Donc le jugement moral est déformé si l'on ne comprend pas l'*anicca* ? En quoi est-ce intimement lié ?

ASSK : C'est probablement, en partie, ma formation bouddhiste qui me fait sentir que tout passera, mais que mes actes et leurs conséquences resteront avec moi. Donc, tandis que tous les signes extérieurs du pouvoir et de la richesse passeront, les effets de mes actions continueront de peser sur moi.

AC : Toujours à propos de l'abus de pouvoir, il semble bien que beaucoup de dirigeants ont cultivé l'art sinistre de la manipulation des masses, une espèce de poésie charismatique en leur honneur, ou une sorte d'esthétique envoûtante à la gloire de leur énergie. Comment se fait-il que certaines personnes aient la capacité d'émouvoir les gens si puissamment ?

ASSK : Il faut faire une distinction entre le charisme d'un individu particulier et la fascination exercée par son pouvoir. Vous constaterez en général que ceux qui occupent des positions de pouvoir semblent fasciner partout où ils vont. Les gens sont impressionnés, respectueux et intimidés, ou effrayés par le pouvoir.

AC : Fascinés par les ténèbres, comme les adeptes de la secte Aum au Japon, qui ont répandu du gaz sarin dans le métro de Tokyo ?

ASSK : Oui, mais qui sont ces gens ?

AC : C'est la question. Comment peut-on échapper aux dogmes enivrants et à des distorsions du moi fondées sur la projection psychologique, et s'intéresser réellement à la vérité de l'autre ?

ASSK : Eh bien, je pense que vous devez vous habituer à regarder la vérité en face. Tout revient à cela, n'est-ce pas ? La plupart des gens ne passent pas leur temps à s'exposer à tout le monde. Aucune personne normale ne ferait cela. Cela ne veut pas dire qu'il n'y ait pas des gens très conscients de leurs propres défauts et faiblesses. Et regarder la vérité en face, c'est cela, notamment. Mais certains sont tout bonnement incapables de regarder la vérité en face, non seulement en ce qui les concerne, mais même au sujet de ceux qui les touchent de près. Je discutais à ce propos l'autre jour avec des amis : il y a des gens qui pensent toujours que leurs enfants sont adorables et n'ont aucun défaut, alors qu'en fait, tout le monde peut constater le contraire. S'ils ne sont même pas capables de voir les défauts de leurs enfants, comment pourraient-ils voir les leurs propres?

Il y a aussi des gens conscients de leurs défauts et de leurs faiblesses, de même que de ceux de leurs proches. Sans pour autant critiquer sans cesse leur famille ou eux-mêmes, ils ont cette conscience. Et si vous êtes conscient de vos propres défauts, vous serez conscient aussi de ceux des autres. Cela ne veut pas dire que vous serez sévère avec eux. Je pense que ceux qui sont conscients de leurs propres défauts ont en général tendance à être moins sévères envers les autres que ceux qui ne le sont pas.

AC : Donc on doit prendre conscience de soi-même, être capable de se demander d'où vient le respect que l'on éprouve pour des individus qui occupent des positions de pouvoir, et puis avoir le courage de mettre en question l'autorité?

ASSK : Quelquefois il s'agit de pure paresse, je pense. Beaucoup de gens prennent des habitudes par pure paresse.

AC : La remise en question est trop pénible?

ASSK : Oui. Mentalement. Ou parfois moralement. Parfois vous ne voulez pas vous secouer et vous demander : «Ai-je raison de servir cette sorte de personne?» La vie est souvent un dilemme moral. Mais certains préfèrent ne pas y penser, parce que c'est trop épuisant.

AC : La difficile condition humaine...

ASSK : La vie est un dilemme moral, mais dans certains cas plus que dans d'autres. Je l'ai remarqué en particulier quand je suis allée du Japon en Inde. Au Japon, qui est un pays très riche, je n'avais pas de scrupules à manger et à m'habiller comme il me plaisait. Porter un manteau chaud ne me gênait pas parce que tout le monde portait un manteau chaud, bien manger ne me gênait pas parce que tout le monde mangeait bien. La seule personne que j'ai vue au Japon que j'aurais pu qualifier de pauvre était un ivrogne, mais il aurait pu ne pas être pauvre du tout, peut-être était-il devenu un clochard parce qu'il buvait. Du Japon je suis allée directement en Inde. Et là j'ai pris conscience de ce dilemme moral, en vivant dans une société moins égalitaire. Je suppose que moins il y a d'égalité dans une société, plus votre dilemme moral augmente.

En Inde, où que nous allions dans la ville où j'habitais, il y avait des mendiants sur le chemin. Et c'était toujours un dilemme : est-ce que je donne ou non ? Non pas parce que je ne voulais pas dépenser d'argent, mais parce qu'on m'avait beaucoup répété qu'il y avait des mendiants riches, pour qui la mendicité est une profession. En un sens, on se faisait avoir. Et je me suis trouvée à me poser cette question : est-ce que je donne ou non à ces mendiants ? Si je donne, je les aide ou bien je ne fais qu'encourager la tromperie ? Finalement je suis arrivée à cette conclusion : si je leur donne quelque chose, ce doit être par générosité et pour aucune autre raison. Oui, la vie est un dilemme moral, tout le temps. Dans des sociétés où l'injustice est flagrante, le dilemme se pose aussi. Mais dans ce cas c'est peut être moins un dilemme, parce que vous optez simplement pour la voie qui représente la justice, quitte à prendre un risque.

AC : Quel est le plus grand dilemme moral que vous ayez affronté dans votre vie ?

ASSK : *(Longue pause.)* Je ne dirais pas qu'il y a un unique grand dilemme moral. Je pense que l'on est confronté à des dilemmes moraux tout le temps, en particulier si l'on est impliqué dans la politique. On doit toujours se rappeler que la politique concerne les gens. Si vous commencez à oublier cela, alors vous vous mettez à ressembler à Staline ou à Hitler, à manipuler les gens. Mais dès l'instant où vous reconnaissez que la politique concerne les gens, cela signifie que vous devez prendre en considération leurs faiblesses et leurs sentiments humains. Parfois bien sûr cela entrave l'efficacité du travail. Et c'est un dilemme constant.

AC : Quelle a été la décision la plus difficile que vous ayez dû prendre depuis votre entrée en politique en 1988 ?

ASSK : Je m'en souviens d'une en particulier, en relation avec la fondation du Parti national pour la démocratie. Il y avait beaucoup d'opinions diverses sur qui devait être dans le parti et qui ne devait pas. Au début j'ai trouvé cela très ennuyeux, parce que si j'appuyais un groupe de candidats particulier, cela signifiait que mon choix pouvait déplaire à certains. J'aurais dû m'en rendre compte tout de suite, mais parfois on ne voit pas l'évidence. Soudain je me suis dit : «Pourquoi tant d'histoires ?» Je devais simplement soutenir les candidats que j'estimais les plus convenables. C'était la seule action juste et honnête. Ce que j'ai fait. En réalité, ceux que je trouvais les meilleurs étaient ceux que les autres en général trouvaient les meilleurs aussi. Il n'y avait pas de problème. Mais cela m'a donné une leçon. Parfois je pense que nous nous faisons du souci pour rien du tout. C'est comme cette affaire de mendiants. Finalement, j'ai décidé que c'est la générosité qui compte ; une vraie générosité sincère et qui vient du cœur.

AC : Vous trouvez-vous parfois devant un dilemme vis-à-vis de votre peuple, ces millions de gens qui ont besoin de sécurité, en état de malnutrition, éprouvant à divers degrés la peur, sinon la terreur ? Avez-vous parfois l'impression que vous ne pouvez pas donner assez ?

ASSK : Non. Je ne peux donner que ce que je peux. Et je n'ai pas le sentiment mégalomaniaque que je donne à tous ceux qui en ont besoin. J'ai toujours été très franche sur le fait qu'il y a une limite à mes possibilités. Je fais de mon mieux, mais au-delà ce n'est pas possible. Cela ne signifie pas que je me contente de dire : «Bon, c'est bien.» Je veux essayer de faire toujours mieux.

AC : Quand vous réfléchissez à la souffrance de votre peuple, qu'est-ce qui vous vient d'abord à l'esprit et vous émeut?

ASSK : Ma réaction est que nous devons agir contre cette situation, autant que possible, comme toujours devant une situation qui ne devrait pas être. Il ne sert à rien de rester là à vous tordre les mains en disant : «Seigneur, Seigneur, c'est terrible.» Vous devez essayer de faire votre possible. Je crois en l'action.

AC : Que pensez-vous de la liberté de parole et de la liberté d'expression? Y a-t-il parfois une limite?

ASSK : Il est important de respecter le lien entre liberté de parole et respect de l'autre. Vous ne pouvez pas simplement dire n'importe quoi sur n'importe qui. L'autre doit être pris en considération. Mais je ne crois pas que l'on doive restreindre la liberté de parole au motif que vous critiquez quelqu'un ou quelque chose. Ce n'est pas juste. D'autre part, la liberté de parole, cela ne veut pas dire que vous allez vous mettre au milieu de la route et hurler des obscénités à tous les passants. Ce n'est qu'une exploitation de votre droit à la liberté de parole.

AC : Et la liberté dans l'art et la musique? A l'Ouest, nous avons tellement d'expressions diverses – de la musique *gangster rap*, en passant par la photographie hautement provocatrice de Robert Mapplethorpe, au film controversé d'Oliver Stone, *Tueurs nés*. Pensez-vous qu'il faudrait imposer des limites à l'expression artistique ?

ASSK : Je dois avouer que je n'ai pas de talent musical, donc je ne comprends pas tout à fait les besoins de ceux qui en ont un. Et je n'ai pas vraiment étudié les arguments de ceux qui soutiennent que vous pouvez faire n'importe quoi dès l'instant où cela justifie votre besoin musical et artistique.

Comment justifient-ils le point de vue selon lequel on peut dire les textes qu'on veut ? J'ai du mal à suivre. Pouvez-vous dire n'importe quoi dans une chanson, que vous ne seriez pas autorisé à dire, par exemple, dans un discours public ?

AC : Cela pourrait ne pas être publié ou produit, et même si ce l'était, ne pas passer à l'antenne, mais pourquoi ne pas rester libre de votre vérité ?

ASSK : Eh bien, je ne pense pas que ce soit acceptable.

AC : Pourquoi ?

ASSK : Ce n'est pas seulement dans le monde occidental. Je pense que partout les gens essaient de profiter et abusent de leurs droits. J'ai toujours dit qu'une fois que nous aurons la démocratie, il y aura des gens qui abuseront de leurs droits démocratiques et ne les emploieront que pour leur plaisir ou leur profit personnel. Il y aura des gens qui se serviront du droit d'association probablement pour fonder le genre d'organisations qui serviront à attaquer la démocratie elle-même. Cela se produit tout le temps. La démocratie est loin d'être parfaite. On doit toujours se poser des questions. Le voilà de nouveau, l'esprit de contestation, avec ses côtés positifs et négatifs. Vous devez vous demander tout le temps si en interdisant un certain discours, une chanson ou un film, vous entravez en fait les droits démocratiques, ou si vous protégez ceux qui ont besoin d'être protégés. C'est pourquoi je dis que la vie est un dilemme moral. Mais je ne suis pas d'accord avec tout ce qui se passe à l'Ouest, et j'aimerais donc que notre démocratie soit meilleure, plus compatissante et plus sociale. Cela ne signifie pas moins de liberté, mais utiliser ces libertés avec un plus grand sérieux et le bien-être d'autrui à l'esprit.

AC : Et le principal élément des démocraties occidentales qui vous pose problème ?

ASSK : Tout se réduit à la violence. Parce que le genre de chansons, de musique et de films dont vous parlez traite de la violence sous une forme ou une autre. Il y a une propension à la violence dans la nature humaine, et je ne pense pas que ce soit particulier à l'Occident. Dans les pays riches, les gens ne savent pas vraiment comment résoudre cette propension à la violence. Ont-ils perdu leur capacité à résoudre la violence parce que la société d'abondance impose certaines conditions qui n'offrent aucune soupape ?

AC : Par exemple des valeurs spirituelles authentiques ? Mais la violence est partout.

ASSK : Oui. La violence est partout. En Amérique, il y a de la violence dans les villes, il y a de la violence dans les films, les chansons et la musique, etc. Et puis dans un pays comme le Rwanda, il y a eu violence sur le champ de bataille. La violence est dans les rues sous forme de lutte raciale. Et l'ex-Yougoslavie ? Là, la violence était partout. Il y a de la violence en Birmanie ; la violence commise par les autorités contre le peuple. C'est la même chose dans d'autres Etats totalitaires. Oui, il y a de la violence partout dans le monde. Il y a quelque chose dans la nature humaine qui semble exiger des explosions de violence de temps en temps.

AC : Comment l'être humain peut-il prendre plaisir au spectacle de la violence dans l'art, à la télévision, au cinéma, trouver une distraction dans la violence ?

ASSK : Je ne sais pas, parce que je n'ai jamais aimé ces films. J'aime les films intéressants, les films bien faits. Je pense que cela encore fait partie de mon éducation. Ma mère disait toujours : «Je ne suis pas d'avis de payer pour me faire souffrir.» Et je partage strictement ce point de vue.

AC : Que pensez-vous des propos de Vaclav Havel disant que l'intellectuel est essentiellement un provocateur, quelqu'un qui constamment dérange ? Ces formes d'art, de musique et de films vous intéressent-elles sous cet angle-là ?

ASSK : Oui, être provocateur, bien sûr, je pense que c'est acceptable. Le mot provocateur est acceptable, le fait de provoquer un changement ou une réaction. Mais cela dépend de ce que vous essayez de provoquer.

AC : Donc, tout est vraiment dans l'intention ?

ASSK : En effet !

AC : Vous avez affirmé au cours d'une conversation précédente que de tous les traits humains c'est l'«hypocrisie» qui vous met le plus en colère. L'hypocrisie du Slorc vous a-t-elle rendue cynique ? Luttez-vous contre cette tendance ?

ASSK : Je ne comprends pas bien ce que signifie cynisme. Il faut reconnaître que dans leurs actions les gens ne sont pas toujours fidèles à leurs propos. Cela se produit tout le temps. Mais tout le monde n'est pas ainsi, il y a des gens qui font ce qu'ils disent et qui disent ce qu'ils pensent.

AC : Permettez-moi d'être plus précis. Les pays occidentaux, l'Amérique en particulier, ont l'obsession de construire des armes de toutes sortes. Au nom de la «libre entreprise», nous vendons ces armes dans le monde entier. Même ici à

Rangoon, j'ai vu des généraux du Slorc se promener en cortèges, en sandwich entre des soldats, le doigt sur la détente de leur Uzi. N'est-il pas temps de vous adresser à l'industrie d'armement à l'Ouest, et bien sûr, à l'Est aussi ? La Chine est un problème.

ASSK : Il n'y a des vendeurs que parce qu'il y a des acheteurs. Le problème n'est pas seulement les pays qui produisent les armes, c'est aussi les pays qui veulent acheter ces armes. Cela montre que l'espèce humaine n'a pas encore appris à vivre sans violence.

AC : En tant que dirigeante adepte de la non-violence, seriez-vous pour l'abolition de toutes les armes de destruction massive ?

ASSK : A ce stade, c'est idéaliste, mais je me demande si le temps viendra où ce ne sera plus un simple idéal mais un principe qui pourra être effectivement mis en pratique. Je me demande si nous pourrons supprimer tous les instincts de violence de l'espèce humaine.

AC : Pouvez-vous vous imaginer dirigeante d'une Birmanie libre et démocratique, ayant à prendre la décision de recourir à la violence contre des humains, de faire usage de la force qui, vous le savez, tuera des gens ?

ASSK : Tous les membres de gouvernement ont à le faire dans certaines circonstances.

AC : Donc pour un politicien l'usage « habile » des armes et de la violence vient avec le territoire, pour ainsi dire ?

ASSK : C'est un risque du métier.

XIII

APPRENDRE LE POUVOIR DES SANS-POUVOIR

Alan Clements : Quand j'étais à l'université, j'ai ressenti de plus en plus une angoisse que je ne parvenais à identifier que par son apparence extérieure. Je pensais que, si je suivais le système, je serais vraisemblablement englouti par le «rêve américain», et que quelque part sur ma route je me retrouverais avec une maison, deux voitures et une famille, et que je me considérerais probablement heureux. Cette découverte m'effraya tellement qu'elle me fit abandonner ce que je pensais devoir faire pour réussir, et m'engager sur une voie qui était celle de ma passion et de mon instinct. Ce qui finalement me conduisit dans votre pays et m'inspira le désir de devenir moine bouddhiste. J'ai deux questions par rapport à cela. Premièrement, que signifie médiocrité pour vous ? Et deuxièmement, quelle serait votre définition de la grandeur ?

Aung San Suu Kyi : Je ne vois aucun mal à ce que les gens trouvent le bonheur dans une maison, deux voitures et une famille. Si c'est une famille vraiment heureuse, elle va engendrer du bonheur autour d'elle, donc il n'y a pas de mal à cela. Et je pense qu'avoir des désirs modestes n'est pas un crime, ni quelque chose dont on puisse avoir honte. En fait, j'admire assez les gens modestes dans leurs désirs, qui ne cèdent pas à ceux-ci tout le temps. C'est très conforme à la pensée bouddhiste.

Mais si vous pensez qu'une maison et deux voitures sont le but suprême de votre existence, et que vous êtes prêt à faire n'importe quoi pour obtenir cette maison et ces deux voitures, même si cela signifie piétiner les autres, évidemment cela ne va pas. En revanche si ce n'est que votre modeste ambition de travailler régulièrement et sur la bonne voie, sans porter préjudice aux autres, pour obtenir cette modeste existence – une maison, deux voitures et une famille heureuse –, je ne pense pas qu'il y ait de mal à cela. Beaucoup de gens qui semblent très ordinaires de l'extérieur possèdent un très grand esprit et des valeurs spirituelles dont nous ne savons rien.

De même, la grandeur, il y en a énormément de sortes différentes. Je veux dire, qu'est-ce qui fait qu'un compositeur est grand, par exemple ? Sa musique. Il peut ne pas avoir une personnalité terriblement séduisante mais, s'il écrit de la belle musique, alors c'est un grand compositeur. Quelqu'un qui joue de la belle musique est aussi un grand musicien. Il est très difficile de définir le mot « grand ».

J'ai lu quelque part qu'en politique on définit la grandeur comme la capacité à encourager d'autres gens à rejoindre une grande cause. Et je suppose que, dans une certaine mesure, il en va de même avec les chefs religieux. Vous direz d'un chef religieux qu'il est grand s'il a inspiré beaucoup de gens à rejoindre sa quête spirituelle. Mais je me demande si vous pouvez parler de la grandeur en dehors du contexte de votre relation avec ceux qui vous entourent. Pouvez-vous parler de quelqu'un installé tout seul sur une île, qui n'a aucun contact avec les autres, comme d'un grand homme ? En général vous parlez de grandeur dans le contexte de votre relation à autrui ; ce que vous faites pour les autres ; ce que vous inspirez à autrui. S'il n'y a personne pour écouter la musique d'un musicien, personne ne pensera qu'il est grand, jusqu'au jour où d'une manière ou d'une autre, sa musique atteint l'oreille de ceux qu'elle rend heureux ou qu'elle enthousiasme. C'est la même chose avec un livre. Un grand livre est toujours un grand livre, que l'auteur soit encore vivant ou non. Mais personne ne pensera que l'auteur est grand tant que quelqu'un n'aura pas lu ses ouvrages. Donc ce grand esprit existera tout seul, qu'il y ait ou non les autres pour l'apprécier. Si quelqu'un a un en lui un germe de grandeur, il sera là qu'il y ait ou non les autres pour l'apprécier. Mais que ce germe puisse croître et s'épanouir et que le monde le reconnaisse, c'est une autre affaire. Cela ne peut se faire, je pense, que dans le contexte de la relation de cette personne avec le reste de la société.

AC : Beaucoup associent votre nom à une voix qui parle au nom des sans-voix, un pouvoir qui prend le parti des sans-pouvoir – les gens simples, les gens ordinaires –, et des sans-droit, c'est-à-dire la vaste majorité des gens, non seulement dans votre propre pays mais partout dans le monde. Comment pourriez-vous appliquer le concept de grandeur à la vie d'un mendiant, d'un réfugié ou d'un prisonnier politique ?

ASSK : Les aspirations individuelles diffèrent tout le temps. Mais je suppose que l'on recherche la grandeur en maîtrisant ses passions. N'y a-t-il pas un proverbe qui dit : «Il est beaucoup plus difficile de se conquérir soi-même que de conquérir le reste du monde» ? Donc je pense que la maîtrise des passions, dans le mode de pensée bouddhiste, est la voie royale vers la grandeur, quelles que puissent être les circonstances. Par exemple, beaucoup des nôtres méditent lorsqu'ils sont en prison, d'une part parce qu'ils ont le temps, d'autre part parce que c'est très raisonnable. C'est-à-dire que si vous n'avez aucun contact avec le monde extérieur, et que vous ne puissiez rien faire pour lui, alors vous faites ce que vous pouvez avec votre monde intérieur pour le contrôler convenablement.

AC : Si je devais résumer la lutte de votre peuple et l'ensemble de la crise en Birmanie, je dirais que c'est «le courage d'éprouver des émotions authentiques». Pour ceux qui luttent pour la démocratie, c'est le courage de ressentir l'estime d'eux-mêmes, leur propre valeur et leur dignité – le courage d'agir. Et pour les autorités, le courage d'éprouver la honte et le remords; le courage d'aimer et le courage de l'humilité. Mais qu'est-ce qui déforme tous ces gens et les empêche de ressentir le sentiment juste, pour ainsi dire? Est-ce tout simplement la peur des sentiments?

ASSK : Cela dépend aussi beaucoup de l'entraînement à l'objectivité. Et c'est la conscience qui mène à l'objectivité. Plus vous êtes conscient, plus vous devenez objectif. C'est très bouddhiste, n'est-ce pas? Et je pense que ceux qui n'ont aucune conscience de ce qui se passe autour d'eux et en eux ne peuvent pas avoir ces sentiments qui sont si importants pour faire ce qu'il faut dans ce monde. Si vous n'êtes pas conscient du fait que vous agissez mal, alors vous n'en éprouverez pas de honte. On vit dans le pur fantasme – une espèce de folie et un manque total d'objectivité. Tout cela nous ramène à une incapacité à voir la vérité en face. Si vous vivez dans un monde où tout ce que vous faites est justifié par des arguments tels que le «patriotisme» ou le «bien du pays», vous ne serez pas capable ensuite d'avoir honte et de vouloir vous corriger.

AC : Est-ce seulement une question de formation? D'une formation si déficiente que les idées erronées deviennent une mauvaise habitude, un mode de vie?

ASSK : Oui, c'est une question de formation. J'ai rencontré beaucoup de parents qui défendent toujours leurs enfants, qu'ils aient raison ou non. Je ne pense pas que cela aide ces enfants à grandir et à devenir objectifs et honnêtes. Et si vous grandissez dans une famille où tout ce que vous faites, par opposition à ce que les autres font à l'extérieur, est justifié, alors vous ne deviendrez certainement pas un adulte objectif. Vous penserez toujours que tout ce que vous faites est juste et justifié, tandis que ce que les autres font est mal si cela va à l'encontre de vos désirs. Donc, la formation compte beaucoup là-dedans. Mais je pense qu'il y a aussi la nature. Je pense que les gens naissent avec certaines caractéristiques. Aujourd'hui vous diriez que c'est génétique. Mais la façon dont vous êtes nourri fera aussi une différence. Donc votre éducation et votre formation peuvent vous aider dans une certaine mesure, mais pas toujours.

AC : Comment cette bande de généraux répressifs – le Slorc – a-t-elle surgi de l'éducation mystique d'une ancienne culture bouddhiste?

ASSK : On pourrait aussi bien demander comment les Khmers rouges ont surgi au Cambodge. Ce n'est pas parce que vous avez une bonne et bienveillante religion que tout le monde la pratique. Beaucoup de gens n'ont de religion qu'en paroles. Ils peuvent réciter les prières, assister aux cérémonies, participer à tous les rites, mais peut-être qu'en réalité ils n'absorbent rien dans leur cœur. Vous avez sans doute connu beaucoup de gens qui ont médité non pas des jours mais des mois, même des années, mais dont les attitudes envers le monde n'ont pas changé de manière substantielle, ou n'ont jamais changé. Vous en avez connu beaucoup de ces gens ?

AC : Oui, dans les deux cas, le changement semble venir lentement, sinon pas du tout. Mais permettez-moi une question. Certains êtres dans le monde éprouvent un profond désir d'absolu, tandis que d'autres semblent fascinés par l'obscurité. Mais pour atteindre cet absolu ou s'en rapprocher, on doit prendre conscience de l'obscurité et l'intégrer. Il me semble que dans votre propre éveil intérieur vous avez été forcée d'affronter beaucoup d'événements extérieurs que je considérerais comme obscurs. Qu'avez-vous avez appris sur vous-même de l'obscurité ?

ASSK : Je n'ai jamais pensé que j'avais pénétré dans l'obscurité. Je pense que de l'extérieur on voit les choses d'une façon beaucoup plus dramatique que si l'on est dedans. Je suppose que c'est beaucoup plus dramatique lorsqu'on est arrêté chez soi et mis dans une cellule de prison dont les portes claquent. Mais ce n'est pas ce qui m'est arrivé. Le premier jour où j'ai été placée en résidence surveillée, beaucoup de gens sont venus retourner la maison sans dessus dessous et ont pris beaucoup d'objets. Et après le remue-ménage, qui a continué toute la nuit, je suis restée en résidence surveillée et cela ne m'a pas semblé particulièrement dramatique.

AC : Tous les jours des visiteurs viennent vous expliquer leurs difficultés, certains de vos collègues sont emprisonnés, certains même torturés, et vous avez souffert dans une certaine mesure. Qu'avez-vous appris dans ces luttes quotidiennes ?

ASSK : Vous apprenez le meilleur et le pire de la nature humaine. Bien entendu, vous apprenez le pire de ceux qui infligent la torture et la souffrance, et vous apprenez le meilleur de ceux qui peuvent supporter cette souffrance sans être brisés sur le plan spirituel.

AC : Il faut reconnaître que beaucoup de gens dans le monde ont un instinct ou une immense envie de servir les autres – une vocation à rendre quelque chose à la vie, et pas seulement consommer. Comment peut-on cultiver l'instinct de servir ? Chez certains il s'enflamme, puis il faiblit et disparaît rapidement…

ASSK : Certains naissent avec cet instinct et d'autres non. Vous verrez des petits enfants qui aiment partager leurs bonbons et leurs jouets, et d'autres non. C'est la nature. Mais il y a des parents qui laissent leurs enfants continuer à être égoïstes, et il y a des parents qui disent : vous devez partager. Ma mère était de ces parents qui répètent qu'il faut partager. Et selon elle, l'égoïsme était l'un des pires péchés dont quelqu'un fût capable. Elle disait : «Untel est tellement égoïste!» J'entendais cela comme une condamnation terrible. J'ai donc beaucoup appris de ma mère. Elle croyait qu'on pouvait servir les autres, et trouver satisfaction et bonheur à donner, plutôt qu'à prendre.

AC : Vous a-t-elle inculqué d'autres valeurs importantes ?

ASSK : Elle m'a toujours appris à admirer et à respecter les valeurs que défendait mon père. Elle insistait sur le fait que la peur ne doit pas être encouragée. Elle détestait la lâcheté. Et elle se fâchait énormément parce que j'avais peur du noir. Elle n'encourageait pas ces sentiments gnangnan. Elle avait une haute idée du courage, de la responsabilité, du service spirituel, et du partage. Ma mère était une femme extrêmement droite.

AC : Le trait le plus saillant de l'enseignement du

Bouddha est la conscience ; la conscience de l'instant, l'ici et maintenant ; l'aptitude à être vivant et présent. Considérez-vous qu'il est important de vivre dans l'instant présent, plutôt que s'abandonner au passé ou anticiper le futur ?

ASSK : Je crois que les gens qui n'ont pas un travail qui les intéresse vraiment ou qui occupe réellement leur tête et leur esprit ne vivent pas dans le présent. Quelqu'un disait à U Win Htein l'autre jour : « Ah ! Je me sens frustré. Et vous ? – Je suis trop occupé pour me sentir frustré », a répliqué U Win Htein. Et c'est bien cela ! Si vous avez beaucoup de travail à faire et si vous croyez à ce que vous faites, vous vivez vraiment dans le présent. Il n'est pas question d'apprendre à vivre dans le présent, vous le faites, c'est tout. Vous n'avez pas le temps de vivre dans le passé, et vous savez que le futur sortira de ce qui est fait dans le présent. Je pense que les gens qui sont heureusement occupés sont joyeux, et ceux qui ne sont pas heureusement occupés sont frustrés, s'ennuient ou sont pleins de ressentiment.

AC : Beaucoup de journalistes vous ont interrogée spécifiquement sur votre sécurité et l'hypothèse de votre assassinat. L'histoire est pleine d'exemples de gens qui courageusement ont, dépassant le *statu quo*, parlé de la vérité, de la liberté et de la justice, et ce faisant ont été tués : King, Gandhi, Kennedy et bien sûr votre père ne sont que quelques exemples. Ma question est, si tant est qu'il y ait une explication, pourquoi, lorsqu'on défie les normes existantes et que l'on dispose d'un certain degré de pouvoir, la société veut-elle vous renverser, vous écraser ou vous tuer ?

ASSK : Je pense que les gens ressentent de très fortes émotions envers les personnalités en vue. John Lennon n'a pas été tué parce qu'il travaillait pour les droits de l'homme ou qu'il défendait la démocratie. Il y a dans la nature humaine quelque chose qui attire vers les gens en vue, et l'attirance n'est pas toujours de la bonne espèce, elle peut être de l'espèce négative, ce qui pousse à vouloir détruire et tuer. A mon sens, cela n'est pas particulièrement lié au fait de dire la vérité. Par ailleurs, bien sûr, dans des situations politiques, si vous dites la vérité, cela peut blesser certains. Un de ses collègues a dit une fois à mon père qu'il avait le chic pour dire la vérité qui fait mal. La vérité fait mal à certains. Et quand les gens sont malheureux, souvent ils deviennent violents, cela dépend de leur personnalité. Certains, quand ils ressentent de la peine, analysent la source de cette peine, ils l'appréhendent d'une façon rationnelle, intelligente. Tandis que d'autres se répandent en invectives et frappent n'importe qui, sans se soucier que la peine ait été causée par eux-mêmes ou par les autres.

AC : On compare souvent votre combat en Birmanie au mouvement mené par Nelson Mandela contre l'apartheid en Afrique du Sud. En quoi la lutte en Afrique du Sud a-t-elle influencé vos propres idées et valeurs ? Nelson Mandela lui-même vous a-t-il personnellement influencée dans votre approche de la politique et votre vision de la démocratie ?

ASSK : L'Afrique du Sud et Nelson Mandela ne sont pas les seules influences de ma vision du combat démocratique en Birmanie. Bien sûr, nous pensons à l'Afrique du Sud parce que c'est l'exemple le plus immédiat d'une nation qui a totalement tourné le dos à un système manifestement injuste. Cela ne veut pas dire que tout se passe en douceur en Afrique du Sud et que personne n'ait jamais pensé que cela arriverait. Tout le monde savait que l'Afrique du Sud, même sous un gouvernement démocratique, mixte, aurait à faire face à beaucoup de problèmes qui se sont multipliés sous un gouvernement d'apartheid depuis tant de décennies. L'exemple de l'Afrique du Sud montre que la raison peut surmonter le préjugé parce que tout le système d'apartheid est purement fondé sur le préjugé, sur le point de vue que les Noirs ne sont pas aussi humains que les Blancs. Il en va de même en Birmanie. Les sentiments de ceux qui s'opposent à la démocratie envers ceux qui la soutiennent relèvent du pur préjugé. Nous aimerions que la raison vienne à bout du préjugé. L'injustice d'un système qui permet que des gens d'une couleur dominent ceux d'une autre couleur n'est pas pire que l'injustice d'un système qui permet que des gens d'une organisation dominent le reste du pays. Elles sont analogues, et pour cette raison nous voulons observer la situation en Afrique du Sud.

Mais il y a aussi de nombreuses différences. Dans ses propres rangs, le gouvernement sud-africain blanc pratiquait la démocratie. Il n'était pas comme le régime militaire. Son attitude envers les Noirs était totalement négative et injuste mais, en son sein, il respectait le processus démocratique. Lisez Helen Sulzman, et vous constaterez que, même si elle s'opposait au régime, elle disposait pleinement des droits d'un membre élu du Parlement. Donc il y avait un respect du système parlementaire.

D'un autre côté, l'attitude des Blancs envers les Noirs reposait sur la conviction de leur supériorité. Les Blancs – pas tous, remarquez, mais un grand nombre d'entre eux – étaient vraiment convaincus qu'ils étaient génétiquement supérieurs aux Noirs, et cela ne pouvait pas être éradiqué ou nivelé par l'éducation, la formation ou l'environnement. Je ne pense pas que ce soit l'attitude des militaires en Birmanie, même s'ils tentent d'affirmer qu'ils sont supérieurs en patriotisme. Mais parfois on se dit qu'ils protestent un peu trop, et on se dit qu'en réalité ce ne sont que des mots.

AC : Je sais que vous avez une haute estime pour Vaclav Havel, le président de la République tchèque. Puis-je vous demander à quel point il vous a influencée comme dirigeante ?

ASSK : J'ai lu ses écrits, cela va sans dire. Il m'a influencée indirectement, en ce sens que c'est ce qu'il a écrit sur la situation en Tchécoslovaquie qui m'a influencée. Et puis, bien entendu, des choses comme le «pouvoir des sans-pouvoir», etc. Mais ce qui m'a le plus impressionnée à propos de la Tchécoslovaquie a été l'honnêteté intellectuelle que les vrais opposants ont conservée. Ils préféraient être plombiers, employés à l'entretien des routes, balayeurs, maçons, plutôt que de compromettre leur intégrité intellectuelle en rejoignant l'Université ou le gouvernement. Ils ont placé l'intégrité intellectuelle bien au-dessus du confort matériel. Cela m'a énormément inspirée, et je pense que c'est un merveilleux exemple de ce que l'on peut accomplir quand on essaie de conserver son intégrité spirituelle et intellectuelle.

AC : L'infâme « 1996, année du tourisme au Myanmar » du Slorc représente un projet majeur pour les généraux. Recommandez-vous aux éventuels voyageurs et touristes de s'abstenir de venir dans votre pays ?

ASSK : Non, nous ne faisons rien de tel. Ce que nous demandons, c'est un boycottage de cette opération, qui commence au début de novembre 1996, et continue, je crois, jusqu'à la fin d'avril 1997, considéré comme le sommet de la saison touristique. Nous appelons à ce boycottage avant tout comme à une manifestation de solidarité avec le mouvement démocratique en Birmanie. Nous ne souhaitons pas que les touristes ne viennent plus en Birmanie, et en tout cas nous n'avons rien contre les étrangers. Mais les gens du Slorc utilisent ce «1996, année du tourisme au Myanmar» comme une arme de propagande pour montrer qu'ils ont pu obtenir ce qu'ils voulaient, même si ce n'est pas vrai. En s'abstenant de venir en Birmanie durant cette «année du tourisme au Myanmar» les touristes montreraient qu'ils comprennent qu'un grand nombre d'équipements, des routes, des hôtels et des spectacles touristiques ont été réalisés aux dépens du peuple birman. Le peuple birman a beaucoup souffert. Vous le savez, les gens ont été forcés de participer à la construction de routes et de ponts, ils ont été déplacés de force de leurs maisons, des villages entiers ont été détruits pour dégager des lieux destinés aux touristes. Nous aimerions donc que les éventuels visiteurs montrent qu'ils ne vont pas acheter leur plaisir aux dépens du peuple.

AC : De nouveaux hôtels surgissent dans tout Rangoon et dans d'autres parties du pays. Des touristes vont venir, nul ne sait combien, mais ils vont venir. Quels conseils pouvez-vous leur donner, en particulier à ceux qui pourraient se montrer sensibles à votre appel?

ASSK : Tout d'abord ils doivent se demander pourquoi ils viennent. Il n'est pas possible de donner des conseils à tout le monde. Je ne sais pas pourquoi les gens viennent. Certains viennent en voyages organisés, simplement parce qu'ils veulent rapporter des photographies et dire qu'ils y sont allés – le syndrome du «j'y-suis-allé». Et d'autres viennent parce qu'ils s'intéressent de façon authentique à la culture du pays. Quels conseils donnerais-je aux touristes qui viennent en Birmanie? Je dirais : «S'il vous plaît, posez-vous des questions.

Pourquoi voulez-vous venir dans ce pays ? Pensez-vous qu'en venant vous faites du bien au pays ? Ou est-ce simplement pour satisfaire une vanité ou une curiosité en vous ? »

AC : Peut-être beaucoup de vos lecteurs voudront-ils savoir comment ils peuvent vous aider, vous et votre peuple, à atteindre la démocratie. Que peut-on faire ?

ASSK : C'est comme l'apartheid en Afrique du Sud. Si seulement un petit nombre de gens dans le monde avaient refusé d'acheter des produits africains provenant d'Afrique du Sud, cela n'aurait eu aucun effet. Mais beaucoup, énormément de gens, ont refusé d'acheter quoi que ce soit venant d'Afrique du Sud. En fait, je n'ai jamais rien acheté venant d'Afrique du Sud à cause de l'apartheid. J'étais de ceux qui estimaient que moralement nous ne pouvions soutenir ce que faisait le gouvernement sud-africain.

Ceux qui veulent aider la Birmanie à atteindre la démocratie peuvent faire beaucoup de choses, par exemple refuser de soutenir les affaires qui servent à renflouer un système injuste en Birmanie.

AC : Donc n'importe qui dans le monde qui tient compte de la liberté...

ASSK : Peut faire un petit peu. Chacun peut faire un peu s'il est vraiment intéressé. Tout le monde en Birmanie, et en dehors de la Birmanie.

AC : Les étrangers qui sympathisent avec votre mouvement peuvent-ils vous assister financièrement, vous et la NLD, dans vos efforts ?

ASSK : Non. Les réglementations en vigueur ne nous permettent pas d'accepter des dons de sources étrangères et nous sommes très attentifs à ne pas le faire. Nous sommes très stricts sur ce point.

AC : Avez-vous pu recevoir l'argent du prix Nobel de la paix ?

ASSK : Je n'ai jamais accepté cet argent ni aucun autre prix à titre personnel. J'ai employé ces fonds à ouvrir une Fondation birmane pour l'éducation et ils sont conservés à l'étranger. Nous l'utilisons pour aider dans leur éducation de jeunes Birmans qui se trouvent en Thaïlande, et ainsi de suite. Les étrangers qui aimeraient aider la Birmanie et ne peuvent pas le faire directement pourraient contribuer à cette fondation et nous serions très reconnaissants.

AC : Faut-il davantage de souffrance pour que la lutte de votre peuple pour la liberté et la démocratie soit entendue à un niveau universel ?

ASSK : Je ne pense que l'on puisse répondre aisément à cette question. C'est différent d'un pays à l'autre. N'oublions pas qu'il a fallu des années avant que le monde commence à s'intéresser à Nelson Mandela, et c'est arrivé non seulement parce qu'il était emprisonné depuis longtemps, mais aussi parce que le monde lui-même s'est intéressé davantage à des problèmes comme les droits de l'homme. Je pense qu'avec le développement de la technologie des communications, les gens s'intéressent plus à ce qui se passe dans d'autres parties du monde. Je pense aussi que cela reflète en quelque sorte l'intérêt humain. Les Noirs d'Afrique du Sud étaient terriblement opprimés depuis beaucoup plus que vingt-cinq ans, et cela ne semblait pas frapper l'humanité autant que le fait qu'une seule personne, Nelson Mandela, ait été emprisonné depuis vingt-cinq ans. Il n'était pas le seul, non plus, remarquez. Il y en avait d'autres. Mais c'est la nature humaine. Les gens aiment pouvoir s'identifier aux autres. Et beaucoup ont pu s'identifier à Nelson Mandela en tant que mari et père.

Mais à cette époque il était, je pense, un grand-père qui avait été totalement éloigné de sa famille et qui était prêt à supporter ces vingt-cinq ans d'emprisonnement au nom de ses principes. Cela touchait énormément les gens.

AC : Une question en trois points : un, quelle confiance avez-vous dans l'accession de la Birmanie à la démocratie ? Deux, quels sont les facteurs essentiels nécessaires pour que l'objectif soit atteint ? Et trois, peut-on selon vous proposer un calendrier concernant l'accession à la démocratie ?

ASSK : Je peux répondre d'abord à la dernière question. Non, je ne crois pas qu'il faille essayer de prédire quand. Et je pense aussi qu'il est dangereux de tenter de prédire ces événements alors qu'on ne peut jamais dire. A la première question, je répondrais oui, j'ai la conviction que nous atteindrons la démocratie. Et à la deuxième, ce qui est nécessaire c'est que les gens comprennent qu'ils ne sont pas impuissants. Ils doivent apprendre le pouvoir des sans-pouvoir. Ils peuvent faire beaucoup pour obtenir ce qu'ils veulent. Ils ne doivent pas se voir impuissants et totalement aux mains des autorités constituées.

AC : Plusieurs mois ont passé depuis votre libération. Comment pouvez-vous évaluer la lutte à cette étape ?

ASSK : Les membres de notre parti sont de plus en plus actifs et ils commencent à se remettre au travail. Comme vous le savez, nous avons formé un comité d'assistance juridique, offrant à nos membres et à nos partisans une aide concrète et leur montrant que nous avons des moyens de nous défendre et de défendre nos droits. Nous ne disons pas seulement : «Vous pouvez défendre vos droits», mais effectivement : «Vous pouvez défendre vos droits de telle manière. Nous viendrons et nous les défendrons pour vous dans le respect des lois existantes. Vous pouvez dire à ceux qui tentent de vous arrêter au mépris de la loi qu'ils n'ont pas le droit de vous arrêter parce que vous n'avez enfreint aucune des lois existantes.» Je pense que cela doit se faire par la démonstration concrète. Certains ont tellement peur qu'ils n'osent pas prendre l'aide qui leur est offerte, mais d'autres l'acceptent, ce qui encourage les hésitants.

Nous utilisons des moyens concrets. Nous ne nous contentons pas d'aller voir les gens et de leur dire : allons, faites quelque chose pour vous. Nous agissons. Ils voient que nous défendons les nôtres – nous envoyons nos avocats pour les défendre. Nous avons mis sur pied un comité d'assistance juridique et nous travaillons. Alors ils commencent à croire à la réalité de nos actions.

Nous allons multiplier nos projets concrets afin d'aider les familles de prisonniers politiques. Il ne s'agit pas seulement de leur donner de l'argent. Nous voulons les aider à se prendre en charge. Notre décision de tenir une conférence de nos députés élus pour le sixième anniversaire des élections de 1990 a été un indice du progrès réalisé dans la réorganisation et la réunification de la NLD. Beaucoup de gens le savent, cette décision a eu des répercussions considérables qui ont démontré la force du soutien populaire en faveur de la NLD.

AC : La guerre froide est terminée, mais nous voilà avec une planète pleine de problèmes : les bombes nucléaires et les déchets nucléaires, la pollution de toutes sortes, la surpopulation, la surconsommation, le réchauffement de la terre et le déboisement. Comment voyez-vous l'avenir de la planète et avez-vous espoir dans la survie de l'espèce humaine ?

ASSK : Oui, j'ai de l'espoir parce que je travaille. Je fais ce que je peux pour essayer de faire du monde un endroit meilleur, donc j'ai naturellement espoir. Evidemment, ceux qui ne font rien pour améliorer le monde n'ont pas d'espoir. Pourquoi en auraient-ils ? Ils ne font rien pour l'améliorer en aucune manière. Mais je pense qu'il y a énormément de gens qui travaillent vraiment dur pour améliorer la situation. Je ne fais pas allusion aux politiciens ni aux dirigeants de mouvements sociaux ou religieux. Je veux parler des gens ordinaires qui ressentent ce qu'on pourrait appeler aujourd'hui un sens démodé du devoir envers la société dans laquelle ils vivent, même si ce n'est que leur rue ou leur immeuble. Et ceux qui agissent pour provoquer des changements concrets sont toujours plus puissants que ceux qui ne font rien et laissent les choses suivre leur cours.

AC : J'aimerais lire les quelques dernières lignes de votre essai, *Towards a True Refuge* : «... l'obscurité avait toujours été là mais la lumière était nouvelle.» Parce qu'elle est nouvelle, elle doit être entretenue avec soin et diligence. Même la plus petite lueur ne peut être éteinte par toute l'obscurité du monde parce que l'obscurité est simplement l'absence de lumière. Mais une petite lueur ne peut dissiper des étendues de ténèbres qui nous entourent. Elle a besoin de se renforcer, et les gens doivent accoutumer leurs yeux à la lumière pour y voir une bénédiction et non en souffrir. Nous avons tellement besoin d'un monde plus lumineux qui puisse offrir un refuge approprié à tous ses habitants.» Que signifie cette lumière ?

ASSK : La lumière signifie que vous voyez beaucoup de choses que vous ne voulez pas voir, autant que de choses que vous voulez voir. S'il y a de la lumière, évidemment vous voyez tout, et vous devez regarder en face beaucoup de choses qui sont indésirables autant que désirables. Vous devez apprendre à vivre et à supporter la lumière, et voir plutôt que ne pas voir. Beaucoup de gens qui commettent des injustices ne voient pas ce qu'ils ne veulent pas voir. Ils sont aveugles à l'injustice de leurs propres actes. Ils voient seulement ce qui donne une justification à ce qu'ils ont fait, refusant de voir ce qui donne une mauvaise image d'eux-mêmes. C'est l'histoire du Slorc…, ne pas oser regarder en face le tableau complet, que les gens en ont assez de la situation, qu'ils sont fatigués de la pauvreté, de la corruption, de l'absence de projet et de la stupidité. Mais les autorités ne veulent pas voir la vérité.

AC : Dans l'hypothèse où vous seriez de nouveau arrêtée et détenue au secret, puis-je vous inviter à parler à ceux d'entre nous dans le monde qui désirent vous soutenir, vous et les aspirations de votre peuple à la démocratie et à la liberté.

ASSK : C'est très simple. Vous ne devez pas oublier que le peuple birman veut la démocratie. Quoi que puissent affirmer les autorités, c'est un fait que les gens veulent la démocratie et qu'ils ne veulent pas d'un régime autoritaire qui les prive de leurs droits humains fondamentaux. Le monde doit faire tout ce qui est possible pour amener le genre de système politique que veut la majorité du peuple birman et pour lequel tant de gens se sont sacrifiés.

Il faut aider la Birmanie au moment où l'aide est nécessaire. Et un jour nous espérons être nous-mêmes en position d'aider les autres s'ils en ont besoin.

U Kyi Maung

Vice-président de la Ligue nationale pour la démocratie

Alan Clements : Comment avez-vous rencontré Aung San Suu Kyi pour la première fois ?

U Kyi Maung : Par hasard, chez un ami commun, ici à Rangoon. C'était en 1986. Mais je dois vous dire qu'il ne s'est absolument rien passé. Nous n'avons parlé que quelques minutes et l'impression qui m'en est restée est celle d'une jeune fille très timide, très réservée, très comme il faut, qui ne s'intéressait pas à la conversation frivole ou au commérage. En fait, j'ai trouvé étrange de ne pas l'avoir vue rire ce jour-là, peut-être était-ce qu'elle ne voulait pas communiquer avec des étrangers *(rire)*. En tout cas, elle ne m'a pas du tout impressionné, excepté par son apparente jeunesse. Elle devait avoir alors dans les quarante-deux ans et elle en faisait dix-sept.

AC : Et puis ?

UKM : Environ un an plus tard, mon ami U Htwe Myint est venu me voir. Il est maintenant en prison mais à cette époque c'était un proche collaborateur de Suu. «Aung San Suu Kyi caresse l'idée de s'engager dans la politique. Elle veut savoir si vous souhaitez vous entretenir avec elle»,

273

m'a-t-il dit. Je lui ai répliqué que cela ne m'intéressait pas du tout. Vraiment pas. Je n'avais aucune envie de me lancer dans la politique. Il est revenu deux fois à la charge et deux fois je lui donné la même réponse. Donc l'affaire s'est arrêtée là.

AC : Etait-ce parce vous engager de nouveau en politique signifiait un retour quasi certain en prison ?

UKM : Non, pas du tout. Sous un régime totalitaire, que vous soyez dans la politique importe peu, la possibilité d'arrestation existe toujours. Ce sont, si vous voulez, les risques du métier. Il n'y a pas de loi ici. Quand les autorités n'ont rien à se mettre sous la dent, ils s'offrent n'importe qui. Je ne me décide donc pas en fonction d'une éventuelle nouvelle arrestation. Je m'en fiche pas mal. Je fonctionne sur l'hypothèse que je pourrais me faire pincer à tout moment. C'est la vie avec le Slorc. Cependant, je me vis toujours en homme libre. Je suis allé en prison quatre fois pour un total d'environ onze ans et je ne considère pas cela comme un problème spécial qui mérite que j'y gaspille mon énergie.

AC : Avez-vous été surpris que Daw Suu ait envie de plonger dans le chaudron de la vie politique birmane ?

UKM : Elle avait beaucoup d'atouts. Elle était la fille de *Boygoke* Aung San – un guerrier-homme d'Etat, comme elle a pu le dire – notre héros national. Par ailleurs, elle était citoyenne birmane. Si entrer en politique la tentait, soit, c'était son droit. Mais j'ai été surpris qu'elle s'intéressât à moi. Nous étions totalement étrangers. Je ne la connaissais pas et je ne savais pas non plus de quoi elle était capable. Mais un an plus tard, à la fin de juillet 1988, j'ai été jeté en prison pour la troisième fois. J'ai été arrêté avec neuf autres personnes et détenu vingt-huit jours à cause de ma longue association avec Aung Gyi, un vétéran de la politique qui avait écrit une

longue lettre à Ne Win, notre dictateur à demeure, demandant au vieux de se retirer. Une heure ou deux après ma libération, U Htwe Myint est venu de nouveau chez moi : «Aung
San Suu Kyi aimerait vous rencontrer.» Eh bien, me suis-je
dit, allons un peu voir ce qu'a en tête cette dame, c'est le
moment, une révolution se prépare. Je suis donc allé la voir.
La réunion s'est résumée à ceci : «Suu, ai-je dit, si vous êtes
prête à entrer dans la vie politique birmane et à tenir la distance, vous devez vous montrer tolérante et vous préparer au
pire.» Elle a écouté attentivement.

AC : Pourquoi Daw Suu s'intéressait-elle à vous ?

UKM : J'étais un vieux récidiviste *(rire)* et de plus de vingt
ans son aîné. Plus tard j'ai appris qu'elle observait les gens,
cherchant un peu partout des personnes de confiance – des
candidats pour la lutte. Elle est née avec la révolution dans le
sang mais elle avait besoin de toute l'aide possible pour parvenir au but. A partir de ce moment, nous avons commencé
à nous rencontrer fréquemment, jusqu'au moment où, plus
tard dans l'année, nous avons tous formé la Ligue nationale
pour la démocratie. C'est une version concise des faits. Bien
sûr, il y a de nombreux détails historiques, intrigues et fausses
accusations, etc. Mais je ne vous ennuierai pas avec cela. Tout
a été écrit, de toute façon.

AC : Daw Suu vous a-t-elle fait confiance parce que vous
étiez un vétéran de la voix de l'opposition ?

UKM : Elle me respectait et je pense qu'elle m'aimait
bien. Elle était convaincue qu'on pouvait compter sur moi.
On m'a confié la tâche de rédiger le manifeste de la NLD, ce
que j'ai fait, et après sa présentation au parti, il a été accepté.
En outre, Suu me faisait confiance dans la mesure où elle me
savait raisonnable et capable de parler raisonnablement.

Quelles que pussent être ses pensées, impressions et attitudes, elle pouvait les jauger à l'étalon des miennes. En d'autres termes, c'était une bonne relation de travail.

La conception que nous avions de la formation de la NLD était simple. Le système de parti unique créait un vide massif en Birmanie : nous ne faisions que combler le vide. Après un remaniement initial, U Tin Oo est devenu notre président, Suu notre secrétaire générale et j'ai pris en charge la recherche. Mais quand U Tin Oo et Suu ont été arrêtés le 20 juillet 1989, je suis devenu le porte-parole de la NLD, m'occupant de la presse, des journalistes étrangers, ce genre de choses. Rien de bien particulier.

AC : Il est curieux que vous entre tous n'ayez pas été emprisonné en même temps qu'Aung San Suu Kyi et U Tin Oo. Vous étiez l'homme qui exposait les vues de la NLD au monde, la voix de la lutte en Birmanie.

UKM : Eh bien, ils ont commis une erreur. Ils ont sous-estimé ma capacité à les embêter. Puis je suis devenu le président *de facto* de la NLD, jusqu'à la tenue des élections, le 27 mai 1990. Le 6 septembre 1990, on me ramenait en prison.

AC : Mais comment avez-vous réussi à éviter la prison pendant presque quatorze mois après l'arrestation d'Aung San Suu Kyi et de U Tin Oo ?

UKM : Voyez-vous, quoique constamment suivi et harcelé, je ne faisais aucun discours violent. Je ne haranguais pas les gens ouvertement. Par nature je ne n'aime pas me mettre en avant, vous savez. Je suis très heureux de vivre dans l'anonymat. Je ne cesse de me répéter que je ne suis personne. C'est peut-être mon atout, peut-être le seul *(rire)*…

AC : Il y en a certainement d'autres. Vous semblez dépourvu d'ambition politique…

UKM : Oui, je suis prêt à quitter la vie politique à tout moment – sur-le-champ. Si un membre de mon parti n'est pas satisfait de mon travail, je suis prêt à laisser tomber sans condition. J'ai dit à mes collègues : «Regardez, c'est un jeu et nous y participons. Jouons-le sans trop d'ego – sans absurdité. Si ma décision vous déplaît – si elle ne vous satisfait pas –, si vous voulez que je m'en aille, eh bien, je quitterai la Ligue. Je suis prêt à vous laisser tout cela.» Je pense que mes collègues en sont convaincus. Et puisque ma maison est à quelques minutes de marche de celle de Suu, je rentrerai à pied chez moi sans faire d'histoires. Je considère cela comme un avantage. Ça facilite les choses. Vous restez sain d'esprit et heureux. Vous donnez le meilleur de vous-même et voilà. Ça suffit.

AC : Une question simple : pourquoi le Slorc a-t-il tenu ses élections pluripartites libres et impartiales pour l'établissement d'une nation démocratique alors qu'en fait, dès la publication des résultats, ils ont emprisonné la majorité des députés élus, torturé certains à mort, forcé les autres au silence… ?

UKM : Ils pensaient qu'ils allaient gagner.

AC : C'est incroyable. Le Slorc venait de massacrer des milliers de gens qui manifestaient à mains nues pour la démocratie, et de créer un «état de terreur» en recourant à des moyens tels que la torture institutionnalisée, et vous dites qu'ils pensaient vraiment gagner.

UKM : Le Slorc a pensé qu'en tant que parti, nous étions brisés. Ils sont allés jusqu'à dire : «Maintenant que la tête est coupée, les membres ne servent plus à rien.» Vous pouvez en déduire à quel genre de gens nous avons affaire.

AC : Ils ont fait un mauvais calcul? Se peut-il que la

véritable intention du Slorc ait été d'écarter de la société tous les gens ayant une certaine popularité et une capacité politique et d'éliminer une fois pour toutes le dispositif démocratique ? Se peut-il que Ne Win lui-même ait concocté toute cette affaire de démocratie pluripartite comme une ruse diabolique pour renforcer sa dictature ? Pour reprendre une image que vous avez employée, non seulement décapiter le mouvement démocratique, mais le démembrer morceau par morceau ?

UKM : Eh bien, ils ont été choqués et furieux lorsqu'ils se sont rendu compte qu'ils avaient même perdu sur leur propre terrain – dans toutes les zones militaires. Ils étaient absolument sûrs que les leurs au moins voteraient pour eux. On nous a dit que les renseignements militaires du Slorc avaient procédé à une enquête secète pour déterminer les intentions de vote, et ils n'ont pas compris, jusqu'à ce que ce fût trop tard, que la majorité des gens allaient voter pour la NLD. Ils ont été vraiment choqués que les résultats soient aussi contraires à leurs prévisions.

AC : Il y a quelque chose de tortueux dans toute cette affaire...

UKM : Votre hypothèse est assez crédible, mais j'ai entendu dire que des membre haut placés de l'ex-BSPP ont vraiment craqué en apprenant les résultats. Dans certains endroits ils avaient déjà préparé banquets et cérémonies tant ils étaient certains de gagner. Et la nuit où les bulletins ont été comptés, plusieurs familles de hauts dignitaires ont pleuré ouvertement, terrifiées par la perspective d'une vengeance.

AC : Oui, mais on dit de Ne Win qu'il ne dévoile ses plans qu'à peu de membres de son entourage. En tout cas, avec les résultats des élections et l'emprisonnement des députés élus, vous avez dû considérer que vos heures étaient comptées.

UKM : J'étais prêt à tout parce que le MI me suivait partout. Mais je n'ai jamais considéré que c'était à eux de me donner ou de me refuser la liberté. Je fais mon travail en sachant cela, toujours.

AC : Le 7 septembre 1990, ils sont venus vous arrêter…

UKM : Il était plus de minuit. Ils viennent toujours me chercher après minuit. Ils sont arrivés à la grille et ils ont crié comme des fous pour qu'on leur ouvre. Je me suis levé et habillé, certain que «maintenant c'était Insein». J'avais déjà passé pas mal de temps en prison, je suis ce qu'on pourrait appeler un vieux cheval de retour *(rire)*. Ma femme et moi avons regardé par la fenêtre et nous les avons vus sauter la barrière. Un peloton ou plus de soldats en armes avait entouré la maison. Un commandant des renseignements militaires m'a présenté un mandat d'arrestation. Jusque-là ils étaient tous très gentils mais après ils ont commencé à fouiller dans nos placards et dans nos tiroirs. Ils ont perquisitionné toute la maison, mis tout sens dessus dessous, comme au cinéma. Cela a pris un certain temps, je pense qu'ils cherchaient des armes et de l'héroïne, ou peut-être de la pornographie…

AC : Se sont-ils donné la peine d'un procès ?

UKM : Oh, bien sûr! C'est là que l'affaire commence. Tout le monde a été présenté au tribunal, accusé et condamné. Remarquez, ils ne font pas semblant. Ils prennent leur système non judiciaire très au sérieux. Ils m'ont fait défiler devant quelques huiles avec dix-sept autres, tous enchaînés les uns aux autres sauf moi, qui était rien de moins que menottes aux poignets. Dans le groupe se trouvaient des ingénieurs, des avocats, des artistes – le monde de la démocratie.

Alors un témoin superstar du Slorc s'est levé et a déclaré : « Nous avons perquisitionné le siège de la NLD et nous avons saisi ce document.» Ironiquement, c'était une petite brochure traitant des principes de négociation permettant d'atteindre un accord mutuel entre des adversaires. Ils ont fait défiler une foule de témoins – policiers et autres garde-chiourme du MI –, des types dignes de confiance, quoi. J'ai commencé à en avoir un peu assez et j'ai demandé au juge : « Me permettez-vous de leur faire subir un interrogatoire ? » Le juge n'a pas été le moins du monde amusé. Il m'a gratifié d'un grognement féroce comme si je lui avais craché dessus. Alors je me suis rassis en souriant. Il m'a demandé : « Etes-vous coupable ou non coupable ? » J'ai répondu : « Non coupable ». Un par un, nous avons plaidé « non coupable ». A chacun des accusés du premier rang, le juge du Slorc a donné dix ans, et sept à chacun des accusés qui se trouvaient derrière. Puis on m'a emmené vers ma cellule solitaire pour continuer la lutte de l'intérieur.

AC : On se demande comment ces individus dorment la nuit...

UKM : Oh! Laissez-moi vous raconter une courte histoire. Nous avons reçu ce matin chez Suu des visiteurs venus de l'Etat karen. Un notable karen nous a fait le récit de son incarcération. Au cours de son procès pour un délit inexistant, le juge l'a appelé près de lui et lui a dit : « Mon frère, vous n'avez rien fait. Vous êtes absolument innocent. Mais mes supérieurs m'ont donné l'ordre de vous condamner à sept ans. Cependant, je vais réduire votre peine à trois ans. » Le vieux Karen était ravi, surtout après avoir déjà attendu plus d'un an son non-procès. Il s'est dit qu'il ne lui restait à tirer que moins de deux ans. Mais, la sentence prononcée et tandis qu'il regagnait sa cellule, le juge est revenu vers lui et lui a dit : «Je regrette ce que j'ai fait. On vient de me démettre et de me condamner moi aussi. – Pourquoi?» a voulu savoir le notable. «Parce que je vous ai donné trois ans et non sept comme les autorités m'avaient ordonné de le faire.» En entendant cela Suu a demandé au notable : «Je vous en prie, pourriez-vous nous donner le nom de cet ex-juge? Il nous faut retrouver cet homme et nous occuper de lui. Nous devons le traiter comme une personne très spéciale.»

AC : Vous connaissez Aung San Suu Kyi mieux que personne. Comment la décririez-vous?

UKM : Un des grandes caractéristiques de Suu, c'est qu'elle est ce qu'elle paraît. Elle est authentique, elle ne joue jamais la comédie. Elle ne fait pas semblant. Elle dit ce qu'elle pense directement et franchement. Autre qualité merveilleuse de Suu, elle aime sincèrement les gens. Elle s'épanouit à leur contact. Elle les écoute, elle apprend et elle est patiente. Vous la voyez le week-end, regardez le rapport qu'elle a avec son auditoire. Ils sont sa famille. En outre, Suu est drôle. Elle a un abondant sens de l'humour. Quand nous sommes ensemble, par exemple en réunion, elle raconte toujours des blagues. Toujours. Nous le faisons tous. Il y a véritable un sentiment d'affection entre nous, nous formons tous une famille. Nous travaillons dans cette atmosphère.

Suu est toujours Suu, en privé ou en public. Mais il est certain qu'elle ne supporte pas les imbéciles. Vous l'avez vue au centre de maintes conférences de presse importantes. Si un journaliste lui pose une question grossière ou qui ne rime à rien, elle la lui fait ravaler immédiatement. Suu réagit à la sincérité et, que l'on soit intelligent ou faible d'esprit, cela n'a pas d'importance.

En outre, c'est une fanatique du devoir envers son pays. Regardez son emploi du temps. Elle commence à 8 heures ou 8 h 30 du matin et quelquefois il lui arrive de ne pas s'arrêter avant 7 heures du soir ou presque. Sa journée est une longue enquête. Des gens viennent de tout le pays pour la voir, appartenant à toutes les catégories sociales – agriculteurs, étudiants, ouvriers, conducteurs de pousse-pousse. Suu veut savoir ! Elle veut la vérité, les faits. Elle veut entendre ce que les gens ressentent, ce que sont leur vie quotidienne, leurs espoirs et leurs inquiétudes, leurs luttes, les cruautés, les comportements inhumains du Slorc. Nous savons tous que la politique concerne les gens, donc si l'on en tient compte, c'est vraiment simple – Suu fait d'eux sa priorité. Cependant, son dévouement touche au fanatisme, c'en devient presque un défaut, je crois. C'est une droguée du travail. J'ai une certaine influence sur elle à cet égard, donc je peux le lui dire et elle l'admet volontiers. Vous le savez, il y a un flot presque interminable de journalistes qui viennent la voir du monde entier. Et l'autre jour, au cours d'une conférence de presse, elle s'est trouvée sous les feux d'une masse de flashes aveuglants et de projecteurs brûlants, répondant à un barrage de questions posées toutes en même temps. Elle y répondait aussi vite qu'elles fusaient. J'ai eu pitié d'elle. Ça devenait un châtiment. Ça tenait de l'inquisition, pas de l'interview. A la fin de la séance, je lui ai dit que je ne laisserais plus jamais ce genre de chose se reproduire. Voyez-vous, Suu est comme ma fille. Je ne me suis pas arrogé ce rôle. Elle a une haute considération pour mon épouse et pour moi, et nous estimons cela un honneur.

AC : La façon dont vous prenez soin d'elle est vraiment touchante...

UKM : Suu a besoin de toute l'aide possible. Par exemple, quand elle était en résidence surveillée, elle ne recevait pas de provisions des autorités. Elle a vendu beaucoup de ses meubles uniquement pour survivre. A certains moments nous avons appris qu'elle avait à peine de quoi manger, qu'elle était si faible qu'elle pouvait à peine marcher ou sortir du lit. Elle perdait ses cheveux. Mais elle refuse d'en parler – ce n'est pas son genre. Et je respecte cela – nous respectons tous sa façon d'affronter les épreuves.

Quand elle a été libérée, elle n'avait reçu aucun soin. Aucun. Nous avons trouvé un médecin à qui nous pouvions faire confiance. D'autres l'ont aidée aussi. Bref, Suu a besoin de beaucoup d'aide.

AC : Depuis sept ans maintenant le Slorc critique et calomnie Aung San Suu Kyi de toutes les manières imaginables. Ils lui reprochent régulièrement de ne pas comprendre son peuple parce qu'elle a vécu plus de vingt ans à l'étranger et d'être mariée à un citoyen britannique...

UKM : C'est vraiment stupide. Non, c'est carrément pathétique. Les critiques du Slorc contre Suu reposent sur cinq motivations, et tout dépend du degré de peur et d'insécurité qu'ils ressentent un matin particulier : c'est la jalousie, l'envie, la colère, la cupidité, la stupidité infantile. En langage Slorc elles sont connues comme les cinq préceptes moraux du Bouddha. Suu est intelligente et parle brillamment sa langue maternelle, le birman. Elle a étudié la littérature et la poésie birmanes classiques. Quand ses ennemis lui reprochent d'être une citoyenne absente ou une profiteuse, je suis désolé pour eux. Evidemment, elle s'est absentée de Birmanie pendant une longue période, mais regardez les gens qui étaient ici pendant toutes ces années de décadence sous la dictature. Qu'ont-ils fait pour leur pays ? Ils devraient vraiment se poser la question. Clairement, les années que Suu a passées à l'étranger ont été un grand bonus pour elle et pour son pays. Ç'a été sa période d'éducation. Vivre, apprendre et absorber la démocratie. Absorber la liberté, pour ainsi dire, la faire couler dans ses veines. Elle a eu la rare et merveilleuse occasion de servir aux Nations unies sous un des grands hommes d'Etat birmans, le secrétaire général U Thant. Elle a vécu dans tant de cultures différentes – Amérique, Angleterre, Népal, Bhoutan, Inde, Japon ; elle connaît la diversité. L'absence de Suu de Birmanie n'a pas été une absence du tout. Elle l'a mûrie, préparée à devenir une adulte, une femme, pour qu'elle puisse revenir et servir son peuple, l'aider à s'aider lui-même à affronter la mortelle cruauté de l'autoritarisme. C'est du moins ainsi que je vois les choses. J'essaie peut-être d'interpréter son destin. Mais la situation parle d'elle-même. Même ceux qui la critiquent sont sidérés par la manière dont elle s'exprime sans que les gens soient dépassés par ce qu'elle dit. Elle m'a beaucoup appris dans ce domaine. Suu s'exprime d'une manière pragmatique, dans un langage quotidien. Je l'ai vue parler à des agriculteurs dans le delta, à des conducteurs de pousse-pousse, à des ouvriers, aux gens ordinaires – et ils tombent amoureux d'elle. Suu se fait toujours des amis. C'est son esprit, son pouvoir – elle aime les gens.

Elle ne joue pas non plus le rôle d'une sainte *(rire)*. Suu n'a rien d'une sainte. Elle admet de bon cœur qu'enfant elle avait peur du noir et des fantômes, et qu'elle n'a pas un courage exceptionnel, que seul le sens du devoir la conduit. « Même si vous connaissez la peur, dit-elle, vous devez l'affronter, la surmonter, et faire votre travail. » Le message de Suu est simple et elle le répète sans cesse. Quant au fait que Suu a épousé un étranger, c'est un homme charmant.

AC : Le 16 juillet 1989, le Slorc a annoncé des mesures visant à l'arrestation des opposants politiques et permettant aux tribunaux militaires de prononcer à leur encontre des condamnations allant de trois ans de travaux forcés à la prison à vie, voire à la peine capitale. Le 20 juillet, Aung San Suu Kyi était arrêtée...

UKM : Nous nous attendions tous à l'arrestation de Suu, elle y compris. Vers 6 h 30 au matin, des troupes en armes ont cerné sa résidence. A mon arrivée, j'ai vu ce spectacle étrange... tous ces soldats immobiles comme des robots, fusils pointés sur la maison. Bizarrement, l'officier en charge m'a laissé entrer à l'intérieur où se trouvaient réunis tous les membres du Comité exécutif de la LND, à l'exception de U Tin Oo dont le domicile était aussi cerné par l'armée. J'ai pensé un moment qu'ils allaient nous arrêter tous. Mais, aucunement intimidés, nous avons continué notre travail, déjeuné rapidement et beaucoup plaisanté.

AC : Votre description évoque une atmosphère de fête plutôt qu'un état de siège !

UKM : Nous avons tout de même pris un certain nombre de décisions pratiques concernant le Comité et les événements à venir. Certes, la situation était désagréable mais elle était inévitable et nous l'avons acceptée. Ce n'était pas aussi tragique et aussi grave que beaucoup l'imaginent. Bref, nous n'avons pas versé dans le mélodrame.

AC : Aung San Suu Kyi n'avait jamais été emprisonnée. Vous qui aviez tant d'expérience dans ce domaine, lui avez-vous donné des conseils, expliqué comment supporter la prison, en particulier le régime cellulaire ?

UKM : Franchement, nous avons beaucoup discuté de l'arrestation de Suu. Je pensais qu'on la conduirait à Insein – je n'avais pas pensé à la résidence surveillée. Mais je ne me souviens pas que nous ayons évoqué les moyens de supporter la vie carcérale. Il vous faut comprendre que Suu est très déterminée, capable d'affronter n'importe quelles circonstances. Oui, nous savions que les soldats allaient entrer d'un moment à l'autre, mais n'oubliez pas que nous étions entourés de soldats depuis des mois.

AC : Comment s'est passée l'arrestation elle-même ?

UKM : Curieusement les soldats n'ont pas pénétré dans la maison avant 4 heures ou 4 h 30 de l'après-midi. Ils sont restés dix heures plantés comme des statues. Peut-être ont-ils attendu si longtemps parce qu'ils savaient qu'à l'intérieur se trouvaient une vingtaine de jeunes militants de la LND qui assuraient la sécurité de Suu. Et comme nous croyons qu'une éducation non-violente est l'arme la plus efficace contre l'igorance et la répression, nos jeunes gens ont, tout au long de la journée, gratifié les soldats de chants démocratiques et de discours de Su sur le courage et la dignité humaine diffusés à plein haut-parleur. Le genre de choses dont les troupes raffolent! Quant celles-ci ont finalement envahi la résidence, qui servait aussi de quartier général à la LND, elles ont mis Suu en état d'arrestation puis procédé à la confiscation de tout notre équipement : machines à écrire, appareils photo, caméras, magnétophones, registres, et les dossiers contenant les noms, adresses et photo de tous nos membres. Cela s'est déroulé alors que le Slorc faisait campagne pour des élections pluralistes, libres et démocratiques. Jugez de l'absurdité...

AC : Vous avez été la dernière personne à voir Daw Suu le jour de son arrestation, et la première qu'elle ait demandé à voir dès sa libération. Cela a dû être un moment assez particulier de retrouver votre amie si chère après une si longue séparation. La lutte reprenait ?

UKM : Vous savez, elle ne s'est jamais arrêtée. Certes oui, nous étions heureux que Suu fût libre. C'était le lundi 10 juillet 1995. Il y a à la grille de Suu, depuis des années, un agent de la sécurité du Slorc. Ce type est venu chez moi cet après-midi-là. Mes deux chiens se sont mis à aboyer. J'étais dans mon bureau et je lisais un vieux livre en lambeaux relatant l'effondrement d'un quelconque régime fasciste quand mon épouse est entrée calmement et m'a dit : « Il y a un agent des renseignements à la porte. » Nous nous sommes regardés, incertains, en silence. J'ai posé mon livre, je suis allé à la porte et j'ai dit : « De quoi s'agit-il ? – Daw Aung San Suu Kyi veut vous voir », m'a-t-il répondu, le visage impassible. J'ai pensé immédiatement qu'il lui était arrivé quelque chose. « Elle est gravement malade ? – Non, elle n'est pas malade. » Il a refusé d'en dire davantage. L'idée d'une libération ne m'avait pas effleurée. « Etes-vous là pour me déposer quelque part ? – Non, a-t-il répliqué. Prenez votre voiture. » C'est alors que j'ai su qu'il ne s'agissait pas d'une nouvelle arrestation. Puis il a ajouté : « Daw Aung San Suu Kyi aimerait aussi voir votre épouse. »

Nous sommes arrivés vers 5 heures de l'après-midi. Les gardes du Slorc nous ont fait entrer, et Suu, sur le seuil de la porte, a eu ce mot d'esprit : « Oncle, il vous en a fallu du temps, six ans, pour parcourir un kilomètre et demi ? » Ce n'est qu'alors que nous avons compris que Suu était vraiment libre, qu'elle avait été libérée. Nous sommes entrés tous les trois. Nous avons échangé nos histoires, comblant les vides en quelque sorte. Suu était indemne, intacte, l'esprit aussi libre qu'un oiseau. Je n'en avais jamais douté et la revoir au bout de six ans n'a fait que confirmer ce que j'avais senti instinctivement. Nous avons ri et plaisanté de toute cette absurdité. Je sais d'expérience que la prison n'a jamais affaibli mon esprit, au contraire, elle a renforcé ma détermination. Même chose pour Suu. Ses convictions avaient toujours été fortes, mais jamais autant que ce jour-là. C'était Suu au cœur libre, à la volonté de fer et à l'esprit vif comme l'éclair.

Nous étions sur le point de partir quand U Tin Oo est arrivé avec son épouse. La soirée s'est animée. La nouvelle s'était répandue comme traînée de poudre. U Tin Oo a annoncé que devant la grille de Suu se trouvait une nuée de photographes et de journalistes. Puis U Aung Shwe, le président de la NLD, est arrivé. La fête gagnait en dynamisme, nous avions les larmes aux yeux de tant rire. Vers 9 heures du soir la grille d'entrée était totalement prise d'assaut par les journalistes et les photographes étrangers. Le point sur lequel je voudrais insister est que la lutte n'avait jamais cessé pour aucun de nous. Elle n'était pas non plus en sommeil. Nous avions tous eu beaucoup de temps pour réfléchir pendant notre détention et maintenant que nous étions tous de nouveau unis, l'énergie commune était plus forte que jamais. Il était temps de nous remettre aux détails pratiques du travail. Une fête se terminait, une autre allait commencer.

AC : Comment conserve-t-on sa liberté en prison sans succomber à la colère, à l'amertume et aux idées de revanche ?

UKM : La liberté en un sens signifie l'absence d'entraves qui vous restreignent physiquement et mentalement. Une personne jetée en prison ressent immédiatement l'impact d'un sentiment de perte. Un sentiment aux origines diverses : la perte de contact avec la famille et les amis ; la fin de la vie à laquelle on est accoutumé, le refus d'accès aux livres et à la radio ; le fait d'être aux prises avec des difficultés pour effectuer de simples tâches, la liste est longue…

J'ai connu la prison pour la première fois à la fin de mai 1965. Au troisième jour de mon incarcération j'ai surmonté le sentiment de perte en un éclair et de façon presque inattendue. C'était comme si quelqu'un me conseillait de ne plus penser à rien du tout.

Plus tard, pour guider ma conduite durant les onze ans que j'ai passés à la prison d'Insein, j'ai usé largement de cette idée, en me répétant : « Dans ton état d'isolement actuel, tu es privé de toutes les informations pouvant servir de prémisses à une réflexion te permettant de tirer des conclusions appropriées. Donc, si tu es décidé à te gâcher la vie, continue à réfléchir à n'importe quoi. » Depuis je crois avoir pu m'arranger pour vivre avec un certain succès sur une voie débarrassée d'une colère et d'une frustration excessive.

AC : Je sais que les arrestations arbitraires sont courantes en Birmanie. Puis-je vous demander ce que vous pensez de cette tactique du Slorc ?

UKM : Les arrestations arbitraires sont des mesures mesquines et irresponsables destinées à écraser l'opposition politique, et par conséquent déplorables. Ces arrestations sont mortelles pour les organisations politiques œuvrant pour un changement démocratique. Dans un Etat de parti unique comme celui auquel nous sommes accoutumés dans notre pays depuis plus de trois décennies, les arrestations de militants politiques dans la capitale provoquent des ricochets dans tout le pays. Dans les villes de province, des petits agents super-zélés de la sécurité peuvent prendre l'initiative des arrestations, même sans instructions spécifiques du quartier général. Les familles de militants politiques sont durement touchées parce que, le plus souvent, elles perdent leur principal gagne-pain. Des sentences terriblement sévères imposées par des tribunaux surréalistes ont été la norme durant toute cette période. Le traitement infligé aux prisonniers politiques depuis le début du régime du Slorc se distingue par son extrême brutalité.

AC : La foule qui assiste à vos séances publiques du week-end augmente nettement d'une semaine à l'autre. Vous attendez-vous parfois à ce que des soldats du Slorc en armes avancent sur la foule et arrêtent tout le monde au cours d'une vaste opération de répression ?

UKM : Il faut prendre en considération plusieurs choses. D'une part, la réconciliation pourrait intervenir à tout moment. Ils ont une raison d'autoriser ces allocutions de week-end. Laquelle ? Nous ne pouvons que formuler des hypothèses. Suu, Tin Oo et moi – tous les membres de la NLD –, nous espérons réellement, nous voulons vraiment croire qu'il y a là une ouverture. L'autorisation de la poursuite de nos conférences indique peut-être une intention sincère de leur part. Dans ce cas, c'est un début. Peut-être tirent-ils une leçon de nos propos. Peut-être sentent-ils le *metta* chez les gens, et ont-ils envie que ce *metta* soit dirigé vers eux plutôt qu'arraché aux gens par la force ou la contrainte. Cela pourrait signifier que ce *metta* engendré dans le peuple a un effet sur eux. Le *metta* fait cela, vous savez. Peut-être les ouvre-t-il à une nouvelle manière de traiter les gens, à les voir comme des êtres humains qu'on doit honorer et servir plutôt qu'opprimer et voler. Peut-être sont-ils émus par le courage du peuple. Un peuple qui non seulement est prêt à les braver mais qui est prêt aussi à leur pardonner et n'attend que cela. Tout est possible.

D'autre part, nous souhaitons pouvoir fournir des conditions décentes aux gens qui viennent écouter. Actuellement ils sont forcés de s'asseoir soit sur des journaux ou des sacs en plastique, soit directement sur l'asphalte sale. Il fait une chaleur étouffante, il n'y a pas d'ombre, ou bien il pleut à verse. Nous savons le risque que ces gens prennent. C'est désagréable pour nous. Les troupes pourraient intervenir à tout moment, bloquer les côtés et dire : «Que personne ne bouge.» Mais les gens suivent leur conscience. Ils se sont engagés pour la liberté. C'est spécial, vraiment spécial. Appelez cela la dignité en action. Le courage de vivre dans la liberté sans attendre qu'elle soit donnée. Donc je ne m'inquiète pas. Je ne m'inquiète pas non plus pour le peuple. Nous sommes là-dedans ensemble.

Maintenant un jour, bientôt, je ne sais pas – on ne sait jamais, n'est-ce pas? –, peut-être serai-je incapable de faire un pas dehors. Je serai infirme et faible d'esprit. Alors je m'allongerai sur mon lit et je mourrai. Je n'ai aucune illusion sur ma valeur, vous savez. Un autre plus jeune et plus fort me remplacera. J'encourage cela. Mais à présent cette tâche est mon devoir, personne ne me l'impose. Moi aussi je suis ma conscience. Tant que l'on aura besoin de moi je serai debout et je parlerai. Je n'ai absolument aucune crainte ni inquiétude, aucune.

Enfin, je vais répondre à votre question. Je crois qu'à ce stade le Slorc ne veut pas arrêter les foules du week-end. Ils savent leur image internationale en jeu et cet acte intolérable serait sûrement contre-productif. Tous les journalistes étrangers armés de leurs caméras vidéo seraient ravis de mitrailler les soldats du Slorc pour la postérité. On verrait alors le triste spectacle dans le monde entier, sur CNN et la BBC. Cela prouverait amplement à quel genre d'individus nous avons affaire.

AC : D'ici quelques mois, il pourrait y avoir dix mille personnes à vos allocutions. Comment à votre avis le Slorc réagira-t-il ?

UKM : Nous avons appris que les autorités étaient assez troublées par notre « happy hour ». Certains parmi elles doivent cependant l'apprécier ou bien nous n'y aurions pas droit. Mais voyez-vous, ils veulent que nous nous comportions comme les sujets des monarques et des rois birmans d'autrefois, que nous nous prosternions comme des grenouilles. Voilà leur mentalité. Il se peut qu'ils voient en nous des mendiants qui défient leur trône tout-puissant de supériorité, et qu'ils croient que nous sommes des « objets » dont ils peuvent user et abuser à leur gré. Ils ne peuvent pas supporter le fait que nous soyons heureux – ceux d'entre nous qui constituons le noyau de la NLD. Mais il ne dépend que d'eux de se joindre à la fête, si j'ose dire.

AC : A quel point la liberté d'expression est-elle réprimée dans la Birmanie d'aujourd'hui ?

UKM : Vous pouvez répondre vous-même. Je suggère que vous mettiez mes propos à l'épreuve, si vous en avez le courage. Allez en ville dans un salon de thé, montez sur une caisse, prononcez quelques mots sur la démocratie et attendez de voir ce qui se passera. A peine le mot « justice » sorti de votre bouche, vous serez attrapé et expulsé par le premier avion. Et pour un Birman, ce sera un aller simple direction Insein. C'est pourquoi je dis que la résidence de Suu est la seule zone libérée en Birmanie. De là nous lançons toutes sortes de propos. Nous plaisantons sur le Slorc et nous leur expliquons combien tout le monde serait plus heureux, y compris eux, s'ils acceptaient de parler avec nous. Suu disait à la foule le week-end dernier : «Un jour si vous repensez à cette longue période de lutte et de peur, quand vous évoquerez la situation – vous et nous réunis dans ce lieu, vous derrière les barbelés, et nous le nez par-dessus la grille –, vous rirez de l'absurdité de tout cela. Oui, c'est vraiment malcommode, pourtant un jour... ce jour pourrait arriver – ce jour doit arriver. C'est un privilège que les dissidents du monde entier ont eu jusqu'à présent. Quand ils repensent à leur courage dans la lutte, ils se sentent pleins d'allégresse. Et vous aussi, vous tous éprouverez ce sentiment un jour. L'heure est proche, elle vient.»

AC : Mais pourquoi les autorités autorisent-elles ces rassemblements du week-end, bien qu'elles les aient officiellement interdits ?

UKM : Appelez cela comme vous voulez – concession ou manœuvre tactique –, nous sommes convaincus que cette action n'est pas dépourvue d'aspects positifs pour le Slorc. Prenons-en quelques-uns. Les rassemblements du week-end se sont peu à peu transformés en attraction touristique. C'est bon pour «1996 année du tourisme au Myanmar». D'autre part, cela pourrait bien permettre d'adoucir la perception que les gens ont du Slorc, que les médias occidentaux ont présenté comme un régime brutal et répressif. Qui plus est, le Slorc profite des lettres écrites à Suu par ses partisans parce qu'elles contiennent les griefs faits actuellement au Slorc. Et enfin, ces conférences permettent au Slorc d'évaluer en permanence l'état d'esprit des dirigeants de la NLD qu'ils considèrent comme leurs adversaires.

AC : Et les bénéfices pour la NLD ?

UKM : Eh bien, vu sous notre angle, ces séances

hebdomadaires offrent aux dirigeants de la NLD l'occasion de dispenser leurs vues sur la situation politique actuelle à leurs partisans, avec qui la communication par les moyens de l'écrit est impossible [les droits d'imprimer ayant été refusés à la NLD depuis juillet 1990]. Dans les conditions présentes, ce lieu est le seul dans le pays où des dissidents peuvent conseiller, s'entretenir, exprimer, échanger et propager leurs idées avec un certain degré d'impunité. On ne peut pas omettre un troisième facteur dans cette affaire. Je veux dire par là la foule qui, au mépris du Slorc, se rassemble régulièrement à la grille de Suu pour écouter ses discours. La police et les détachements de la sécurité fouillent régulièrement les maisons la nuit pour vérifier la «liste des visiteurs du soir[1]». Les inspecteurs de la sécurité demandent alors aux gens de se tenir à l'écart des conférences de week-end pour s'éviter d'éventuels problèmes. Une demi-douzaine de photographes [du Slorc] prennent dans l'assemblée des photos à des fins d'identification. Pourtant, les gens ne se laissent pas intimider et ils viennent chaque semaine plus nombreux.

AC : Etes-vous religieux ?

UKM : Il m'est difficile de répondre à cette question. Je vis selon quelques préceptes enseignés par le Bouddha. Je ne vous les énumérerai pas afin de ne pas vous embrouiller les idées. Disons que, quels qu'ils soient, ces préceptes m'ont permis de faire mon chemin.

Par exemple, vous étiez surpris que nous ayons tant ri le jour de l'arrestation de Suu ou encore lors d'épisodes sinistres que je vous ai relatés. Quel est le problème ? S'il y en

---

1. Si quelqu'un passe la nuit hors de chez lui, la loi exige que le cas soit rapporté au bureau de l'Ordre public local tôt le matin, sinon l'hôte risque d'être recherché ou même emprisonné.

a un, on pourrait expliquer que le narrateur n'a pas de regret du tout pour ce qui est arrivé dans le passé. Le «je» et le «moi» du passé sont morts et disparus. Du même coup, le narrateur du présent n'est pas inquiet de ce qui pourrait arriver au «lui» du futur. En fait, «il» n'est pas du tout conscient d'un statut quelconque. Je m'efforce de vivre une vie de complète conscience d'instant en instant et de rendre le meilleur service que je peux à tous les êtres vivants sans discrimination et avec un esprit détaché. La religion sert-elle la politique ? Je ne table sur rien. J'essaie seulement de faire de mon mieux.

AC : Vous suivez les enseignements du Bouddha, c'est-à-dire la voie du non-attachement. Puis-je vous demander en quoi cela influence votre direction de la lutte populaire pour les libertés démocratiques ?

UKM : Promenez-vous en voiture dans les rues de la ville et vous allez forcément tomber aux croisements sur de grands panneaux rouges, sur lesquels sont écrits des slogans reflétant les idées actuelles des autorités. Ces panneaux d'affichage sont représentatifs des forces auxquelles nous avons affaire. Quelqu'un a écrit une fois que «les plus aimables des hommes devaient surveiller leurs propos». Ça, nous y faisons attention.

Le Bouddha nous a enseigné notamment de sortir de nous-même et de voir notre propre stupidité – aussi souvent que nous le pouvons. Nous considérons les enseignements du Bouddha comme une boussole intérieure pour nous garder sur la bonne trajectoire. Des actions adaptées à l'humeur du moment et sans rapport à la stratégie d'ensemble pourraient se révéler désastreuses.

AC : Avant votre renvoi de l'armée birmane vous étiez un commandant respecté. Vous avez combattu, vous avez fait face aux balles et je soupçonne que vous avez tué des gens – l'ennemi. En tant que bouddhiste, pouvez-vous tuer avec l'amour au cœur ?

UKM : Oui, j'ai tué des hommes à la guerre – l'ennemi. Mais avec l'amour au cœur ? Vous ne pouvez pas mentir sincèrement, n'est-ce pas ? Alors non, je n'appellerais pas cela amour au vrai sens du terme. Je m'explique : je ne combattais pas par haine pour l'ennemi qui tentait de nous écraser. C'était un combat honnête. J'avais un boulot à faire et je le faisais.

AC : En tant que dirigeant de la lutte pour la démocratie, inciteriez-vous à la lutte armée contre le Slorc si vous aviez des armes ?

UKM : Non. Je ne crois pas dans la lutte armée pour provoquer un changement politique.

AC : Vous vous êtes battu contre le fascisme dans les années quarante, pourquoi ne pas le combattre en 1996 ?

UKM : Comprenez-moi bien. La seule raison pour laquelle j'ai rejoint l'armée était la lutte d'indépendance. Voilà. Si cette guerre n'était pas survenue en Birmanie j'aurais été plus que content de poursuivre ce qui m'intéressait réellement, la musique et le théâtre. J'aime les arts. Mais, voyez-vous, nous étions des gamins. Comme des feuilles gisant sur le bord de la route, quand le vent puissant de la révolution est venu, nous avons été balayés. Mon engagement dans l'armée s'est fait par accident et non à dessein. Nous n'avions d'autre choix que lutter pour l'indépendance. Vous n'hésitez pas sur de tels choix... vous y allez. Mais si on m'avait donné le choix, je n'aurais jamais opté pour les armes. Voilà, me suis-je disculpé ?

AC : Pas vraiment. J'essaie seulement de comprendre votre opinion sur l'activisme non violent, vous qui êtes un des principaux dirigeants du combat pour la liberté.

UKM : Cette histoire de non-violence, je ne la condamne pas, mais je ne suis pas un Gandhi. Si j'estimais la force nécessaire, je l'utiliserais sans hésiter, si c'était le seul moyen à ma disposition.

J'ai été entraîné au combat et, si quelqu'un tentait de vous malmener, je ne me sauverais pas la queue entre les jambes, en tournant le dos à vos cris. C'est de la lâcheté. C'est ignoble. Pas plus que je ne me mettrais à méditer, persuadé que mon *metta* pourrait résoudre le problème. Je ne suis pas un saint. J'essaierais de vous défendre. Je n'aime pas l'usage de la force, mais je ne vous dirai jamais que je m'en abstiendrais complètement. D'ailleurs Gandhi disait la même chose.

AC : La lutte pour la démocratie dans votre pays réussira-t-elle sans un soutien renforcé de la part des Etats-Unis et de l'Europe?

UKM : Nous ne comptons pas sur l'appui extérieur uniquement. C'est un mouvement populaire. C'est notre objectif et notre force.

AC : Donc ce n'est qu'une question de patience et de persévérance non violente?

UKM : Oui, de patience. Nous n'avons pas besoin de nous emballer. S'ils m'emprisonnent de nouveau, bien – j'irai en prison. Je suis aussi libre en prison que je le suis chez moi. Mais me renvoyer en prison ne résoudrait rien.

Un autre problème est qu'ils [le Slorc] pensent qu'ils ne peuvent pas parler avec Suu en tête à tête. Mais un balayeur de rue peut parler avec Suu en tête à tête. Pourquoi doutent-ils qu'un grand général puisse placer son mot? Il se peut que je me berce d'illusions, mais je ne suis pas inquiet. Les problèmes auxquels ils [le Slorc] sont confrontés sont d'une telle ampleur qu'à moins de coopérer avec nous, ils ne pourront s'assurer la coopération de la population entière.

AC : Je me souviens d'une histoire que raconte saint Augustin et que j'ai lue je ne sais où. Alexandre le Grand attrapa un pirate et lui demanda : «Comment oses-tu brutaliser la mer?» Le pirate rétorqua : «Comment oses-tu brutaliser le monde entier? J'ai un petit bateau, alors on me traite de voleur et de pirate. Tu as une flotte, alors on te nomme empereur.»

Ici en Birmanie, le Slorc va encore plus loin dans la perversion. Ils assujettissent tout le pays et pour cela ils se désignent eux-mêmes chefs magnanimes et défenseurs de la justice. Pendant que vous, la NLD, menez une «révolution de l'esprit» non violente, et êtes étiquetés comme «subversifs», en fait terroristes politiques.

Le Slorc a passé des accords avec les rebelles armés de Birmanie, et plus récemment avec Khun Sa, le plus notoire baron de l'héroïne au monde, mais, ironie, le Slorc ne veut pas parler avec la NLD. Peut-être pourriez-vous clarifier ces prétendus «cessez-le-feu» une bonne fois pour toutes?

UKM : En premier lieu, il faut appeler ces quinze groupes rebelles par leur vrai nom. Ce sont des minorités ethniques qui ont pris les armes contre le Slorc. Ces gens – hommes, femmes et enfants – sont des citoyens de Birmanie. Ce sont des êtres humains. C'est le premier point.

Deuxièmement, ces cessez-le-feu ne mettent absolument pas fin aux problèmes ethniques en Birmanie. A mon avis, ils ne sont rien de plus qu'une formule. Prenez un exemple, celui du peuple wa de l'Etat chan, dans la région du Triangle d'or. Le cessez-le-feu n'est rien de plus qu'un délai pour leur permettre de se regrouper et même d'enrôler une plus grande partie de leur population. Dans les villages was chaque foyer doit fournir un individu de sexe masculin pour suivre l'entraînement militaire.

Cela s'applique aussi aux Kachins. Cela s'applique à chacun des quinze groupes. Ils ont gardé leurs armes et ce qui est appelé cessez-le-feu n'est qu'une période de regroupement. Ces cessez-le-feu ne peuvent donc garantir la paix à long terme.

Et il y a un autre problème. Régulièrement le Slorc annonce une période de blanchiment de l'argent. Ils font même de la publicité dans leur journal : les espèces non déclarées sont échangées au taux de 75 % – on ne pose pas de questions. Donc il ne faut pas une grande imagination pour comprendre pourquoi la production d'héroïne a augmenté radicalement en Birmanie depuis que le Slorc a pris le pouvoir. En voilà la preuve évidente, concrète. Et l'argent sale va naturellement tout droit dans l'immobilier. Une partie des meilleurs terrains à Rangoon et à Mandalay ont été achetés grâce à l'argent sale. On construit des demeures avec piscines et dans certains cas elles restent vides. L'argent sale est investi dans le tourisme par l'intermédiaire de la construction d'hôtels. Il va à l'exploitation du jade, du saphir et du rubis.

AC : Quand on sait que George Orwell fut le chef de la police d'une grande ville de Birmanie dans les années vingt, il y a une certaine ironie à vous entendre dans vos interventions publiques le dimanche expliquer et décoder quelques concepts orwelliens de son livre, *1984.*, comme vous l'avez dit, «tous sous l'œil vigilant de Big Brother». Insinuez-vous que le *1984* d'Orwell était comparable au *1996* du Slorc ?

UKM : Mais oui, tous les éléments de *1984* se trouvent là en Birmanie aujourd'hui. Peut-être légèrement édulcorés, mais ils sont là. Le contrôle de la pensée est le rempart d'un régime totalitaire, même si ce n'est pas l'apanage de ce seul système. Il peut fonctionner même dans les sociétés démocratiques à des niveaux plus subtils mais également efficaces. La manipulation de l'esprit par la propagande et la désinformation est un sujet vaste et fascinant. Il est important pour nous tous de comprendre comment s'établit le contrôle ; le contrôle des masses par l'intermédiaire d'une «terminologie torturée» et de «concepts abstrus», employés par les gouvernements, les entreprises de relations publiques, les agences de publicité et la censure invisible. Le contrôle à travers les systèmes éducatifs et à l'intérieur des religions. Nous devons apprendre à questionner... apprendre les moyens de nous protéger nous-mêmes et apprendre à être vigilants en décelant la distorsion. Pour ne pas être emprisonné, en d'autres termes, par la propagande. Mais restons en Birmanie avec notre version Slorc de Big Brother.

AC : Comment Big Brother fonctionne-t-il en Birmanie et qui est ce Big Brother, le Slorc ?

UKM : Le Slorc est une clique de vingt et un généraux. Voilà. Avec une bande de subordonnés qui n'osent pas braver les huiles. Ces généraux contrôlent tous les aspects de la vie du pays. Le totalitarisme par sa fonction est Big Brother. Donc tous ces termes orwelliens, «contrôle de la pensée, lavage de cerveau, novelangue, le ministère de la Vérité, le ministère de l'Amour», tout cela existe avec des variantes dans tous les systèmes de contrôle. Ils ne sont pas aussi sophistiqués que les a dépeints Orwell mais néanmoins ils sont là, et pour la même raison – la négation de la vie !

AC : Comment le «Big Brother Slorc» impose-t-il sa volonté sur la dissidence politique ou même d'ailleurs sur les citoyens birmans ordinaires?

UKM : Les gens du Slorc ont montré à maintes reprises qu'ils utiliseraient tous les moyens dont ils disposent pour écraser la dissidence et même le soupçon de dissidence. Ils s'y prennent de diverses manières. Le harcèlement s'impose, semble-t-il, si on en juge par sa fréquence ; ils suppriment l'emploi de quelqu'un, confisquent sa terre et ses biens, ils fouettent en public, ils forcent jeunes et vieux à construire des routes, des ponts, des barrages, sans compensation. Ils enlèvent les gens en pleine nuit. Suu l'a dit avant son arrestation il y a sept ans, elle le dit maintenant, nous le répétons tous : «Rien n'a changé, que le monde sache que sous ce régime nous sommes prisonniers dans notre propre pays.»

AC : Cela signifie-t-il que le «Big Brother Slorc» est si maniaque, si rusé, si pervers, que pour une raison encore inconnue il vous autorise, Daw Suu, U Tin Oo et vous, à parler en public le week-end pour servir ses intérêts personnels d'une façon détournée? Ou sont-ils en train de s'ouvrir à une nouvelle manière d'être, d'accomplir un petit pas vers un sincère retour à une meilleure ligne de conduite?

UKM : Une nouvelle manière d'être? Sincérité? Ces concepts ne font pas encore partie du vocabulaire du Slorc, à moins qu'ils n'étudient nos discours. Hé oui, tout est possible. Tout pourrait arriver, même les dinosaures ont disparu. Leurs habitudes répressives sont tellement fossilisées que je doute sérieusement que leur pensée se dégèle ou qu'ils soient en route vers une authentique démocratie.

Quant à l'autorisation de nos interventions publiques, c'est encore un autre orwellianisme. Des hommes du MI se mêlent à la foule. Regardez ces Birmans qui filment les gens en vidéo rangée après rangée. Pourquoi ? Nous savons tous que Big Brother Slorc nous regardera tous de près dans l'heure qui suit. Et comme Suu critique fréquemment les tactiques répressives du Slorc portées à notre attention par des individus qui lui écrivent, certains de ses membres doivent utiliser ces informations pour avoir prise sur les autres dans leurs propres rangs. C'est la nature des régimes fondés sur la peur : personne n'est en sécurité, on ne peut faire confiance à personne... même s'il se trouve que vous êtes au sommet. Excepté Big Brother. Qui qu'il soit.

AC : Vaclav Havel a écrit sur les effets de la police secrète en Tchécoslovaquie. Il l'appelait «cette hideuse araignée dont les fils invisibles traversent toute la société... [créant] une peur sourde, existentielle, infiltrée dans toutes les fentes et fissures du quotidien... qui obligeait à réfléchir à deux fois à tout ce que l'on disait et faisait». Est-ce l'atmosphère générale créée par le MI du Slorc ?

UKM : Oui. Le clan de l'araignée nous surveille en ce moment même. Le MI est au coin de ma rue. Ils sont de l'autre côté de la grille, sur la grande route. Où que j'aille, ils me suivent. Ils ont des téléphones cellulaires et transmettent l'information instantanément à leur siège. Tout le pays est pris dans la toile. Et vous pouvez être sûr qu'ils vous ont suivi ici. Ils sont à votre hôtel. Ils ont probablement fouillé votre chambre et mis votre téléphone sur écoutes.

AC : Vous n'êtes pas le moins du monde inquiet de la «hideuse araignée» ?

UKM : Non. Pas du tout. Nous vaquons à nos occupations en nous rendant parfaitement compte que Big Brother nous surveille sans cesse. En fait, plus les gens du Slorc observent et écoutent, plus ils pourront avoir la conviction que nos intentions sont sincères. Après tout, notre lutte pour la démocratie ne les exclut pas, elle les inclut. Et tous ces renseignements du MI, eh bien, ils les utilisent pour alimenter leurs diffamations et leur Slorclangue.

AC : Je me force parfois, pour m'instruire, à regarder la télévision du Slorc et à lire leur journal. Quelle corvée! Et il se passe rarement un jour sans une demi-page de commentaire malveillant et diffamatoire sur Aung San Suu Kyi, U Tin Oo et vous-même. Mais qui lit cela? A qui s'adressent-ils? Est-ce que quelqu'un croit ce qu'ils publient? Vous arrive-t-il de lire le journal ou de regarder la télévision, peut-être sans autre raison que mieux connaître votre ennemi, mieux pénétrer la façon dont leurs cerveaux fonctionnent afin de vous rapprocher du dialogue et avec optimisme de la réconciliation?

UKM : Ecoutez, l'ironie c'est qu'ils n'en croient rien eux-mêmes. Ils savent que tout cela n'est qu'inepties. Nous le savons. Tout le pays le sait. Tout ce qu'ils disent et publient est de la foutaise. Cela ne vaut strictement rien. Même si vous essayez de lire, la plupart des balivernes qu'ils publient sont illisibles. Le style est tellement lourd et décousu, et les faits tellement dénaturés que vous parvenez à peine à situer le sujet. C'est comme essayer de regarder la télévision quand l'image n'est pas au point. C'est pourquoi je vous disais l'autre jour que nous avons dans ce pays une version boy-scout de Big Brother.

AC : Je crois savoir que vous êtes un auteur dramatique interdit par le régime. Ecrivez-vous toujours clandestinement?

UKM : Non, non, non... ce n'est pas exact. Je ne suis pas du tout un Vaclav Havel, si c'est ce que vous voulez dire. Il se trouve que j'aime le bon théâtre; une bonne histoire, en d'autres termes. Même si je pouvais écrire, à quoi bon, puisque si les autorités voyaient mon nom, mes écrits seraient immédiatement brûlés ou utilisés comme papier de toilette. Il n'y a absolument aucune chance que mon ouvrage soit publié. Aucune.

AC : Le Slorc ne tolère-t-il même pas le plus léger chuchotement de satire politique, disons, profondément enterré dans les niaiseries d'un article de magazine, ou caché page 911 dans le cauchemar d'un personnage de roman? Sont-ils aussi scrupuleux?

UKM : Tout ce qui est original, intelligent, tout ce qui donne à penser, tout ce qui incite à réfléchir est censuré par le Slorc. Presque tous les écrivains de notre organisation refusent d'écrire ou de créer, ou sont éliminés de la profession. Alors si l'un de nous publiait quelque chose, immédiatement les autorités découvriraient qui est l'auteur et l'excluraient. Ou bien l'auteur serait harcelé ou détenu. Pour tous nos artistes, musiciens, écrivains, acteurs, tous ceux qui appartiennent à notre camp – la NLD – c'est le rideau. Nous sommes exclus. D'immenses ressources d'intelligence et de talent créatif ont été exclues de la société. Excepté le spectacle de marionnettes que le Slorc organise, qui est une mauvaise comédie.

AC : Pourriez-vous donner quelques exemples de la façon dont la censure du Slorc s'exerce?

UKM : Récemment, une pièce de théâtre a été présentée lors soixante-quinzième Anniversaire du cinéma, ici à Rangoon. Un acteur est remonté sur la scène après le tomber de rideau et il a pointé un doigt dans la direction du chef du MI du Slorc [Khin Nyunt] en répétant le propos final que le héros qu'il incarnait avait prononcé au cours de la dernière scène : «Vous, monsieur, vous pensez que, parce que vous avez les fusils, vous êtes supérieur.» Quelque chose de cet ordre. Bien entendu, le chef du MI n'a pu supporter cette publicité gratuite et il a quitté l'assistance, furieux. Peu après l'acteur était exclu de la scène pour trois ans, ou peut-être était-ce cinq.

Et puis le Jour de l'Indépendance, nous avions organisé une fête pour les membres de la NLD dans la résidence de Suu. Vous étiez là. La pièce qui a été donnée était une satire politique brillamment exécutée, spirituelle et intelligente, sans le moindre propos indigne. En fait, les acteurs répétaient de vieilles plaisanteries – dont certaines avaient même servi dans des émissions de la télévision du Slorc. Eh bien, onze de ces acteurs et musiciens ont été arrêtés en rentrant chez eux à Mandalay. Tous sauf quatre ont été relâchés au bout de plusieurs semaines d'interrogatoire. Les deux acteurs principaux seront vraisemblablement condamnés et emprisonnés[1]. Voilà le prix de la liberté d'expression sous le Slorc. Mais voyez-vous, ces acteurs savaient à quoi s'en tenir. L'un avait été emprisonné quelques années auparavant et ils savaient que cela pouvait très bien se reproduire. Néanmoins, ils n'ont pas hésité à prononcer leur texte, et ils ont joué avec audace et courage.

Je vous donnerai un autre exemple. Un jeune musicien célèbre a produit récemment un enregistrement intitulé *Power 54,* ce qui faisait référence à sa cinquante-quatrième chanson enregistrée, ou quelque chose du genre. Il a présenté le morceau à la commission de censure du Slorc qui

---

1. Ils ont été tous les deux condamnés à sept ans de travaux forcés.

l'a approuvé. Il a connu immédiatement un large succès jusqu'au moment où le Slorc a pensé que 54 était une référence au numéro de la maison de Suu, le 54 University Avenue. Les autorités sont sorties de leurs gonds et ont retiré toutes les copies de tous les magasins du pays en quelques jours. Le Slorc a-t-il peur de Suu ?

Il arrive que quinze, vingt, ou même quarante pages ou davantage soient arrachées d'un magazine de cent pages. Les histoires sont nombreuses. Voyez-vous, cette commission de censure fonctionne depuis trois décennies ou plus. Les dictateurs avaient horreur de la liberté de pensée. Leur idée de la société était calquée sur des pays comme l'Allemagne de l'Est.

AC : Si un dialogue s'établit avec le Slorc, quel sera le premier thème de travail à l'ordre du jour ?

UKM : La première chose que nous voulons est écouter. Nous aimerions savoir ce qu'ils veulent. Je crois que, chaque fois que vous parlez avec votre ennemi, votre premier sentiment doit être de ne pas le détruire. C'est un accord mutuel, une réciprocité, un donnant, donnant. Ce ne peut être à sens unique. A mesure que vous faites progresser vos intérêts vous devez aussi faire progresser les intérêts de votre ennemi. La sincérité est la clef et la sincérité nécessite du courage. Pourquoi ? Parce que la sincérité exige une certaine ouverture d'esprit – un désir authentique d'écouter, de vouloir réfléchir sur des opinions opposées aux vôtres. Voyez-vous, je crois qu'en chacun, enfoui sous des couches d'orgueil et de peur, se trouve un cœur de bonté, c'est l'état naturel de l'humanité. Tout ce subterfuge égoïste – cupidité, arrogance, insécurité, racisme, domination, tout cela – obscurcit la sincérité intrinsèque du cœur humain.

En réalité, je ne vois pas le Slorc comme l'ennemi. Sans doute à un niveau de discours conventionnel, j'emploie le terme. J'utilise des mots forts pour décrire le dédain que m'inspire leur conduite. J'appelle un chat un chat. Nous parlons en adultes. Mais derrière tout cela ce sont des humains – ils se lavent, mangent et transpirent comme nous tous. De même, ils ont un cœur. Ils ont de la bonne volonté. C'est en eux, j'en suis sûr. Seulement nous en voulons davantage. Tellement plus que cela devienne l'expression prédominante de leur discours et de leurs actes.

Désormais ils affirment publiquement qu'ils travaillent sans arrêt dans l'intérêt du peuple entier et qu'ils sont animés d'intentions magnanimes. Eh bien, si c'est sincère, alors qu'ils nous le fassent comprendre. Si c'est réel, alors nous ferons de notre mieux pour saluer leur sincérité et la leur rendre. Dans cet esprit, je ne doute pas que nous puissions trouver une issue heureuse.

Nous ne voulons ni les blesser ni les humilier, s'ils veulent coopérer avec nous dans cet effort. Je dis : cessons de perdre du temps. Le peuple souffre.. Nous attendons l'invitation du Slorc mais nous ne pouvons pas l'écrire à sa place. Ils doivent montrer une bonne volonté authentique.

AC : Comment pensez-vous que la NLD et le Slorc pourraient commencer à travailler ensemble ?

UKM : Il serait important, en guise de premier pas, de confirmer les résultats des élections de mai 1990. Laissez-moi vous expliquer pourquoi. Les sentiments antidémocratiques de l'armée que l'on a vus pendant les manifestations de masse de 1988 et leurs conséquences se sont concentrés sur la Ligue nationale pour la démocratie. Leur intensité s'est accrue en proportion de la popularité de la NLD qui s'est exprimée quand le président de la NLD, U Tin Oo, et la secrétaire générale, Daw Aung San Suu Kyi, ont été arrêtés le 20 juillet 1989. Lorsque la NLD a obtenu 392 sièges électoraux sur le total des 452 sièges lors du scrutin du 27 mai 1990, le Slorc a promulgué un décret, connu sous le nom de Notification 1/90, destiné de toute évidence à éclipser et retarder le processus de démocratisation. Un prompt rejet de la Notification 1/90 par la direction de la NLD et son exigence que le Slorc convoque le premier Parlement en septembre 1990 a encore aggravé la situation.

La première semaine de septembre, le Slorc a décidé de lancer une grande campagne en vue d'anéantir la NLD. Des arrestations massives de militants de la NLD et de députés élus ont été menées dans tout le pays et des accusations diverses portées contre eux, aboutissant à des condamnations à de longues peines de prison. En même temps des directives nouvelles étaient données à la NLD visant à interdire le recrutement de nouveaux membres. Nous n'étions pas autorisés à remplacer les organisateurs qui avaient été radiés pour cause de décès ou d'invalidité. Et si une unité d'organisation était constituée de moins de cinq membres ce siège devait être fermé.

En janvier 1992, le Slorc s'est finalement lancé dans la tenue d'une Convention nationale sous sa direction et sous sa surveillance, imposant son propre ordre du jour et triant sur le volet les membres non élus dont la proportion par rapport aux députés élus formant la minorité était proche de 6 pour 1. La NLD a suivi le mouvement, insistant cependant de temps en temps sur ses objections à de multiples irrégularités dans la conduite de ladite Convention. La rupture s'est produite le 29 octobre 1995, quand le président du Comité

de convocation de la Convention nationale a décidé d'ignorer une requête importante du président de la NLD.

Je suis convaincu que tant de misère, de souffrance et
d'infortune imposé au peuple birman a pour origine le refus
des militaires de respecter la volonté populaire illustrée par
le résultat des élections de 1990. Le long rappel historique
que je viens de faire démontre le lien entre les excès qui se
sont développés à partir d'une seule source, à savoir la
conception erronée que les militaires ont de la démocratie.
Pour dénouer le problème, je suggère l'acceptation du résultat du scrutin du 27 mai 1990, que j'ai choisie comme premier point de mon ordre du jour.

AC : Les renseignements militaires observent chacun de
vos mouvements. La «hideuse araignée» dont parle Vaclav
Havel attend-elle de vous coincer à nouveau ? Vous inquié-
tez-vous d'une nouvelle arrestation ?

UKM : Vous ne semblez pas comprendre qu'aller en prison ne me préoccupe nullement. L'araignée, cette «vieille
hideuse araignée», et alors ? Sa toile est sale et poussiéreuse,
pleine des coquilles vides de ses victimes. Mais je n'ai pas
peur. Certes, une nouvelle arrestation est possible. A tout
moment du jour ou de la nuit. La Birmanie est sans loi. Sans
loi signifie sans droit. Sans justice. Tout est arbitraire. Le
sérieux de la situation est équilibré par son absurdité. Je me
défends par l'ironie et l'humour. Cette pauvre vieille araignée, malgré ses sales méthodes, est piégée dans sa propre
toile. Et je suis heureux qu'elle soit obligée de chasser.
Maintenant imaginez l'esprit d'un chasseur, pour qui chaque
bruit est suspect. Toujours en désaccord avec son environnement, il ne veut que conquérir et tuer. C'est un état d'esprit
très, très triste. C'est pathétique. Ces araignées du MI

stationnées près de mon domicile m'incitent simplement à prendre mon repas lentement. Je ne suis pas pressé. Ma liberté n'est pas demain, c'est aujourd'hui.

AC : Des accords et des règlements de paix ont lieu en Bosnie, au Moyen-Orient et peut-être en Irlande du Nord – des ennemis acharnés d'hier parlent, dans certains cas, après des décennies d'horreur et de carnage, même de génocide. Pourquoi pas en Birmanie ? Après tout, vous êtes tous birmans, vous êtes vraiment une famille. Qui plus est, le Slorc a en main une occasion magnifique, la plus précieuse occasion. J'emploie le mot en hésitant, mais ils peuvent se racheter, gagner le respect du monde entier et, plus important, gagner le respect qu'ils sollicitent si désespérément de leur propre peuple. Arafat, De Klerk, et même Kissinger ont eu le prix Nobel de la paix. Khin Nyunt sera-t-il le prochain ?

UKM : Bonne question. C'est exactement ce que nous voulons savoir. Pourquoi ? Pourquoi attendent-ils ? Pourquoi sont-ils si en colère contre nous ? Pourquoi attendre ? Qu'on nous le dise en face. On fera ce qu'il faudra. Mais Khin Nyunt lauréat du Nobel ! Enfin, de la manière dont vous le présentez, qui sait ?

AC : Mais vous devez bien avoir une idée de la raison pour laquelle ils attendent ?

UKM : Peut-être n'attendent-ils pas. J'ai dit aux nôtres ce matin qu'en réalité nous dialoguons déjà avec le Slorc. Je m'explique. Lisez les éditoriaux du Slorc à notre propos dans leur journal, *The New Light of Myanmar*. Ils nous parlent, non ? Et nous leur parlons dans nos discours du week-end à la grille du jardin de Suu. Le Slorc enregistre en vidéo les débats. Le seul ennui c'est que nous nous entretenons dos à dos *(rire)*.

Nous avons besoin que quelqu'un vienne les aider en disant :
«Allez, les gars, tournez la tête par là.» Mais nous avons bien
un dialogue. Ils nous traitent de clowns, de subversifs, et
accumulent les insultes. Ce n'est pas le moyen de nourrir les
gens affamés, ce n'est pas le moyen d'ouvrir les cellules des
prisonniers politiques, ce n'est pas le moyen d'honorer les
résultats des élections de 1990. Mais qui peut dire que ce
n'est pas un début ? C'est peut-être leur façon de s'ouvrir à
nous. Je n'ai pas leur tournure d'esprit. Ils sont tellement
imprévisibles ! Sauf en ce qui concerne leur politique de
répression. Celle-là, elle est cohérente.

AC : Permettez-moi de poser la question autrement. Vous
avez précisé que les méthodes désespérées du Slorc avaient
pour unique racine la peur de perdre le pouvoir. Qu'est-ce
que cela signifie en réalité ?

UKM : Je vais vous le dire. Ils sont dévorés par la peur. La
peur de représailles, la peur de la persécution, la peur de
perdre la face, la peur de perdre leurs biens, leurs maisons,
leurs voitures, leurs cortèges d'automobiles, tous ces privilèges – c'est la peur de perdre le pouvoir. Ces généraux
savent qu'ils ont mal agi. Ils peur pour leur sécurité, ils ont
peur pour leurs familles, pour leurs fils et pour leurs filles.
Mais je peux les rassurer. Ecoutez. Le passé est le passé. Ce
qui est fait est fait. Nous ne reviendrons pas sur ce sujet plus
qu'il n'est permis à la majorité du peuple.

Presque tout le monde sait que les deux anciens présidents
de la Corée du Sud font l'objet d'accusations et de procédures judiciaires. Presque tout le monde sait qu'en Afrique
du Sud Desmond Tutu dirige une commission Vérité et
Réconciliation. Certains ne pourront pas fuir leur responsabilité pour des actes commis voilà presque deux décennies.

Mais notre peuple birman est par nature compatissant et je pense que les gens leur pardonneront. Je le crois. Le pardon vaincra. Cela renforcera notre nation, cela ne l'affaiblira pas. Les généraux doivent le comprendre. Et s'ils veulent nous parler, nous sommes prêts !

AC : Voilà un message qui mériterait d'être répété lors de votre discours dimanche prochain.

UKM : Ces mots, nous les réservons pour nos discussions initiales. Voyez-vous, ils ne nous croient pas. Ils ne croient pas au pardon. Même si Suu avait une telle mentalité, je pourrais la corriger. « Eh bien, Suu, cela ne servira pas l'intérêt du peuple birman. » Mais ce n'est pas le cas. Nous ne fonctionnons pas sur une politique de revanche ou de vengeance. Nous voulons la vérité et la réconciliation, pas la tromperie ni la persécution. Le pardon sera le soubassement de la démocratie birmane. Mais chaque jour que perd le Slorc signifie un jour supplémentaire de souffrance pour beaucoup de gens. Si donc c'est la peur qui tenaille le Slorc, nous entendons l'apaiser. Nous voulons apaiser toute leur peur. Et nous ferons face à notre peuple pour lui expliquer la valeur de la compassion et du pardon. Mais je pense que cela viendra naturellement.

AC : Peut-être faudrait-il un médiateur adéquat pour amener le Slorc à la table de dialogue ; on pense à un homme tel que le président Carter. Ou peut-être une équipe de médiateurs mutuellement acceptée ; des gens des deux camps.

UKM : Je trouve l'idée excellente. Aidez-nous à obtenir du Slorc qu'il se tourne vers quelqu'un qui inspire réellement confiance aux deux camps. Si un étranger choisi par le Slorc pouvait servir de médiateur entre nous, ce serait une bénédiction.

AC : Pensez-vous que le Slorc serait ouvert à cette hypothèse ?

UKM : Non, pas en ce moment. Ils ne croient à l'impartialité de personne.

AC : Il y a des moyens d'y remédier. Ils ont peut-être besoin d'un encouragement, comme des prêts de la Banque mondiale ou du Fonds monétaire international, ou une aide des Etats-Unis ou de l'Union européenne…

UKM : Quiconque pourrait aider à pousser le Slorc à la table de conférence conviendrait. Nous leur donnerons notre garantie totale qu'ils pourront être injurieux, nous dire n'importe quoi, du moment qu'ils s'assiéront avec nous face à face. S'ils ont vraiment besoin de nous crier dessus, qu'ils le fassent, qu'ils hurlent s'ils en ont envie. Tant qu'ils ne nous maltraitent pas physiquement, ça va.

AC : A propos de mauvais traitements physiques, comment ces généraux peuvent-ils croire qu'ils resteront en liberté après ce qu'ils ont fait ?

UKM : Beaucoup de gens qui ont souffert, je veux dire vraiment souffert, beaucoup plus que moi… plus que U Tin Oo… plus que Suu, rient et plaisantent de leurs expériences comme nous. Vous avez l'air un peu choqué…

AC : En effet. Il est difficile de comprendre votre humour et vos rires face à tant de souffrance. J'ai parlé de ce sujet avec Daw Suu. Mais je commence à voir l'intérêt de retourner l'épreuve et la faire travailler en sa faveur. Autrement, comme l'a dit Vaclav Havel, «on a tendance à se pétrifier et à devenir la statue de soi-même». Une image très inconfortable. Mais revenons-en à vous…

UKM : Eh bien, c'est un bon point et en rapport avec ce que je disais. Si nous nourrissons de la haine envers nos oppresseurs, nous devenons instantanément cette statue, ce qui est le contraire de la compassion et du pardon. Alors, s'il le faut, j'irai dans les rues persuader les gens qui ont vraiment souffert. Je leur demanderai personnellement de faire preuve de pitié, de s'aligner sur notre façon de penser. Je parlerai de mes propres expériences – j'ai survécu à la prison, plusieurs fois, et je suis là. Cela va sans dire mais je le dirai. Il est certainement nécessaire de pleurer un peu. Pleurer est humain quand on a subi une perte. Beaucoup de gens en ont besoin. Mais ressasser tous les maux du Slorc et d'autres ne nous soulagera en rien. Je suis convaincu que la majorité des Birmans veulent la liberté, pas la vengeance.

AC : Mais quand la cruauté a été infligée à un peuple, une certaine forme de justice ne doit-elle pas prévaloir ? Qu'est-ce que la démocratie sans la règle de droit ?

UKM : C'est pourquoi Suu a dit, et nous sommes tous d'accord avec elle, que nous serions heureux si, de leur côté [du Slorc], des gens responsables disaient seulement oui, nous avons fait ceci et cela, nous sommes désolés, et nous veillerons à ce que d'autres appartenant à notre camp ne repètent pas de tels actes. Nous serions heureux d'entendre des propos de ce genre. Nous n'allons pas leur couper leur salaire ni les emprisonner. Voilà notre attitude.

AC : Envisagez-vous un rôle pour le Slorc dans une Birmanie démocratique ?

UKM : Ils ont besoin de réorientation. Ils n'ont aucune espèce d'éducation en matière de démocratie. Ces hommes se sont fait les dents en politique sous un régime totalitaire. Quel concept politique y a-t-il derrière cela ? Suivre le chef...

AC : J'aimerais vous poser une question personnelle. Vous vivez dans l'incertitude permanente, ne sachant jamais quand vous risquez d'être arrêté à tout moment du jour ou de la nuit. Comment ce «grand inconnu» affecte-t-il votre mariage ?

UKM : En fait, je suis heureux que vous me posiez cette question. Mon épouse est mon amie, ma meilleure amie, et de bien des façons. Elle aussi se consacre à la lutte. Ainsi nous sommes tous les deux constamment l'objet d'intimidation et de surveillance. J'en ai suffisamment dit sur le MI à l'extérieur de notre résidence. Ils nous suivent partout où nous allons. Tout cela nous affecte, mais ma femme semble s'y être habituée. Je l'ai entendue dire à des amis l'autre jour à propos de mon éventuelle réarrestation : «Dès que Suu nous a demandé d'aller la voir le jour de sa libération, nous avons su que nous pourrions être de nouveau arrêtés.» Elle est consciente de la situation. Mais, elle aussi, elle en plaisante. De petites choses comme : «Eh bien, tu sais, il manque dix ans à notre mariage», ou «Nous devons cesser de nous rencontrer de cette façon», ce qui est une référence à l'époque où elle venait me rendre visite en prison. Voilà la réalité de la Birmanie sous le contrôle du Slorc. La démocratie, le mariage et l'emprisonnement, tout cela va de pair. Je pense que pour nous tous dans la lutte notre idée du mariage s'est élargie pour inclure la séparation de la famille et des êtres chers comme des événements inévitables. Nous acceptons cela complètement. C'est un choix que nous avons fait.

AC : Si en fait vous étiez de nouveau arrêté, quel message aimeriez-vous laisser aux gens pour la poursuite de la lutte ?

UKM : Les générations à venir, je les encouragerais à mettre l'accent sur deux éléments très importants : acquérir une éducation, et s'enrichir d'un sens de l'histoire. Le savoir est essentiel. Ils doivent apprendre à connaître la Birmanie, notre histoire, notre peuple, notre monde, autant que le monde dans son ensemble. Cela les aidera à façonner leur vie, librement.

Comprendre l'histoire c'est saisir l'importance des corrélations ; où, pourquoi et comment, les causes, les conditions et les conséquences de la pensée et de l'action et en quoi elles influent sur le développement ou la mort de la civilisation – l'existence humaine d'un bout à l'autre. Le XXᵉ siècle nous a enseigné de grandes leçons dans tous les domaines de l'engagement humain. Il y a eu des avancées que l'humanité n'aurait jamais imaginées. Dans ce siècle nous avons vu la folie des idéologies, comme le fascisme et le communisme, qui sont incompatibles avec la créativité et l'épanouissement spirituel. Nous avons assisté à tous les types de guerre, de la violence urbaine aux guerres mondiales, nous sommes passés des fusils d'action rapide à la bombe nucléaire, des machines à écrire à l'espace cybernétique, une révolution a eu lieu dans la musique et la danse, tant de choses. Et dans tout cela, des hommes et des femmes d'honneur, qui ont eu une vision, ce remarquable don de voir notre avenir aujourd'hui. Des dons qui modifient notre pensée de l'avenir de la planète, de la survie de notre espèce. Tout s'enchaîne. J'aimerais encourager toutes les générations à examiner cela complètement. De là je crois que viendra l'épanouissement de la civilisation, et non sa mort prématurée – je l'espère.

AC : Comment encourageriez-vous spécifiquement la génération actuelle en Birmanie, ses enfants, et les enfants de ses enfants, si besoin est, à approfondir votre vision d'une société birmane libre et démocratique ?

UKM : Faites tout ce qui est humainement possible pour ne pas vivre dans la peur. Voilà.

AC : Comme il est possible que ce livre – vos propos – soit traduit dans la langue birmane et introduit dans une des nombreuses prisons de Birmanie, souhaitez-vous dire quelques mots aux nombreux prisonniers d'opinion ?

UKM : J'aimerais qu'ils se souviennent que l'effondrement de l'Union soviétique était imprévisible et qu'une fois la détérioration commencée, elle s'est poursuivie à la vitesse de l'éclair. Tant que nos forces démocratiques seront fortes et gagneront du terrain jour après jour, le peuple n'aura de cesse que la liberté soit assurée. Sachez-le bien.

AC : Quel souvenir aimeriez-vous laisser quand vous aurez quitté cette vie ?

UKM : Oh ! Je ne veux rien laisser derrière, rien du tout, aucun signe, ni pierre tombale, ni livres, rien – comme un oiseau s'envole en sortant de l'eau, sans laisser de trace. Je voudrais être brûlé. Je veux être enterré dans une tombe anonyme. Et je ne souhaite pas laisser de message pour vous ou pour qui que ce soit. Je vous assure, quand vous regardez votre vie, c'est ridicule, vraiment. Et construire un monument par-dessus des os est même encore plus ridicule. Je ne crois pas aux monuments. Regardez la quantité de cuivre qu'on a gaspillée pour les statues de Staline… *(rire)*.

AC : Vous semblez absolument immunisé contre l'intimidation du Slorc, et ne pas avoir peur d'être de nouveau arrêté ou emprisonné. Mais vous êtes humain. Est-ce que cela ne vous atteint pas parfois ?

UKM : Je m'en fiche pas mal. Ce qui compte pour moi et que je pratique souvent au cours de la journée, c'est être conscient. C'est tout. Etre conscient. Vous voyez, j'ai des morceaux de papier dans mes poches que j'emporte avec moi, des citations qui suscitent l'inspiration. Elles recentrent mon esprit sur ici et maintenant. C'est le plus important pour moi. Etre présent. Eveillé. Conscient. Parce que, vous savez, ma vie en prison n'était pas un lit de roses. Mais j'employais le temps à mon avantage. Je n'oublie jamais que ce que je vois maintenant – cette ligne vert pâle qui sillonne l'étang, ou l'ombre de l'arbre sur votre jambe – tout cela disparaît le temps que je tourne la tête de l'autre côté. C'est la simplicité de la vie. Juste l'ici et maintenant. Conscient que rien n'est permanent, et tout aussi vide qu'une ombre. Ce grillage de barbelés que vous voyez au fond du jardin de Suu, pourquoi s'en inquiéter malgré sa présence irritante ? C'est sans importance. La seule chose qui m'inquiète, c'est de pouvoir perdre cette faculté de conscience. J'y veille comme sur un trésor. Des choses passent… que j'ai vues. La vie est ce que vous en faites, maintenant. Rien de profond, rien de compliqué, voyez-vous. Donc mettons nos énergies dans la vie. Ainsi j'essaie de ne pas perdre ma perspective.

AC : Vous arrive-t-il de contempler votre propre mort ?

UKM : Oui… quand je me lève pour parler au peuple le dimanche, j'imagine parfois un projectile me perçant le cœur, le sang, et ma chute sur le sol. Mais je ne m'inquiète pas. Je ne suis pas inquiet du tout. Je m'en fiche. Si cela doit arriver, que cela arrive. Mais ce dont j'ai peur, c'est de devenir si faible que je choisirai l'issue la plus facile, rester au lit toute la journée à lire un livre relatant l'effondrement d'encore un autre régime totalitaire…

U TIN OO

Alan Clements : Jusqu'où remontent vos racines bouddhistes ?

U Tin Oo : A l'époque de ma naissance. Mes parents étaient des bouddhistes fervents et ils m'emmenaient très souvent au monastère du village. J'avais, je pense, environ huit ans quand le père supérieur m'a enseigné les fondements du bouddhisme. Et je me souviens encore qu'il mettait l'accent sur les quatre *viharas* brahmaniques – les qualités de bonté, compassion, joie bienveillante et sérénité. Ma vie a commencé dans le doux environnement du *dhamma*. Mais quelques années plus tard, à mon grand chagrin, mon père est mort. J'ai alors voulu devenir moine et ma mère m'en affectueusement donné la permission. Mais au bout de deux ans de noviciat, je suis retourné à l'école. Alors que j'étais en fin d'études secondaires, le général Aung San, le père de Daw Aung San Suu Kyi, a invité les jeunes à rejoindre son armée dans la lutte pour la Birmanie indépendante. Mes amis et moi étions pleins de ferveur patriotique. « La lutte pour l'indépendance, nous a dit Aung San, signifie que vous devez être animés d'une grande vision, vous rencontrerez de nombreux obstacles, vous devez même envisager la possibilité de mourir. Ce ne sera pas facile mais si vous êtes inspirés, donnons-nous la main et affrontons tout ce que nous devons affronter pour gagner notre liberté nationale.» Ses paroles faisaient sens, et j'ai donc expliqué à ma mère mon désir de m'engager. Elle a d'abord refusé en pleurant. Mais ensuite elle a accepté. Ses derniers mots furent : «Si tu t'engages pour combattre pour la liberté, alors combats vaillamment, sans peur.»

AC : Et la lutte continue cinquante ans après. Selon vous, quand pourrait-elle prendre fin?

UTO : Bientôt. Très bientôt, notre pays sera aussi légal que la *dhamma,* un lieu de paix et de justice où notre peuple jouira de ses libertés fondamentales. Mais comme à la pratique de la méditation, nous devons y travailler dur.

AC : En arrivant à votre résidence hier, j'ai remarqué la présence inquiétante de policiers du Slorc et d'agents du MI. Puis, quand votre épouse m'a accueilli à la grille, elle a déclaré que vous étiez «en haut en train de rassembler des médicaments et un tapis de couchage en prévision d'une nouvelle arrestation». Vous êtes allé trois fois à la prison d'Insein, au total neuf ans en régime cellulaire. Le Slorc ne comprend-il pas que l'emprisonnement des dirigeants de la NLD, vous, Aung San Suu Kyi et U Kyi Maung, renforce la détermination de la NLD à obtenir la démocratie et la liberté plutôt qu'il ne l'écrase?

UTO : Franchement, il est difficile de savoir ce que le Slorc sait et ne sait pas. Ils changent tout le temps. Ils peuvent très bien vouloir nous arrêter de nouveau mais je pense qu'à ce stade ils n'osent pas. Ils ont déjà aliéné la population entière et notre arrestation ne ferait qu'aggraver les choses.

Mais même ainsi Daw Aung San Suu Kyi estime nécessaire d'approfondir la compréhension qu'ont les gens de la démocratie. Plus les gens comprendront la démocratie, moins ils se sentiront impuissants quand une crise se développera. A la NLD nous estimons que nous aurons en temps voulu construit une organisation assez forte pour que des difficultés telle notre nouvelle arrestation puissent être surmontées aisément. Nous représentons le peuple et ce faisant nous voulons lui apprendre à se représenter aussi lui-même. C'est un mouvement démocratique de masse, une lutte populaire.

AC : Aung San Suu Kyi, U Kyi Maung et vous-même vivez sous la pression constante du Slorc, l'intimidation et la menace d'emprisonnement. Vous êtes suivi partout où vous allez par le MI, votre téléphone est sur écoutes, vos lettres sont ouvertes, vous n'avez ni sécurité ni vie privée. Vous vivez dans l'incertitude à chaque moment, ne sachant jamais s'ils ne vont pas débarquer en pleine nuit et vous reconduire en prison. Néanmoins, vous ne cesssez de faire preuve d'une chaleur et d'une gaieté de cœur non feintes. Comment y parvenez-vous ?

UTO : *Anicca,* comme on dit dans le bouddhisme ; rien n'est permanent. Pourquoi serais-je inquiet de choses que je ne peux contrôler ? Je suis tout à fait prêt à être arrêté, jour ou nuit. Je suis conscient que je suis physiquement à la merci du Slorc. Nous sommes tous conscients de cette réalité. Mais la dynamique du changement démocratique a commencé et un retour en prison non seulement ne l'arrêterait pas mais, en fait, servirait la cause. C'est peut-être la principale raison pour laquelle le Slorc n'ose pas nous arrêter de nouveau. Entre-temps, nous travaillons ensemble comme une famille. Cela me procure une joie immense. Je pourrais dire, en fait je peux vraiment dire que c'est la période la plus heureuse de ma vie. Parce que je sais qu'à la fin nous aurons la démocratie. Cela nécessitera du travail, pour tout le monde, mais nous l'obtiendrons.

AC : Si l'un de vous était emprisonné de nouveau, comment selon vous réagirait le peuple birman ? Y aurait-il des manifestations ou une grève de dimensions nationales ? Dans ce cas, pensez-vous que le Slorc répondrait par la violence ?

UTO : Des protestations sporadiques pourraient avoir lieu dans différentes parties de la Birmanie, mais pas à l'échelle de 1988. Et le Slorc prendrait vraisemblablement de dures mesures de répression à la suite de ces protestations, mais il s'ensuivrait une sévère condamnation internationale. Nous estimons que les Nations unies seraient alors contraintes d'isoler complètement le Slorc comme l'Etat paria qu'il est en réalité.

AC : Malgré votre libération de prison l'année dernière, le Slorc a intensifié sa répression sur la population entière : la Birmanie est une nation en état de siège. Pourquoi les autorités ont-elles libéré Aung San Suu Kyi et vous pour commencer ? Quel était leur motif ? S'agit-il d'une ruse cruelle ou d'un stratagème maniaque pour créer des troubles par l'intermédiaire des agents de leur MI et en faire porter la responsabilité sur la NLD afin de pouvoir vous emprisonner pour de bon ?

UTO : C'est possible. Les régimes totalitaires opèrent ainsi. Mais à notre avis l'opinion internationale vis-à-vis du Slorc est de plus en plus négative depuis 1990, du fait de leurs scandaleuses violations des droits de l'homme, et de l'emprisonnement de la direction de la NLD et bien sûr de milliers

d'autres partisans. Le Slorc veut de l'argent et des investissements étrangers. En fait, le Slorc est un peu affolé par son
besoin d'argent. A la lumière de cette obsession, la libération
de Daw Aung San Suu Kyi a provoqué un certain soulagement de la pression exercée par la communauté internationale, même si les investissements ne progressent pas de
manière notable. Cette libération a probablement été un
mauvais calcul de la part du Slorc. Ou devrais-je dire... un
bon mouvement pour de mauvaises raisons.

D'autre part, le Slorc a pu supposer que puisque Daw
Aung San Suu Kyi avait été coupée de son rôle de direction
pendant six ans, elle ne serait pas en position de retrouver le
prestige qu'elle avait acquis avant son arrestation. Bien sûr,
c'est le contraire qui s'est produit. Elle est plus forte que
jamais et à la NLD nous sommes encore plus unis que jamais.
Comme vous venez de le dire, l'incarcération n'a pas empê-
ché la lutte, elle l'a amplifiée. Et s'ils nous arrêtent de nouveau, cela ne fera que l'amplifier encore plus. Je pense que
les membres du Slorc finiront par comprendre qu'ils doivent
nous parler, car nous n'abandonnerons pas. Nous tous à la
NLD sommes là pour rester, et parler avec nous serait la
meilleure voie.

AC : Comment vous êtes-vous engagé dans la lutte ?

UTO : Au cours du soulèvement de 1988 en faveur de la
démocratie, mes collègues m'ont poussé intervenir publiquement. J'ai d'abord refusé. Je voulais continuer à vivre tranquillement en pratiquant la méditation par le *vipassana*. Je
pense que j'étais très attaché à la tranquillité et à la paix de la
pratique. Mais mes collègues n'ont pas renoncé, et après
maintes discussions nous nous sommes mis d'accord pour
former une ligue que nous avons appelée la Ligue patriotique

des anciens camarades de toute la Birmanie. Presque tous les officiers à la retraite sont venus de tout le pays à notre quartier général, qui était mon domicile, offrir leurs services.

Daw Aung San Suu Kyi a prononcé un discours public le 26 août 1988. U Aung Gyi a pris la parole le 25. Et tout le monde m'a forcé à participer, en me disant : «Vous avez été chef d'état-major. Maintenant vous devez reprendre du service et aider le peuple qui souffre et réclame à cor et à cri le rétablissement de la démocratie.» Donc au nom de notre ligue, j'ai pris la parole publiquement dans le bâtiment de l'Hôpital général de Rangoon. Il y avait une foule énorme, enthousiaste, et j'ai parlé presque trente minutes. Mais nous avons compris que la formation d'une ligue n'était pas suffisante. Il nous fallait un «leader», un dirigeant fort, capable de mener les choses jusqu'au bout. Et bien que notre groupe fût important, constitué de militaires et d'une partie de la population, je savais que je ne pourrais pas diriger le pays entier avec les groupes ethniques. Nous avions besoin de quelqu'un qui ait compris la démocratie, qui l'ait vraiment vécue, et nous avons pensé que Daw Aung San Suu Kyi était la personne qui convenait. Bien sûr, en tant que fille du général Aung San, elle était devenue très populaire et le peuple voyait en elle un vrai chef. Et sans le dire personnellement, nous la jugions très brillante.

AC : Quelle impression vous a faite Daw Suu quand vous l'avez entendue parler ?

UTO : La première fois, en écoutant un enregistrement de son discours de Shwedagon, j'ai été très impressionné. Ses mots étaient puissants et clairs, et elle ne trébuchait pas. Certaines gens qui vivent longtemps à l'étranger ont du mal à parler birman quand ils reviennent en Birmanie. Ils ne le parlent plus couramment. Mais elle le parlait couramment et avec toutes les nuances du vernaculaire. Elle faisait des mots d'esprit tout à fait liés à la situation présente. Elle était de toute évidence un être très rare, et en voyant les cinq cent mille personnes rassemblées autour d'elle pour sa première allocution publique, j'ai compris que le peuple était avide de démocratie, et qu'il pensait qu'elle était la force d'unification qui pouvait diriger le mouvement. Nous ne disions pas «dirigeante». Elle était la femme qui pouvait essayer, qui pouvait tenter de guider notre peuple vers ce qu'il désirait tant. Peu après, mes collègues et moi avons décidé de réaliser l'unité de tous les partis qui aspiraient à rétablir les droits légitimes du peuple. Certains vétérans de la politique voulaient que notre ligue en particulier s'engage derrière Daw Suu, car étant d'anciens militaires, nous pouvions assurer sa force de protection. Nous avons décidé que je la rencontrerais, et que j'irais seul. Ce que j'ai fait.

AC : Que saviez-vous de Daw Suu avant cette rencontre? Saviez-vous autre chose que le fait qu'elle était la fille de *Boygoke* Aung Suu?

UTO : Je savais qu'elle vivait à l'étranger avec sa famille, c'est tout. Et qu'elle revenait une fois par an pour déposer une gerbe au Mausolée des Martyrs, où son père est enterré. A cette occasion je voyais son nom dans le journal, une jeune femme nommée Ma Aung San Suu Kyi. Voilà tout.

AC : Comment s'est passée votre première rencontre avec Daw Suu?

UTO : Quand je suis arrivé chez elle, elle était assise au coin du sofa dans le salon. Elle était seule. Je lui ai présenté mes respects en l'appelant «Daw Aung San Suu Kyi». J'ai employé son nom complet parce que j'avais beaucoup de respect pour notre bien-aimé chef Aung San. A cette époque, je ne l'appelais jamais «Daw Suu Kyi» ou autrement, mais «Daw Aung San Suu Kyi», c'était une façon de lui faire honneur et de la respecter.

AC : Pourquoi l'appelez-vous «Daw Aung San Suu Kyi» et non «Suu» comme U Kyi Maung? Ou Suu Suu, comme son épouse?

UTO : Non, je ne l'appelle jamais Suu. Depuis notre première rencontre, je me suis toujours adressé à elle de la même façon. Son nom est composé de celui de sa grand-mère, «Suu», de sa mère, «Kyi», et de son père, «Aung San». Quand j'emploie son nom, je rends hommage à sa famille. Bien qu'elle soit plus jeune que moi de presque dix-neuf ans, je ne l'ai jamais appelée «Ma Suu» ni «Daw Suu». Je l'appelle Daw Aung San Suu Kyi. Par respect pour ces noms de famille, j'ajoute Daw, qui signifie «dame», ou «madame».

AC : Quelle impression vous a-t-elle faite, la première fois?

UTO : J'ai été vraiment frappé par sa manière de parler, son teint, ses traits et ses gestes qui ressemblaient d'une manière étonnante à ceux de son père. J'ai pensé qu'elle était sa réplique féminine. Du coup j'ai pensé qu'elle était en effet l'être qui pouvait poursuivre son œuvre. Elle avait aussi l'esprit très clair et une forte volonté. Elle a traité avec moi d'une façon efficace et aimable. Nous avons échangé tout d'abord quelques banalités. Puis j'ai dit : «J'ai écouté votre premier discours public. Nous n'y arriverons pas tout seuls. Nous avons besoin d'unité dans la lutte pour les droits de l'homme et la démocratie.» Elle a approuvé : «D'accord, a-t-elle dit, bien, allons-y et travaillons ensemble.» C'est tout.

Mais comme je m'en allais, elle m'a demandé : «Avez-vous rencontré mon père? Le connaissiez-vous? – Oui, naturellement, je l'ai bien connu, ai-je répondu. – Comment?» a-t-elle ajouté. Je lui ai raconté que je le connaissais du temps où j'étais cadet et officier dans ses Forces patriotiques. J'ai dit : «La dernière fois que j'ai rencontré votre père, c'était à Maymyo, il était vice-président du Conseil exécutif du gouverneur, et moi, lieutenant. A cette époque votre père faisait une visite avec le chef de l'Etat yawngshwe et l'un des chefs de l'Etat chan. Et j'ai rencontré votre mère également. C'est la dernière fois que j'ai vu votre père vivant.»

Elle m'a alors demandé : «Avez-vous remarqué ce jour-là une petite fille portée par quelqu'un? – Non, ai-je répliqué. – C'était moi, c'était moi.» Puis je lui ai dit que le général Aung San était un grand dirigeant, qui nous a tous inspirés dans la lutte pour l'indépendance de la Birmanie. Mais, hélas, et c'est fort triste, il n'a pas vu cette indépendance à laquelle il a tellement contribué. Après avoir mené ce grand combat, il n'en a pas vu les fruits. «Et maintenant ses fils et ses filles ne peuvent pas jouir de l'indépendance dont votre père a été l'architecte, lui ai-je dit. J'ai le fort sentiment que maintenant je dois vous servir et coopérer avec vous, pour que vous, sa seule fille, puissiez jouir des fruits de l'indépendance de la Birmanie.»

AC : Aung San Suu Kyi a pour vous un respect et une confiance que peu de gens ont gagnés. Etant son proche collègue, vous travaillez avec elle quotidiennement et vous partagez le podium avec elle chaque dimanche lors de votre intervention publique. Puis-je vous demander sincèrement ce qui à votre avis fait qu'Aung San Suu Kyi est ce qu'elle est aujourd'hui, et ce que vous respectez le plus chez elle?

UTO : Ses qualités de direction et les compétences que lui donnent ses connaissances et sa mentalité. Son esprit est hautement développé. Intellectuellement elle s'absorbe dans ce qu'elle fait, tout à fait comme son père. Elle a été bien élevée et disciplinée. En outre, elle est honnête, franche et directe. Les gens lui font confiance parce qu'elle dit la vérité. Et elle le fait d'une façon simple mais puissante. Lorsqu'elle parle au peuple, elle dit : «Ne pensez pas que je pourrai vous apporter la démocratie. Je serai franche, je ne suis pas magicienne. Je ne possède aucun pouvoir spécial qui me permette de vous donner la démocratie. Je peux dire franchement que la démocratie ne sera acquise que par vous, par vous tous. Par la volonté, la persévérance, la discipline et le courage du peuple. Si vous possédez ces qualités, vous atteindrez la démocratie. Je peux seulement vous indiquer la voie vers la démocratie. Je peux vous l'expliquer, d'après l'expérience que j'ai acquise à l'étranger et mes recherches sur les travaux qu'a faits mon père à son époque. Je ne peux que vous donner la connaissance et la méthode. La démocratie ne peut être obtenue que par l'effort de notre population entière.» Voilà la Daw Aung San Suu Kyi que je respecte. La dame parle franchement et cela plaît au peuple.

J'ajouterai qu'elle s'est donné beaucoup de mal et qu'elle a assumé brillamment son rôle politique lors de la crise nationale de 1988 et 1989. Malgré les énormes épreuves qui lui ont été imposées, elle a parcouru le pays sans relâche pour écouter, voir, et partager avec grande patience les luttes populaires politiques, économiques et sociales. Elle possède les qualités de bonté et de compassion, et même si elle semble faible en apparence, sa volonté intérieure est très forte et déterminée. Elle a toujours un sentiment de sympathie à l'égard de ceux qui souffrent et se sentent impuissants. Son expérience d'autres pays est un avantage quand elle défend sa cause auprès des institutions internationales. Les six ans, ou presque, qu'elle a passés en résidence surveillée ont mûri sa réflexion sur les questions politiques, économiques et sociales. Toutes les nationalités en Birmanie font confiance à son honnêteté, comme c'était le cas pour son père. Elle est peut-être le seul dirigeant capable d'unifier toutes les ethnies en Birmanie. Je dois dire que ce n'est pas une femme ordinaire. Elle est devenue une dirigeante parfaitement qualifiée, et le peuple a confiance dans ses capacités à rétablir la paix, la justice et la démocratie en Birmanie.

AC : En quoi vous a-t-elle le plus influencé ?

UTO : J'étais un général à l'esprit belliqueux. Mais elle m'a calmé, elle a adouci mon tempérament batailleur. Elle parvient à calmer mon agressivité par sa gentillesse. C'est très remarquable, même quand on observe ses mouvements et ses gestes, elle est si gracieuse. Bien sûr, le respect et l'affection qu'elle me porte sont un honneur. Dès que je l'ai rencontrée, je me suis dit : je dois bien me tenir, je ne dois pas être trop agressif. J'ai peu à peu appris et me suis entraîné à être plus aimable.

Voyez-vous, de l'âge de dix-sept ans jusqu'à presque cinquante, ma vie a été un combat. J'ai eu une vie très dure. J'ai dû passer des années dans la jungle pendant la guerre. J'ai été blessé au combat à maintes reprises. Comme je l'ai dit, j'ai perdu mon père, et mon fils est mort très jeune. Promu chef d'état-major, j'ai été trahi, renvoyé et emprisonné. Je manquais de politesse et j'étais agressif. Et quand je prenais la parole en public, je disais ce que je pensais, même si souvent cela causait du tort à autrui. Et grâce à son influence, j'ai peu à peu compris que je devais me conduire en gentleman, en homme civilisé.

AC : Le Slorc a-t-il jamais tenté de vous contraindre à rompre votre association avec Daw Suu ?

UTO : Oui. Il ont répandu parmi mes amis des rumeurs selon lesquelles j'étais associé à elle pour les mauvaises raisons. Bien entendu, je n'y ai prêté aucune attention. Mais lors de ma dernière incarcération, un agent de renseignement du Slorc, au cours d'une séance d'interrogatoire, a tendu un doigt et a dit en haussant la voix : « Vous étiez général et ministre de la Défense. Vous aviez une vieille expérience. Alors pourquoi travaillez-vous pour Aung San Suu Kyi ? Elle n'a pas la moindre expérience de la politique en Birmanie. Tout ce qu'elle a pour elle, c'est le nom de son père. Pourquoi travaillez-vous avec une femme qui manque à ce point d'expérience ? »

Franchement j'ai ressenti de la pitié pour cet homme. « Si vous la rencontrez, vous aussi vous rejoindrez le mouvement, lui ai-je répondu. Elle est dotée d'un esprit brillant et talentueux. Vous le comprendrez tôt ou tard, car Aung San Suu Kyi lutte non seulement pour le peuple, mais aussi pour vous. »

AC : Vous vous êtes trouvé avec Aung San Suu Kyi en de nombreuses occasions, parfois dans des situations de vie ou de mort. Pouvez-vous en évoquer quelques-unes ?

UTO : Le 15 ou le 16 août 1988, nous avons eu, Aung San Suu Kyi et moi-même, de mauvaises nouvelles. Une foule énorme et indisciplinée s'était déchaînée contre le personnel de la Sécurité militaire au siège central de la Trade Corporation, en pleine ville. Je me suis rendu sur place de toute urgence pour calmer les choses. J'ai pu dans une certaine mesure reprendre le contrôle de la situation. J'ai prié les gens de manifester pacifiquement. Mais je me suis rendu compte que je ne parviendrais pas à maintenir le calme très longtemps, l'affaire s'était trop envenimée. J'ai senti qu'une sorte d'action violente allait se produire, qu'il y aurait sans doute des morts. Je suis retourné chez Daw Aung San Suu Kyi, je lui ai décrit la situation, et elle m'a demandé sur-le-champ de l'accompagner sur place. J'ai tenté de lui expliquer que ce n'était pas une bonne idée, que des coups de feu risquaient d'être tirés, qu'il n'était pas raisonnable de se rendre dans ce quartier. Elle a répliqué qu'on ne tournait pas le dos à la violence. Donc, sur son insistance, nous y sommes allés, rapidement, dans une voiture suivie d'une escorte. A notre arrivée, la foule venait de mettre le feu au Trade Building. Il était en flammes. Nous avons assisté au pillage et à la destruction de véhicules. La foule était hors d'elle et très vite nous fûmes submergés, incapables de bouger dans une direction ou une autre. J'ai senti que le danger était imminent. L'escorte criait aux gens, qui étaient devenus comme fous, de laisser passer Aung San Suu Kyi. Dès que les gens se sont rendu compte de la présence de Daw Aung San Suu Kyi, ils ont maîtrisé leur angoisse et se sont calmés. Ils nous ont laissés passer poliment. Et leurs visages sont passés de l'angoisse au respect en la voyant apparaître en personne. Daw Aung San Suu Kyi a tout de suite fait preuve d'équilibre et de clarté d'intention. A mes yeux elle a démontré son intégrité et sa discipline devant le danger. J'ai appris quelque chose ce jour-là grâce à elle. Il vaut bien mieux affronter le danger que le fuir.

AC : Y a-t-il eu d'autres circonstances semblables, qui ont laissé sur vous une marque durable ?

UTO : Beaucoup. Mais je ne vous en raconterai qu'une. Cet incident s'est produit sur la route menant au village de Hlawkar, au-delà de Mingaladon, à proximité de l'aéroport. Ko Win Htein, le secrétaire personnel de Daw Aung San Suu Kyi, se trouvait avec elle dans sa voiture, et je les suivais. Notre convoi a été arrêté de force quelque part près du village de Hlawkar et Ko Win Htein est descendu expliquer notre programme aux membres de la sûreté.

Soudain, une rafale de coups de fusil automatique a été tirée d'une certaine distance, pour nous intimider et nous dissuader d'aller plus loin. Abasourdi par ce tir, j'ai sauté de ma voiture et je me suis mis devant la sienne pour faire face à toute éventualité. Sans être le moins du monde effrayée, elle est descendue et s'est calmement enquise de ce qui se passait. J'ai demandé en criant aux policiers en armes sur la colline pourquoi ils tiraient à l'aveuglette. Dès que le chef a reconnu Daw Aung San Suu Kyi, il a expliqué qu'il s'agissait d'un accident. Qui plus est, il s'est poliment excusé pour le contretemps et nous avons été autorisés à poursuivre. Tandis que nous roulions en silence je me suis dit qu'elle avait agi avec un grand calme et n'avait fait que poser une question des plus courtoise : «Pourquoi? Pourquoi tirez-vous?» Elle était sincèrement intéressée, plutôt que contrariée, comme je l'étais. Je pense que c'est une de ses forces. Elle veut toujours savoir pourquoi, qu'il s'agisse d'un ami ou d'un ennemi. Elle met en question les principes, alors que je réagirais à la personne.

AC : Le 20 juillet 1989, Aung San Suu Kyi était placée en résidence surveillée et vous incarcéré, accusés de «mettre en danger la sécurité de l'Etat». Quelques mois plus tard vous étiez jugé, condamné, et emprisonné. Pourriez-vous nous faire le récit de ces événements historiques, depuis votre arrestation jusqu'à votre emprisonnement?

UTO : Le matin de ma mise en résidence surveillée, une centaine de militaires armés ont entouré ma maison. Pourquoi ne sont-ils pas immédiatement entrés, je l'ignore, mais ces quelques heures supplémentaires ont donné à mon épouse et à d'autres membres de la famille le temps de déchirer et de faire disparaître dans les toilettes tous les documents de la NLD, les lettres et adresses qui se trouvaient dans mon bureau. Je me préparais mentalement et émotionnellement à mon arrestation, assis en méditation. Plusieurs heures plus tard, les officiers ont fait une descente dans la maison, ils ont fouillé partout, emportant tous les documents qui restaient, des livres et des médicaments. Les communications ont été coupées. Ils m'ont annoncé que j'étais désormais en résidence surveillée.

Des gardes armés ont été postés autour de mon domicile, des barricades placées au croisement de la route et devant les grilles. Même mon épouse devait demander la permission de quitter l'enceinte pour aller acheter de la nourriture, qu'on lui donnait seulement des heures et parfois des jours plus tard. Mais le plus désagréable a été que mes locataires, à qui je louais une petite maison sur la propriété, ont été forcés de déménager. C'était ma seule source de revenus depuis que mes pensions et mes primes avaient été coupées en 1976, l'année où je fus pour la première fois emprisonné sous le régime de Ne Win. Certes, vivre sans revenus n'est pas facile mais nous avons simplifié et adapté.

AC : Peu après la situation s'est fort aggravée....

UTO : En effet. Le 22 décembre 1989 j'ai été traîné devant la Cour martiale du Slorc et accusé de nombreux délits. Je ne m'en rappelle que trois : j'avais eu une correspondance avec des dirigeants démocratiques étrangers ; mes actes constituaient une «sédition» contre l'Etat, et pendant que j'occupais la fonction de chef des services de la Défense nationale, j'avais, affirmaient-ils, conspiré pour renverser le gouvernement. J'ai nié toutes les accusations et plaidé résolument non coupable. Un témoin de l'accusation a témoigné contre moi. Mais je n'ai pas été autorisé à lui faire subir un contre-interrogatoire, ni à produire des témoins de la défense, ce qui, bien entendu, était une grave violation des droits de l'homme. Le juge a demandé : «Y a-t-il quelque chose que vous souhaiteriez dire pour atténuer votre punition?» Avant que j'aie pu répondre, l'officier militaire en charge du procès a lu la sentence : «Nous vous condamnons à trois ans d'emprisonnement rigoureux.»

AC : Quelle a été votre réaction?

UTO : En entendant la sentence, je me suis levé et je me suis tourné vers les officiers supérieurs qui assistaient au déroulement du procès. Il y avait peut-être une vingtaine de ces hommes au fond de la salle, la plupart d'entre eux formés au temps où j'étais chef de la Défense, des années auparavant. C'étaient des enfants à l'époque. J'étais général de l'armée. C'était à ces hommes que je voulais parler et non au juge du Slorc. J'ai dit : «Je n'ai pas tenté de diviser l'armée. J'ai rejoint l'armée à l'âge de seize ans pour une raison, lutter au côté de *Boygoke* Aung San pour notre indépendance nationale. J'aime l'armée mais j'aime notre peuple plus que l'armée. Et l'armée doit traiter le peuple comme on traite son père et sa mère. Nous devons servir le peuple et non l'opprimer.» Puis je me suis tourné vers les journalistes du Slorc qui se trouvaient aussi dans la salle et j'ai déclaré d'une voix forte : «Je reçois cette sentence avec fierté. C'est pour moi un grand honneur d'aller en prison parce que je crois en la démocratie.» Le silence est tombé sur la salle – puis j'ai été rapidement escorté jusqu'à ma cellule.

AC : Comment fait-on pour survivre sur le plan affectif et psychologique à la sévérité de la prison et au régime cellulaire ? Où trouve-t-on le courage d'affronter encore un jour, un mois, un an de solitude ?

UTO : Cela ne vient pas facilement mais rappelez-vous que j'avais déjà passé cinq ans en isolement avant d'être emprisonné par le Slorc. Je ne peux pas dire que l'on s'habitue jamais à la prison mais on s'adapte de fait. Cela dépend de l'individu. Certains craquent, d'autres utilisent à leur bénéfice l'isolement et ses cruelles modalités de vie. En ce qui me concerne, je n'ai jamais éprouvé le moindre ennui durant tout le temps de mon enfermement. Malgré les restrictions, j'avais des moyens de garder mon esprit en vie. Je vous ai peut-être raconté l'autre jour chez Daw Aung San Suu Kyi que ma baraque dans l'enceinte de la prison était complètement entourée de fils de fer barbelé. Les barbelés me rappelaient constamment combien la liberté était précieuse. Comme dans les enseignements du Bouddha, on peut voir les obstacles comme des avantages ; la perte de liberté peut inspirer la réflexion sur le prix de la liberté. Cela me remplissait de joie.

En outre, je savais depuis les années où j'avais été moine les bénéfices de la méditation par le *sati* – la méditation fondée sur l'attention. Vous le savez aussi, par l'attention, tout ce que vous voyez, entendez, goûtez, pensez et sentez devient simplement une expérience, sans élément supplémentaire pour l'alourdir. Juste un phénomène. Et l'idée de l'emprisonnement est perçue comme une simple idée. Elle vient et s'en va. Et sans attachement, il n'y a pas de problème. Ce n'est qu'une idée. C'est tout.

Je récitais aussi régulièrement les discours du Bouddha en pali, et je les étudiais, ce qui m'inspirait énormément. En plus, on m'a fait parvenir sous le manteau un petit livre contenant des citations de Jésus dont j'ai beaucoup aimé l'attitude de pardon et de sincérité.

Et puis, j'ai pris l'habitude de paratiquer le *dana,* offrant quelques vivres apportés par mon épouse à mes ravisseurs – gardiens, surveillants, et même certains membres du MI. Je voulais surmonter le sentiment de les voir comme l'«ennemi» et j'ai tenté de m'accoutumer à partager un peu de ma nourriture avec eux. Eux aussi avaient une vie dure en prison. Cela a diminué dans une certaine mesure ma souffrance affective et psychologique.

Bien entendu, mon épouse me rendait visite régulièrement. Elle n'a jamais omis de venir à la prison tous les quinze jours. Elle n'était pas seulement mon épouse, mais aussi un peu ma mère, ma sœur aînée, une proche parente et une très bonne amie.

Je faisais des exercices tous les jours, et j'observais les préceptes bouddhistes, ne prenant aucun aliment après midi. Mais le plus important peut-être : je méditais sur la richesse que représentent les amis dans ma vie. Je pense que l'amitié est un des plus grands de tous les dons. Ainsi dans les moments de difficulté, j'évoquais leurs visages un à un et je leur parlais un peu. Je me rappelais les moments de rire et les joies que nous avions partagés. C'est l'affection que vous éprouvez qui vous permet de conserver votre santé mentale.

AC : Donc l'isolement ne vous a jamais atteint ?

UTO : Je n'ai jamais été malheureux, vraiment. Mais une fois où j'étais malade, je me suis senti un peu seul. J'aurais voulu qu'on s'occupe de moi. J'étais désolé d'être séparé de ma famille. Mais j'ai été soigné et j'ai guéri. Comme je le disais, l'attention est la clef de la santé mentale.

Faites simplement ce que vous faites avec attention, et il n'y a plus de place dans votre esprit pour des pensées négatives. J'abordais chaque jour en prison comme je le faisais quand j'étais moine au monastère, attentivement. J'essayais d'observer tout ce qui se passait dans ma tête et dans mon corps. Ainsi je pouvais garder l'esprit libre d'émotions constituant des obstacles qui autrement auraient pu me bouleverser. C'est la *dhamma* fondamentale.

AC : Il y a quelque ironie à vous poser cette question, mais comment vous, président de la NLD, avez-vous appris la victoire écrasante de votre parti lors des «élections libres et impartiales» du Slorc, alors que vous étiez au régime cellulaire?

UTO : Ah oui! Même nos gardiens de prison ont voté pour nous! Ironiquement, cela se rattache à l'histoire de ma cage. On m'avait enfermé dans une baraque détachée des cellules principales. Au bout de six mois, les autorités sont devenues paranoïaques, convaincues que les Américains allaient sauter en hélicoptère pour me délivrer. Alors ils ont entouré ma baraque de fil barbelé – autour et au-dessus du toit – comme une cage, qui allait être ma demeure pour les cinq années suivantes. Ce sont les ouvriers, qui étaient aussi prisonniers et construisaient la cage, qui m'ont informé en secret du résultat des élections. Apparemment ils avaient convaincu les gardiens qu'ils étaient experts en construction de clôtures. Puis, quand ils se sont mis au travail, j'ai regardé par une fente dans mon mur, et un des hommes m'a montré notre emblème de la NLD – un insigne rouge portant un petit paon de combat doré. J'étais abasourdi. Quand les résultats des élections sont arrivés, il a griffonné l'information sur des bouts de papier de verre épais. Chaque ligne était une commune et une victoire de la NLD. En fin de compte, cela s'élevait à 390 députés de la NLD élus. Ma cage fut le réceptacle de la meilleure nouvelle que j'aie reçue en prison, et j'ai été reconnaissant à ces ouvriers audacieux qui me libéraient l'esprit, pour ainsi dire, tout en me mettant en cage *(rire)*.

AC : Quand avez-vous appris que le Slorc n'avait pas l'intention d'honorer les résultats des élections ?

UTO : La prison s'est transformée en Parlement – elle se remplissait de députés élus de la NLD de plus en plus nombreux. Il était donc aisé de comprendre les véritables résultats des élections. En outre, après les élections, les autorités nous donnaient des journaux qui montraient l'évidence. J'ai appris que Daw Aung San Suu Kyi, U Kyi Maung et moi-même avions été exclus de la NLD. Ce n'est qu'après ces arrestations que le Slorc a réclamé une Convention nationale pour créer sa constitution. Une comédie, déplorable – que puis-je dire de plus ? Mais je ne me sentais pas vaincu. Au contraire, cette nouvelle vague d'arrestations a renforcé ma résolution de persévérer dans la lutte, la liberté devait être conquise, elle ne serait pas donnée – cela restait une victoire en ce sens. Vous voyez, il n'est pas possible que le Slorc nous écrase, parce que l'oppression ne fait qu'accroître notre détermination. Quelqu'un qui possède un cœur et un esprit forts ne peut être brisé, on peut le blesser mais jamais le briser.

AC : La torture existe-t-elle dans les prisons en Birmanie ?

UTO : Je n'ai moi-même jamais été torturé mais j'ai eu

connaissance de cas de torture et de mauvais traitements à l'égard d'autres prisonniers. Bien sûr, l'isolement en lui-même est déjà une forme de torture. On peut citer aussi le manque de médicaments pour ceux qui sont malades. Pensez à quelque chose d'aussi banal qu'une migraine sans aucune médication ou une rage de dents sans traitement adéquat. Pensez à ceux qui ont une dysenterie amibienne aiguë et pas de médicament. Souvenez-vous du temps où, moines, nous marchions en demandant l'aumône et que vous montiez me voir en courant de douleur parce que vous aviez la dysenterie. Vous aviez besoin immédiatement de soins médicaux. Imaginez lorsque vous n'en avez pas. Ce sont là les formes les plus mineures de torture en prison. Cela arrive tout le temps. Et puis il se passait rarement une nuit sans cris, des hurlements d'hommes qui souffrent. Le genre de hurlement qui ne vient que d'une chose – la torture, la torture sévère.

AC : Ma question est peut-être naïve, mais pourquoi les autorités pratiquent-elles la torture ?

UTO : En général elles veulent des informations, ou bien elles soupçonnent le prisonnier de détenir une information qu'elles veulent obtenir. Parfois elles doivent la pratiquer par pur ennui. Il y a beaucoup de colère refoulée chez les gardiens. C'est maladif...

AC : Pourriez-vous apporter quelque lumière sur la situation des prisonniers politiques ?

UTO : Jusqu'à présent nous avons dénombré plus de six cents prisonniers politiques. Nous collectons encore des noms de prisonniers politiques. Nous pensons qu'il y en a plus de mille, peut-être deux mille, voire davantage. Il est difficile de savoir vraiment, parce que très souvent les prisonniers politiques sont soit détenus en isolement total, soit dispersés dans un certain nombre d'autres prisons à la campagne.

Evidemment, du fait des conditions de vie déplorables, beaucoup de prisonniers politiques souffrent de différentes sortes de maladies, en particulier de malnutrition et de dysenterie. Il y a très peu de médicaments, lorsqu'il y en a. En outre, nous avons la preuve que les autorités du Slorc utilisent une seule seringue pour de nombreux patients, sans stérilisation après chaque usage.

Le peu de nourriture fournie est misérable à tous égards. Les familles doivent la compléter, mais certaines n'ont même pas le droit de visite. Tous les membres de la NLD qui ont été relâchés ces derniers mois ont déclaré que «même des chiens ne mangeraient pas cette nourriture».

Le secrétaire particulier de Daw Aung San Suu Kyi, U Win Htein, a expliqué que tous les soirs on lui servait «une soupe de légume composée d'un peu d'huile, d'un peu d'oignon et d'un légume. Le légume entier, branche, racine, et saleté avec. C'était littéralement arraché de terre et mis dans l'assiette, pour ainsi dire». Il devait le laver plusieurs fois puis manger la partie la moins sale.

Il n'y a pas de moustiquaire et souvent les prisonniers politiques dorment à même le sol ou bien sur une mince natte de bambou. Sans draps, c'est terrible pendant l'hiver et à la saison des pluies. Les toilettes sont faites d'une petite cuvette rangée dans la cellule. Il n'y a pas d'eau potable à l'intérieur des cellules. L'espace pour dormir est étroit, environ 40 centimètres sur 170. Dans les autres cellules un peu plus larges ils entassent parfois cinq à huit autres prisonniers. Il arrive que nos prisonniers politiques doivent rester dans la cellule où sont gardés les chiens policiers, c'est une cellule de punition.

Par exemple, le président d'une commune NLD a été trouvé en possession d'un peu d'argent liquide au cours d'un contrôle mensuel de routine. En punition, il a été envoyé chaînes aux pieds deux mois dans la cellule au chien. On le sortait tous les jours, il était frappé à coups de canne et cela simplement pour avoir introduit un peu d'argent clandestinement. Quelques-uns des députés de la NLD font en ce moment des périodes dans des chenils. Le principal est le secrétaire de la NLD, U Win Tin. Il représentait l'un de nos meilleurs atouts et à cause de cela le Slorc refuse de le libérer.

AC : Je sais que vous avez été condamné aux « travaux forcés » en prison. Pourriez-vous expliquer ce que cela signifie réellement pour un détenu à la prison d'Insein ?

UTO : Eh bien, j'ai été condamné aux travaux forcés, mais les autorités ne m'y ont pas contraint à cause de mon âge et de ma mauvaise santé. Cependant, le travail forcé est courant parmi les prisonniers, non seulement à Insein mais dans toutes les prisons du Slorc partout dans le pays. « Travaux forcés » ne signifie rien d'autre. Pendant que vous êtes en prison, vous travaillez dur, extrêmement dur. La plupart des détenus sont envoyés dans une carrière de pierre, ou sur l'un des nombreux chantiers de construction, par exemple la construction d'une route ou d'un barrage. Ils cassent des cailloux toute la journée, du matin très tôt jusque très tard dans la nuit. Ils n'ont pas de déjeuner, juste une petite quantité de nourriture le matin et le soir, mais pas toujours. Certains jours il ne reçoivent pas de nourriture du tout. Ils ont tous des chaînes autour de la taille et des fers aux pieds. Ces prisonniers meurent souvent d'épuisement, de maladie ou de faim.

AC : Qui est le directeur de la prison d'Insein ?

UTO : Un commandant – un officier de renseignement – dont j'ai oublié le nom.

AC : Ce commandant prend-il directement ses ordres du chef des renseignements militaires, premier secrétaire Slorc, le lieutenant-général Khin Nyunt?

UTO : Oui.

AC : Comment avez-vous appris que le prix Nobel de la paix avait été décerné à Aung San Suu Kyi et quel effet cela vous a-t-il fait?

UTO : Mon épouse m'en a informé au cours d'une de ses visites à la prison et j'ai immédiatement éprouvé une immense joie. J'étais très heureux pour Daw Aung San Suu Kyi, parce que c'est vraiment une femme remarquable.

Je ne sais pas si je vous l'ai raconté, mais chaque fois que mon épouse venait me rendre visite, de nombreux agents des renseignements militaires se tenaient dans la pièce et écoutaient notre conversation. Ils filmaient également en vidéo et enregistraient les rencontres. Alors quand elle m'a annoncé que Daw Aung San Suu Kyi avait reçu le prix, j'ai vraiment souri vers la caméra d'un air vainqueur.

Le prix de la Paix a renforcé mon courage pour la lutte à venir pour notre cause. Evidemment, vous êtes assez seul en prison, et le prix devenait un compagnon. Je savais que le monde, ceux qui aimaient la liberté, regardaient notre situation de près. Nous nous étions fait de nouveaux alliés.

AC : Pourriez-vous raconter l'histoire de votre libération après presque six ans d'emprisonnement?

UTO : Eh bien, cela s'est fait par étapes. Le 14 février 1992 la peine d'origine devait se terminer. Tandis que j'attendais ma libération, un groupe d'agents des renseignements militaires et de gardiens sont entrés dans ma cage et m'ont informé que les autorités supérieures voulaient me voir sur-le-champ. Cette escorte qui était venue dans ma cage me félicitait de ma libération. Mais je ne me sentais pas heureux le moins du monde et je leur ai dit : «Je ne suis pas du tout joyeux d'être libéré, tant que mes collègues continuent de souffrir en prison.» Alors ils se sont tus et ils m'ont emmené voir les autorités. En chemin j'étais flanqué de longues rangées de gardes d'une unité spéciale armés, au garde-à-vous. C'était étrange, tellement étrange que je me suis rendu compte qu'il s'agissait d'une tromperie. Quand je suis entré dans le tribunal de la cour martiale, il était orné partout de larges drapeaux rouges.

Immédiatement le procureur s'est levé et a lu les charges contre moi, une des charges étant la même que précédemment. L'officier du Slorc a demandé : «Que plaidez-vous?» J'ai dit : «Non coupable. Par ailleurs, vous ne pouvez pas m'accuser de nouveau de charges pour lesquelles j'ai déjà été condamné.» L'officier a répliqué durement : «Ceci est une cour martiale et une cour martiale n'a pas de lois. Et cette cour peut rendre toute décision qu'elle juge convenable.» Il a ajouté : «Vous êtes condamné à six années supplémentaires d'emprisonnement rigoureux.»

Trois ans plus tard, le 27 mars 1995, le Slorc m'a libéré à la condition que je ne fasse rien pour saper la «sécurité de l'Etat». Ils m'ont ramené en fourgon chez moi et j'ai immédiatement fait des plans pour la poursuite de notre lutte pour la démocratie. Ce n'était qu'une question de temps avant que Daw Aung San Suu Kyi ne soit libre. Et… nous y voilà de nouveau, plus forts et plus unis que jamais.

AC : Le Slorc vous a étiqueté «ennemi public numéro un». Mais pourquoi les autorités ont-elles une haine particulière à votre égard, plus même que pour vos collègues, Daw Suu et U Kyi Maung ?

UTO : Parce que j'ai été chef d'état-major et tous ces militaires considèrent ma conduite comme une trahison. Ils ne peuvent pas comprendre que j'ai un engagement envers le peuple et non envers l'armée. Je pense vous l'avoir dit, une bonne armée voit le peuple comme ses parents, pas ses esclaves. Les militaires devraient être les amis des gens, pas leurs ennemis.

AC : Martin Luther King encourageait son peuple dans sa lutte pour l'égalité en disant : «Notre but ne doit pas être de vaincre ou d'humilier le Blanc, mais de gagner son amitié et sa compréhension.» En tant que dirigeant de la NLD, votre politique est-elle de gagner l'amitié du Slorc, un régime qui semble résolu à vous humilier et à vous détruire ?

UTO : Il arrive parfois que les ennemis d'autrefois puissent faire les meilleurs amis. C'est pourquoi nous réclamons constamment dialogue et réconciliation. Je ne veux pas détruire le Slorc. Je veux seulement qu'ils cessent de briser la vie de notre peuple et qu'ils cessent de détruire notre pays bien-aimé. C'est assez simple. Et en bouddhiste je crois fermement que la bonté et la compassion sont les meilleurs moyens de gagner la sympathie du Slorc.

C'est une des raisons pour lesquelles Daw Aung San Suu Kyi a appelé notre mouvement pour la démocratie une «révolution de l'esprit». Nous devons tous réaliser un changement spirituel, nous tous. Nous devons faire croître cet esprit.

AC : Sans un minimum de moralité on n'éprouve aucune honte à commettre un acte qui fait du mal à un autre être humain. Comment peut-on éveiller la honte dans l'esprit de l'oppresseur ?

UTO : En toute honnêteté, je pense que les généraux du Slorc devraient poser les armes pendant dix jours et entreprendre une période de méditation par le *vipassana* avec un *sayadaw* compétent. Si leur méditation se déroule agréablement alors je pense qu'ils devraient prolonger leur pratique indéfiniment. A mon avis tout le pays les applaudirait pour cette noble conduite. Ainsi, la pratique de la méditation leur révélera automatiquement tout seuls, sans l'aide de quiconque, le véritable état intérieur de leur être. Tous les Birmans comprendront. Ils peuvent stimuler le *metta* de cette manière.

AC : Et sinon ?

UTO : Tôt ou tard je pense que leurs attitudes changeront par la volonté et la force du peuple. Si le peuple est suffisamment convaincu qu'il veut la démocratie et qu'il désire obtenir cette démocratie, alors aucun pouvoir ne peut l'arrêter, même pas les armes ou la répression. La pression et la détermination du peuple finiront par faire comprendre au Slorc ses défauts, parce qu'on ne peut pas opprimer le peuple si longtemps sans que la vérité n'éclate là où on s'y attend le moins. C'est un peu comme essayer de retirer un bambou en coupant la tige. Plus vous la coupez, plus elle s'étend, plus elle prolifère.

AC : Voyez-vous quelque chose de récupérable concernant le Slorc ?

UTO : Rien… en tout cas pas aujourd'hui. Mais cela peut apparaître demain. Ils changent tout le temps. Un jour ils veulent écraser quelqu'un, le lendemain ils parlent de lui comme de leur grand ami.

Un jour ils considèrent les minorités armées en ennemis, le lendemain ils sont amis. Un jour Khun Sa est l'ennemi du

Slorc, le lendemain il boit à leur santé au cours d'une cérémonie. Le Slorc change tout le temps, ce sera peut-être la
même chose avec la NLD. Un jour, la NLD est une organisation subversive qu'ils veulent écraser et anéantir. Le lendemain, la NLD pourrait être considérée comme leur amie.
Peut-être même leur meilleure amie. Donc, il est possible
qu'ils puissent changer, et alors nous pourrions voir en eux
des qualités qui rachètent leurs défauts. Mais je pense encore
qu'ils doivent d'abord méditer. Cela peut accélérer le processus. Les gens souffrent.

AC : Voyez-vous un rôle pour le Slorc dans un gouvernement démocratique dirigé par la Ligue nationale pour la
démocratie ?

UTO : Oui, mais ils doivent démontrer d'une façon
authentique, et j'insiste sur ce point, qu'ils vont sérieusement
réformer leur comportement et leurs attitudes. Dans ce cas,
oui, ils ont une place dans l'avenir de la Birmanie sous un
gouvernement démocratique. Mais comme dans tout système démocratique, la position de l'armée sera honorable et
digne, les militaires seront « au service » du peuple gouverné
par une direction civile, et ne seront qu'un noble corps assu-
rant la sécurité de la nation.

AC : J'aimerais parler de Ne Win, le dictateur qui tire les
ficelles en Birmanie. Ou peut-être ai-je tort ? Ne Win est-il
toujours maître de la situation ? Ce que je voudrais vous
demander, c'est si Ne Win est maître du Slorc.

UTO : Certains le pensent.

AC : Comment un vieillard de quatre-vingt-cinq ans
contrôle-t-il de sa résidence au bord du lac vingt et un généraux du Slorc et leur armée de quatre cent mille soldats ?

UTO : Nous n'avons pas la preuve solide qu'il contrôle le

Slorc. Mais il est naturel que beaucoup d'entre eux aient un sentiment de loyauté à son égard. Ils les a mis là où ils sont.

AC : Quel avantage le Slorc avait-il à libérer Daw Suu, U Kyi Maung et vous-même ?

UTO : Je pense qu'il s'agissait d'une erreur de calcul. Ils pensaient qu'ils nous avaient effectivement écrasés en nous emprisonnant. Je ne pense pas qu'ils aient compris que cela renforcerait notre unité, au lieu de l'affaiblir ou de l'écraser.

AC : Puis-je vous demander, comment vous, un général renvoyé qui a commandé l'ensemble des forces armées pendant deux ans sous la dictature de Ne Win, dont le régime totalitaire a réprimé sans merci toute forme de droits de l'homme pendant plus de trois décennies, êtes maintenant aux côtés d'Aung San Suu Kyi, qui a reçu le prix Nobel de la paix parce qu'elle mène une lutte non violente en faveur de la démocratie ? C'est un peu curieux que le bras droit d'un dictateur soit devenu le collègue du Gandhi de Birmanie. C'est une transformation colossale. Pourriez-vous expliquer le processus intérieur par lequel ce changement s'est produit ?

UTO : Quand il passe neuf ans au régime cellulaire sous les formes de répression les plus sévères, un homme a beaucoup de temps pour réfléchir. Je connais le pire de la nature humaine, et cela me donne davantage de confiance pour chercher le meilleur chez les gens. J'ai vu les deux côtés, l'obscurité et la lumière. Je les ai vus en moi-même. En observant mon esprit à travers la pratique de la méditation par le *vipassana,* j'en suis venu à comprendre que la bonté et la compassion peuvent s'acquérir. Si je peux le faire, cela me donne grand espoir que d'autres peuvent le faire aussi. Puisque j'étais aveuglé par un niveau d'ignorance profondément méconnu, je ressens plus de sympathie quand je vois que d'autres sont dans l'illusion. Mais ce sont toutes ces longues années de prison et les années où j'étais moine qui m'ont réellement fait apprécier le *metta*.

AC : Certains doutent-ils de votre sincérité ? Vous êtes resté avec un dictateur des années après que beaucoup de gens eurent tourné le dos au vieil homme. Et vous sentez-vous totalement racheté à l'intérieur de vous-même ? Vous arrive-t-il de douter ?

UTO : Non, je ne doute jamais. Et il n'est pas si étrange que certains puissent douter de ma sincérité, parce que je suis resté avec un dictateur des années et maintenant je travaille avec le mouvement démocratique. Mais il n'y aurait pas de doute à avoir s'ils comprenaient mes vraies raisons, qui ne sont pas visibles de l'extérieur et pourraient être difficilement comprises par quelqu'un qui se trouve dans leur position. Je vous ai seulement expliqué quelques-unes de ces raisons et comment ces changements se sont produits. Le régime cellulaire ne doit pas être sous-estimé en tant que méthode forte pour ce que vous pourriez appeler «recherche de l'âme».

AC : Comment et pourquoi êtes-vous resté avec un régime autoritaire pendant tant d'années ? Vous étiez général d'une armée qui tuait ses propres citoyens chaque fois qu'elle en recevait l'ordre, et vous étiez au sommet.

UTO : Je suis resté par sens du devoir. Quand j'ai été désigné commandant en chef en 1974, j'avais l'intention de demander d'être déchargé de mes fonctions au bout de quatre ans. Mais le gouvernement m'a coupé l'herbe sous le pied, il m'a envoyé en prison parce que j'étais trop populaire. Je ne voulais plus continuer avec une administration qui, chaque fois qu'il y avait des problèmes, au lieu de tenter de les résoudre par la discussion, adoptait une politique qui consistait à arrêter, réprimer et parfois tuer, ou même massacrer. En tant que chef de la Défense, j'étais forcé de tirer sur les gens, d'abattre des gens, c'était la politique et je la suivais aveuglément.

AC : Comment s'est faite la rupture définitive avec le régime ?

UTO : C'était à peu près à l'époque de l'enterrement de U Thant à Rangoon, et du refus du gouvernement de traiter l'événement d'une façon digne. Les étudiants ont pris l'affaire en main et ont commencé à crier : «Vive U Tin Oo !» A partir de ce moment, ma disgrâce a commencé. En mars 1976 j'étais destitué au motif que mon épouse s'était laissé corrompre.

AC : En quoi consistait cette allégation de corruption contre votre femme ?

UTO : L'accusation fabriquée contre mon épouse contenait une toute petite miette de vérité. J'étais très aimé d'attachés militaires birmans en poste dans plusieurs pays. Et ces attachés militaires apportaient fréquemment des cadeaux à ma femme lorsqu'ils venaient en Birmanie. Mais elle faisait un principe de ne jamais les accepter. Une fois cependant elle a accepté dix livres d'un attaché militaire pour acheter un médicament. Voyez-vous, nous avions un enfant qui était né avec une maladie cardiaque congénitale. Et, se trouvant en Angleterre, elle a accepté cet argent pour se procurer un médicament car il était impossible de l'acheter à Rangoon. Cet incident a été le prétexte de ma destitution. Mais les choses ont encore empiré. Deux semaines plus tard, on annonçait devant l'Assemblée nationale que j'allais passer en jugement pour ce «méfait économique». L'Assemblée nationale entière était choquée. Moi aussi, j'étais choqué lorsque j'ai entendu cela. J'étais mis en prison quelques mois plus tard.

AC : Il est ironique que le processus psychologique exténuant que vous avez traversé, vous semblez demander au Slorc de le parcourir aussi. Comment cela peut-il se faire ?

UTO : Je pense l'avoir déjà dit, professer le bouddhisme est une chose, le pratiquer en est tout à fait une autre. La meilleure façon de surmonter un obstacle intérieur est peut-être de vous entraîner au *sati*, c'est comme allumer une lumière dans l'obscurité.

J'ai dû apprendre la voie difficile. J'ai été forcé de me regarder en face en prison. Vous ne pouvez pas fuir dans l'isolement, vous pouvez certainement essayer, mais il n'y a nulle part où aller. Si les membres du Slorc souhaitent profiter de ce que j'ai vu comme un défaut en moi – l'obéissance aveugle – alors je pense qu'ils doivent d'abord vouloir faire ce changement. Il vaut toujours mieux initier votre transformation qu'y être forcé. Mais jusqu'à ce qu'ils fassent preuve d'un réel changement dans leurs méthodes, nous, à la NLD, continuerons de toutes les manières possibles à montrer la démocratie.

AC : Beaucoup de vos amis disent que la sincérité, la gentillesse et le courage sont les qualités qu'ils admirent le plus en vous. Puis-je vous demander comment on développe ces vertus, en particulier la qualité de sincérité – la capacité à être authentique ?

UTO : Eh bien, l'origine de ces qualités n'est pas à la portée de mon entendement. Le plus important pour moi est qu'elles existent et, de ce fait, la meilleure position pour s'y rattacher est dans le moment : ici et maintenant. C'est, vous devez le savoir, le fondement de l'enseignement de notre

Bouddha : l'ici et maintenant. *Ehipasiko* est l'invitation du Bouddha à tous de venir voir pour soi-même la valeur de la recherche de la vérité telle qu'elle apparaît, maintenant. De cette façon je ne m'inquiète pas tant du passé. Donc mon idée de la sincérité est assez simple : soyez sincère, aussi sincère que vous pouvez, c'est tout. La sincérité signifie à mes yeux être franc et ouvert dans vos relations et vos contacts avec les gens. La sincérité signifie aussi que vous devez essayer d'être capable de comprendre les autres. Si vous êtes sur le point de faire du tort à quelqu'un, vous devez considérez ce que vous ressentiriez si ce tort vous était fait à vous. Moins on se préoccupe de soi-même, plus on est sincère avec les autres. Simple.

AC : Comment se fait-il que si souvent le totalitarisme déforme l'identité au point que l'hypocrisie devienne une habitude ?

UTO : Le totalitarisme est un système fondé sur la peur, la terreur et la violence. Si on vit sous un tel système assez longtemps, on devient une partie de celui-ci, souvent sans le savoir. La peur est insidieuse. Et à partir de la peur, on s'adapte facilement et le plus souvent inconsciemment à la peur comme mode de vie, mode d'être. Comme le dit Daw Aung San Suu Kyi, «la peur est une habitude». Bien sûr, en praticien de la méditation, j'ai vu que l'on pouvait rompre les habitudes. Les habitudes peuvent être rompues de bien des manières. La meilleure manière de rompre l'habitude de l'hypocrisie est peut-être de s'associer à des gens sincères. Si l'on ne peut être proche de gens sincères, on doit les écouter de loin. Si on ne peut pas les écouter, on peut lire les propos de gens sincères. Mais pour devenir sincère on doit au moins le vouloir et ainsi, je pense, la sincérité s'épanouira, peu à peu.

AC : Qu'est-ce qui vous a incité à être ordonné moine bouddhiste et à entrer au monastère à l'âge de cinquante-quatre ans ?

UTO : Durant ma première période d'incarcération, de 1976 à 1981, mes conditions de détention étaient rigoureuses, extrêmement rigoureuses. Parfois, quand je repensais à mes affaires, je me sentais plein de ressentiment et d'indignation. J'étais dans un état d'esprit terrible, seul en isolement, et sans personne avec qui discuter. J'étais parfois furieux, vraiment fou. Et je n'étais pas capable de contrôler mon esprit. Je savais très peu de chose sur la méditation à cette époque, et ma foi dans la *dhamma* n'était pas très forte. Vous savez, j'étais formé pour être un soldat, j'étais un combattant.

Et au régime cellulaire, je me sentais comme une bête en cage, enragée. Qui plus est, après mon renvoi de l'armée comme chef d'état-major, j'ai reçu le traitement de quelques mois et c'était tout. Ma pension s'est arrêtée et mon nom a été retiré des annales de l'Histoire de l'armée birmane. On a détruit toutes les photographies et tous les discours de l'époque où j'étais en fonction.

De plus, ils ont décrété que personne ne pouvait plus m'appeler « général », seulement U Tin Oo. En fait, quelqu'un qui m'appellerait par mon titre serait puni. Puis le BSPP a publié un livre cinglant me présentant comme un criminel notoire. En même temps, je pensais à mon épouse et comme il devait être difficile de vivre sans ressources. J'étais sur le point d'exploser. Soudain, j'ai été atteint d'une sévère dysenterie. J'étais plié en deux par les douleurs d'estomac, et ma colère les faisait empirer. La combinaison des deux formes de souffrance, et sans relâche, était terrible. Je m'asseyais sur le sol de ma cellule et j'avais envie de me mettre à pleurer. Eh bien, il se trouve que j'avais apporté avec moi une petite brochure du *sayadaw* de Mahasi sur la méditation par le *vipassana*. J'ai saisi la brochure et j'ai commencé à lire ses instructions sur l'attention ou l'attention pure. Il suggérait que l'on devait simplement être conscient de toutes les expériences telles qu'elles se produisent. Si c'est la douleur, soyez conscient de la douleur. Si c'est la joie, eh bien, ayez conscience de la joie, et ainsi de suite. je me suis donc assis en tailleur sur le sol et j'ai tenté de prendre conscience de la douleur et de la colère. Eh bien, ce fut comme un miracle. Après les dix premières minutes environ, la colère et la douleur ont augmenté. Je me suis dit : «Cela ne fait que créer davantage de douleur.» Mais j'ai tenu bon et au bout d'une heure environ, la colère et la douleur tout simplement ont disparu. Alors vous imaginez ce que j'ai ressenti. J'avais maintenant un ami en prison, moi-même, mon attention. Donc, quand je suis sorti de l'isolement en 1981, j'ai été ordonné au monastère de Mahasi et j'ai appris la méditation sous la conduite d'un professeur. Bien sûr, c'est alors que nous nous sommes rencontrés. Ainsi beaucoup de bonnes choses peuvent venir de moments critiques, si vous êtes attentif.

AC : Pendant les deux ans que vous avez passés au monastère, qu'avez-vous appris qui ait eu sur vous l'influence la plus durable ?

UTO : Que l'attachement nous fait vivre une vie très futile et ennuyeuse, et la valeur du *metta* ou de la bonté. Parce que nous vivons tous jusqu'à un certain point avec l'attachement, et ce *metta* facilite le voyage.

AC : C'est joliment dit… Peut-être pourriez-vous me confier davantage de ce que vous avez appris ?

UTO : Eh bien, le bouddhisme est très démocratique, n'est-ce pas ? L'idée que les membres de la *sangha* se parlent et admettent leurs erreurs, en particulier dans la cérémonie du *pavarana* qui a lieu à la fin de la retraite des pluies, est une idée très démocratique. Dans l'armée vous apprenez à être obéissant à l'autorité, tandis que moine vous apprenez l'obéissance à la vérité. Moines, vous parlez entre vous, vous admettez vos erreurs ouvertement, et vous reconnaissez les différences avec respect et dignité.

AC : Comment estimez-vous que la *sangha* en Birmanie pourrait jouer un rôle plus actif dans le soutien à la lutte pour la démocratie ?

UTO : La *sangha* a la responsabilité de la santé et du bonheur de ses disciples laïcs. Dans ces circonstances où les gens sont si pauvres et si malheureux, où ils supportent des souffrances à la fois physiques et mentales, la *sangha* a le devoir de parler franchement et de défendre ses disciples. Ils ne peuvent pas se contenter d'ignorer ce qui se passe. Ils doivent soutenir tout ce qui doit être fait pour apporter la santé et le bonheur, c'est-à-dire le bien-être mental et physique. Si la démocratie doit être acquise en Birmanie, c'est le devoir de chacun d'apporter son aide, y compris les moines et les nonnes. Tout le monde doit participer, je ne dis pas fournir une grosse part, mais beaucoup de petites parts font une grande différence. C'est ce que nous voulons des gens. Que petit à petit le mouvement prenne de l'ampleur et de l'importance, jusqu'à ce qu'on ne puisse plus l'arrêter.

AC : Et en particulier, quand vous parlez le week-end à la foule ?

UTO : Nous évoquons «la répression et le malheur» du peuple. Que les gens soient trop effrayés pour parler ouvertement ou pour faire ce qu'ils veulent faire, ce n'est pas conforme aux enseignements du Bouddha. Qu'ils soient tellement inhibés par la peur, cela va à l'encontre des enseignements du Bouddha. Le Bouddha nous a appris à affronter notre peur.

C'est possible de plusieurs manières. La première consiste à dire non, je ne vais pas être contrôlé par la peur. Puis dire oui, je ferai ma part pour apporter la démocratie dans mon pays. L'absence de peur doit devenir une habitude.

AC : Aung San Suu Kyi a appelé la lutte pour la démocratie une révolution de l'esprit, disant : «… Un peuple qui veut construire une nation dans laquelle des institutions démocratiques fortes sont fermement établies comme garantie contre le pouvoir venant de l'Etat doit d'abord apprendre à se libérer l'esprit de l'apathie et de la peur.» Vous qui vous êtes engagé au combat, qui avez vu la mort, qui avez tué et été blessé à de nombreuses reprises, vous qui avez été traité d'une façon inhumaine en prison et avez connu des conditions de vie très dures, j'aimerais vous demander comment on apprend à «se libérer l'esprit de la peur», autrement qu'en s'engageant à long terme dans la pratique de la méditation bouddhiste?

UTO : Vous pourriez penser que c'est une simplification extrême mais je crois que pour surmonter la peur on agit malgré la peur. Vous agissez et vous affrontez les conséquences, car si vous savez que quelque chose est juste alors vous devez le faire. En outre, plus on agit avec courage, plus on en prend l'habitude. Comme l'attention dans la méditation. Au début on essaie d'être attentif. Plus tard, quand on essaie encore, l'attention intervient naturellement, elle nécessite moins d'effort, elle devient une habitude aussi.

AC : Vous arrive-t-il de penser que vous aimeriez quitter le monde explosif de la vie politique birmane et retourner à l'existence calme et paisible d'un moine dans un monastère ? Qu'est-ce qui vous fait poursuivre la lutte ?

UTO : Je ne pourrais jamais renoncer, sinon je me sentirais lâche. Qu'est-ce qui me fait poursuivre la lutte ? Mon amour de la liberté. Qu'y a-t-il d'autre dans la vie ?

AC : Vous avez tué des hommes au combat. Vous avez ordonné à des dizaines de milliers d'hommes sous votre commandement de «détruire l'ennemi sans merci». Maintenant vous épousez la «non-violence», non seulement comme tactique politique dans votre lutte pour la démocratie, mais même plus généralement comme un mode de vie, un mode d'être. Question directe : êtes-vous engagé dans la non-violence ?

UTO : Je ne suis pas une personne cruelle ou qui prend plaisir à la violence. Si j'ai combattu et tué, c'était mon devoir de soldat. Je traitais l'ennemi avec respect. Les captifs ou ceux du camp ennemi en position de faiblesse, nous les nourrissions et nous les servions comme s'ils étaient nos propres hommes. Je crois que les gens doivent faire preuve d'indulgence et abhorrer la violence. Pour moi la non-violence est une philosophie et à l'origine de cette philosophie il y a l'absence de violence et la compassion. A quoi bon blesser les gens quand vous pouvez atteindre votre but pacifiquement ? Ce sera peut-être plus long, qui peut le dire ? Mais vous garderez votre dignité en vivant sans violence. Quand on pratique la non-violence, on ne peut jamais être vaincu, en réalité. En bouddhiste, je crois fermement que l'on est soi-même son propre ennemi ou ami. C'est très bouddhiste, le monde naît de l'esprit. Voyez-vous, je veux voir la démocratie avant de mourir, je veux voir la démocratie pour mon peuple avant qu'il ne meure aussi, mais si l'on atteint la démocratie par tout autre moyen que la non-violence, ce n'est pas une démocratie à laquelle je souhaite participer. Lorsque j'ai lu quelques mots de Jésus en prison, je me suis dit immédiatement que cet homme était très bouddhiste. Il savait très bien que l'amour est le plus grand pouvoir sur terre. Je n'aime pas beaucoup cette vieille idée d'œil pour œil, dent pour dent. Je trouve cela plutôt barbare.

AC : Vous cherchez une réconciliation authentique avec le Slorc, ce qui équivaut à lui pardonner ses atrocités. Comment apprend-on à pardonner à l'oppresseur ? Une certaine forme de justice n'est-elle pas nécessaire pour pardonner de façon authentique ?

UTO : Sur cette question, je ne peux pas parler au nom des autres. Je ne peux pas dire au peuple : «Pardonnez au Slorc, ou pardonnez aux autorités. Pardonnez-leur leurs atrocités.» Je ne serais pas honnête du tout si je disais cela, ce serait un mensonge, parce que dans mon pays beaucoup de gens ont souffert et beaucoup d'autres continuent de souffrir quotidiennement. Alors pardonner au Slorc à ce stade n'est pas la question. Il faut de la compassion. Ce sont les gens du Slorc qui doivent éprouver de la compassion. S'ils pouvaient éprouver de la compassion, ils pourraient voir que ces atrocités font beaucoup de mal aux gens. Maintenant laissez-moi vous dire, la compassion et le pardon sont assez différents. Pour pardonner, on doit être courageux, on ne doit pas chercher vengeance ou entretenir des idées de colère contre son oppresseur. Sinon ce n'est pas le pardon du tout, vous ne pouvez pas pardonner à quelqu'un et en même temps vouloir lui faire du mal. C'est pourquoi je dis que la compassion est plus importante à ce point, parce qu'il y a beaucoup de gens en Birmanie qui sont en colère, qui se sentent blessés et n'aiment pas les autorités. Evidemment, c'est compréhensible. Mais je peux dire aux gens que si nous avons de la compassion pour eux nous resterons propres pour continuer notre lutte jusqu'au moment où ils verront que vraiment nous ne voulons pas leur causer du tort. Mais dire à notre peuple de pardonner au Slorc, ce serait omettre une étape essentielle. La compassion est ce dont nous avons besoin.

AC : La peur est manifestement ce qui mène le Slorc à ce stade. Et c'est peut-être la peur du châtiment du peuple s'ils devaient transmettre le pouvoir à la NLD. Comment pouvez-vous gagner la confiance du Slorc pour apaiser cette peur qu'ils éprouvent ? Certains d'entre eux doivent craindre pour leur vie.

UTO : Eh bien, que certains d'entre eux craignent pour leur vie est peut être une bonne chose. Cela peut indiquer qu'en fait ils ont des sentiments. Cela peut leur montrer, au cas où ils choisiraient de la voir, que cette «peur» qu'ils vivent est identique à la «peur» qu'ils ont suscitée chez les gens. Ils peuvent sentir à quel point cette peur est désagréable. La peur est désagréable, n'est-ce pas ? Personne n'aime vivre dans la peur. Mais c'est l'affaire de chacun de se charger de cette peur. Les gens du Slorc, ils peuvent s'occuper de leur peur en écoutant les propos qui les encouragent à poser les armes et à mettre fin à leurs atrocités. Le peuple en serait très heureux. D'un coup leur peur se dissiperait. Alors nous serions sur la voie du pardon. Les Birmans sont très indulgents, ils le savent.

Mais ils doivent agir de telle manière que nous puissions vouloir leur pardonner. Cela ne doit pas et ne peut être à sens unique. Il ne suffit pas que nous gagnions la confiance du Slorc, ils doivent gagner notre confiance. Ils doivent nous montrer, ainsi qu'au pays entier, qu'ils méritent le pardon.

AC : Donc vous, un des principaux dirigeants de la lutte pour la démocratie, vous êtes prêt à pardonner aux autorités du Slorc, tout de suite ? Sans condition ?

UTO : Si je peux m'asseoir à la table avec les autorités et discuter de nos différences sans condition préalable, sans idées de colère, sans l'exigence d'affirmer notre point de vue comme le seul et unique moyen de faire sortir le pays du désordre dans lequel il se trouve ? Certainement !

Mais je ne peux pas dire dès maintenant que je serai capable de pardonner au Slorc. Cela dépendra de la manière dont ils démontreront leur sincérité. De même que je ne peux pas m'asseoir et m'ordonner d'atteindre l'illumination, je ne peux pas m'asseoir et m'ordonner de leur pardonner. C'est pourquoi la sincérité est ce qui compte le plus dans l'immédiat. Je me sens sincère quand je vous dis que je ne souhaite pas de mal au Slorc. Mais je ne suis pas du tout prêt à ou capable de leur pardonner, pas encore ! J'aimerais… mais je l'ai dit, ils doivent nous montrer quelque chose qui est pardonnable. Actuellement, je ne vois rien que belligérance et de plus en plus de répression. C'est ma façon de vous dire que je suis ordinaire. En outre, si j'affirmais que je suis prêt à pardonner au Slorc, ils ne me croiraient pas. Et ce ne serait pas honnête. Voilà tout.

AC : Pourquoi estimez-vous que le Slorc ne veut pas ouvrir le dialogue avec vous et les autres dirigeants de la NLD ? Deuxièmement, le Slorc ouvrira-t-il jamais le dialogue avec la NLD ? Tout indique qu'ils veulent vous écraser.

UTO : C'est très simple. Quand on tient quelque chose

qu'on ne veut pas lâcher – le pouvoir – on s'acharne à s'accrocher à ce pouvoir jusqu'à ce qu'on meure avec ce pouvoir et que par conséquent on le perde dans la mort, ou bien on voit que ce pouvoir n'est rien sans respect envers le peuple que l'on pense avoir le pouvoir de contrôler. Donc tout cela nous ramène au *moha* – l'illusion. Le vrai pouvoir prend sa source dans la compassion, pas dans l'ignorance. La *dhamma* comme la démocratie doit avoir le bien-être des êtres humains pour priorité. Et bien sûr, la peur compromet les sentiments de compassion. Quand les gens du Slorc apaiseront un peu leur peur, ils dialogueront avec nous. J'en suis tout à fait sûr. Même s'ils disent aujourd'hui qu'ils ne dialogueront pas avec la NLD, eh bien... ils pourraient demain... ils changent d'avis tout le temps.

De même toute cette pression quand ils affirment qu'ils vont nous «écraser». On ne peut pas écraser la vérité. Ils ne peuvent pas non plus écraser la population entière. Le peuple birman veut la démocratie, c'est clair. Même le Slorc dit qu'il veut la démocratie. Alors toute cette entreprise de répression n'est pas très démocratique, n'est-ce pas? Se parler est démocratique, écouter l'autre est démocratique. La démocratie consiste à apprendre de l'autre, et de là nous grandissons tous, notre pays prospère. La répression est *adhamma,* c'est-à-dire qu'elle est complètement opposée au bien-être des êtres humains.

AC : Les quatre-vingt-trois délégués de la NLD ont maintenant tous quitté la fameuse Convention nationale. Pourquoi cette initiative du Slorc a-t-elle été qualifiée, par la plupart des nations démocratiques dans le monde, de termes aussi peu flatteurs que «bidon, parodie ridicule de processus démocratique, imposture, et fantastique supercherie»?

UTO : Les étiquettes données à la Convention nationale par des nations démocratiques sont appropriées, mais elles ne vont pas assez loin pour décrire fidèlement la vérité. Les propos et le comportement du Slorc démontrent largement leur malhonnêteté. Tout d'abord, ils n'ont pas tenu leur promesse, après les élections de 1990, de passer le pouvoir à une assemblée légitimement élue. Ils ont annulé les résultats des élections dans lesquelles bien sûr, nous, la NLD, avons remporté une victoire écrasante. Au lieu de cela, ils ont emprisonné la grande majorité des candidats victorieux de la NLD qui avaient obtenu des sièges, et dont certains sont morts en prison. Puis ils ont publié une notification à la veille de notre conférence au Gandhi Hall au cours de laquelle nous leur avons demandé de respecter leur promesse et de convoquer l'assemblée parlementaire. Cette notification, connue comme 1/90, exposait leur changement de politique quant au but de la Convention nationale. Le but nouvellement proclamé par le Slorc était de prêter assistance aux représentants élus. Evidemment personne n'avait besoin de leur assistance, c'était simplement une façon pour eux de s'accrocher au pouvoir. Sous la menace de dissolution du parti, les dirigeants de la NLD furent contraints de s'engager par écrit à accepter les termes de la notification 1/90. A contrecœur, certains ont préféré s'exiler à l'étranger. D'autres qui étaient restés ont été arrêtés, condamnés sous des charges diverses et emprisonnés. De nouveau, plusieurs ont été torturés alors qu'ils étaient en prison, tandis que beaucoup d'autres sont encore emprisonnés actuellement. Vous voyez donc sur quelles bases la Convention nationale du Slorc a été convoquée...

AC : C'est manifestement plus qu'une imposture...

UTO : La composition actuelle de la Convention

nationale du Slorc est absurde, elle est ridicule. Ce n'est même pas une convention. Cela ressemble plutôt à leur cour martiale, simplement elle porte un nom différent. Il y a une seule méthode, la méthode du Slorc. Elle est illégale et n'a absolument rien à voir avec les principes démocratiques. Sur les sept cents députés environ, seule une centaine a été dûment élue. Tous les autres ont été triés sur le volet par le Slorc. Le président de la convention est un général du Slorc. Les membres de la commission de surveillance de la convention sont tous des délégués du Slorc. La NLD majoritaire n'a été autorisée à envoyer que quatre-vingts députés, alors que nous avions gagné trois cent quatre-vingt-douze sièges. Les membres devaient discuter de six principes fondamentaux qui étaient arrangés à l'avance, déjà fixés. Parmi ceux-ci, ce qui domine est que les militaires devront tenir le rôle politique principal dans la nation. C'est la plus flagrante violation de la démocratie et cela a été fait dans l'intention d'établir une hégémonie éternelle et totale du «régime militaire» sur l'administration civile. Cette convention est une tentative pour conserver pieusement le totalitarisme sous le voile de la démocratie.

AC : Mais qu'est-ce que toute cette rhétorique du Slorc affirmant *ad nauseam* qu'ils se dirigent vers une démocratie pluripartite, alors que tous leurs actes vont totalement à l'encontre de ce processus? A qui s'adressent-ils quand ils tiennent ces propos?

UTO : Vous en savez autant que moi. Est-ce aux milieux d'affaires étrangers qui peut-être veulent investir en Birmanie? Est-ce de l'aveuglement? Est-ce que le Slorc sait que le peuple birman veut la démocratie tout en espérant que les gens sont assez stupides pour ne pas remarquer leurs mensonges ? Sont-ils tellement coupés de la réalité qu'ils pensent vraiment que le totalitarisme est en fait la démocratie ? Est-ce de la pure arrogance ? Nous ne savons pas s'ils croient réellement dans la démocratie pluripartite ou non. Il est impossible de savoir, en réalité. Mais ce que nous savons et, comme vous le voyez, ce qu'ils font, n'est pas en accord avec ce qu'ils disent. A partir de cette observation, on peut aisément affirmer que c'est de l'hypocrisie.

AC : Entre autres nombreuses qualifications, vous êtes avocat. Vous dirigez le Comité d'assistance juridique de la NLD dont le but est de soutenir et de conseiller des individus qui ont été arbitrairement arrêtés, jugés et emprisonnés par les autorités du Slorc. Question en deux parties : pouvez-vous présenter quelques cas récents d'arrestations arbitraires par le Slorc, et quels droits les inculpés ont-ils, si tant est qu'ils en aient, dans un tribunal du Slorc ?

UTO : C'est simple, il n'y a aucun droit et il y a de nombreuses arrestations arbitraires. Je vous ai déjà raconté mon procès. Voici l'idée que le Slorc se fait de la justice : on se lève. On écoute la sentence. On entend sa condamnation. On va en prison.

AC : Et c'est la même chose partout, pour tout le monde ?

UTO : Cela peut être pire que cela. Directement en prison sans même un procès bidon. Comprenez cela, je vous en prie, la Birmanie aujourd'hui sous le régime du Slorc n'a pas de droit. Il n'y a pas de droits de l'homme. Nous sommes en état de siège ! On peut être arrêté à tout moment, pour n'importe quelle raison. Des gens ont été arrêtés pour avoir mis des fleurs sur la tombe de la mère de Daw Aung San Suu Kyi. Des gens ont été arrêtés pour avoir regardé chez eux sa vidéo. Des gens sont arrêtés tout le temps parce qu'ils refusent de «trimer» pour le Slorc quand il organise des rafles pour le «travail forcé». C'est pourquoi Daw Aung San Suu Kyi ne cesse de répéter : «Que le monde sache que nous sommes prisonniers dans notre propre pays.» Elle n'exagère pas, c'est une prison dans la prison.

AC : Mais pouvez-vous exposer quelques cas concrets d'arrestations arbitraires ?

UTO : Bien. Je vais vous citer quelques cas. Un homme, U Kyi Sang, lisait récemment un compliment lors de la cérémonie d'anniversaire du Nouvel An karen, avec le consentement du président du comité d'organisation pour cet événement. Cette déclaration exprimait simplement des souhaits et des compliments, et l'espoir de prospérité dans les années à venir. Pour avoir lu cette déclaration, U Kyi Sang a été arrêté et détenu vingt-quatre heures sans être présenté devant le magistrat. Quand son affaire est passée devant le juge, il n'a pas eu le droit d'être assisté d'un conseil pour sa défense. Après une forte pression de la part du «groupe d'assistance juridique de la NLD» de sa commune, un conseil lui a été accordé. U Kyi Sang est mort en détention en mai 1996 en attente de sentence.

Dans une autre affaire récente, un professeur avait fait écouter chez lui à des amis la Voix de l'Amérique et la BBC. Lors de son procès, il n'a pas été assisté par un conseil. Il a été condamné à deux ans d'emprisonnement rigoureux. Sa famille a été menacée par les autorités, à tel point qu'elle n'ose pas s'adresser à notre groupe d'assistance juridique de la NLD pour éventuellement faire appel de la sentence. Un autre cas, datant de janvier 1996, concerne U Thein Tun et deux autres personnes. Ils ont envoyé un poème de condoléances à la famille du défunt U Tin Maung Win, qui a été torturé à mort en prison. Notre groupe d'assistance juridique pour la division de Rangoon a déjà trouvé des avocats pour ces hommes mais nous ne pouvons même pas localiser leur lieu de détention. Les autorités ignorent simplement toute requête en ce sens.

Dans une autre grosse affaire qui s'est produite à la fin de novembre de l'année dernière, U Win Tin, un membre du Comité exécutif de la NLD, et vingt-huit autres, qui tous purgent de longues peines à la prison d'Insein, ont été accusés d'avoir envoyé une lettre à la Commission des droits de l'homme des Nations unies, expliquant les conditions de vie déplorables de tous les prisonniers politiques. Ils viennent d'être reconnus coupables et condamnés à des peines de prison additionnelles de cinq à douze ans.

AC : Récemment le Slorc a passé un accord avec le citoyen birman Khun Sa, mieux connu des étrangers comme le plus célèbre baron de la drogue du monde, fournisseur de 60 % de l'héroïne consommée dans le monde, quelque chose comme deux mille tonnes pour la seule année dernière. Cela représente beaucoup d'argent, beaucoup de crimes, et beaucoup de morts. Le mois dernier le Slorc a publiquement diffusé sur sa station de télévision des scènes telles que les généraux serrant la main de Khun Sa, assistant avec lui aux banquets, donnant à son armée de treize mille hommes de l'argent pour «rentrer dans le bercail de la légalité», selon l'expression du Slorc. Et récemment, on a rapporté qu'il s'était installé à Rangoon. Pouvez-vous, je vous prie, clarifier l'histoire qui se cache derrière la façade du Slorc?

UTO : Que voulez-vous savoir, n'est-ce pas déjà évident pour vous?

AC : Eh bien, j'ai mon opinion, mais si je puis me permettre, j'aimerais entendre la vôtre.

UTO : Vous l'avez dit, la production d'héroïne a augmenté chaque année depuis que le Slorc a pris le pouvoir en 1988. Cet augmentation a eu lieu alors que le Slorc était en guerre contre Khun Sa. Maintenant qu'il a fait la paix avec le Slorc, nous devons attendre et voir quelle quantité d'héroïne sort de ces régions qui sont désormais «entièrement sous le contrôle» du Slorc. On pourrait penser que le commerce d'héroïne sera complètement éradiqué maintenant que Khun Sa est «rentré dans le bercail légal». Le Slorc ne veut peut-être pas que la vérité de l'affaire Khun Sa éclate.

AC : Il y a des violations des droits de l'homme dans le monde entier et il y a également des hommes et des femmes qui se battent courageusement contre les injustices, certains avec des méthodes non violentes, d'autres par la violence. Vous, monsieur, êtes unique, un ex-général de l'armée qui a passé deux ans comme moine bouddhiste dans un monas-tère à pratiquer la méditation. Vous conseillez Aung San Suu Kyi, lauréate du Nobel de la paix, et travaillez avec elle, et vous avez été emprisonné des années parce que vous avez eu le courage de dire la vérité. Vous êtes un combat-tant de la liberté, un dissident politique chevronné. Puis-je vous demander quels seraient vos conseils aux autres dissi-dents qui partout dans le monde luttent pour la démocratie, la dignité et les libertés fondamentales dans leur propre pays ?

UTO : J'ai vu d'une part que les systèmes dictatoriaux sont contrôlés par un homme. Et lorsque tant de pouvoir est concentré aux mains d'une seule personne, la défiance devient à la fois mortelle et psychotique. Tandis que la peur et la terreur envahissent ces sociétés, les gens perdent leur sens de la dignité et leur force. Progressivement ils se laissent mourir sous l'immense pression de la peur. Donc je peux dire avec assurance que toute forme de régime autoritaire, toute forme de régime totalitaire, toute forme de gouvernement autre que celui choisi par le peuple et pour le peuple, est en soi préjudiciable au bien-être de ces sociétés.

Les violations des droits de l'homme et la perte des libertés civiques fondamentales sont naturelles quand un individu, un chef, est saisi de folie. Donc, à ceux qui luttent pour la justice dans leur pays, je conseillerais en tout premier lieu de faire tout ce qui est en leur pouvoir pour conserver calme et équilibre, et de travailler systématiquement pour atteindre leurs objectifs. J'en suis venu à considérer la non-violence comme le meilleur moyen possible de travailler à nos objectifs en Birmanie. Mais je vis selon la voie du Bouddha, qui est ma voie, je ne peux pas dire que les autres doivent suivre ma voie… Mais la voie du Bouddha est celle de l'absence de violence. Je peux seulement affirmer ce que je crois. La non-violence est peut-être la route la plus lente mais je pense qu'à long terme les résultats sont plus solides que si l'on atteint la victoire par des moyens violents. A cet égard, patience et persévérance vont de pair. La colère est une réponse facile à toutes les formes de cruauté. Je l'ai constaté en moi. Mais en étant patient je pense que l'on peut à temps s'apaiser et se remettre au travail concret.

Enfin, je dirais que la compassion est ce dont nous tous avons le plus besoin au monde. Que vous soyez un militant des droits de l'homme ou un dirigeant despotique. Nous pouvons toujours trouver des moyens d'être plus compatissants. Grâce à notre compassion, je pense que le monde sera bien meilleur pour élever la prochaine génération et ses enfants. Nous luttons aujourd'hui pour un monde libéré de la peur.

Ce faisant, nous devons nous efforcer de libérer notre propre cœur de la peur. Nous devons tous essayer.

AC : Comment les gens ordinaires dans le monde peuvent-ils vous soutenir et aider le peuple birman dans sa lutte pour atteindre une démocratie authentique ?

UTO : Je pense que si quelqu'un souhaite soutenir notre cause il peut le faire de diverses manières, petite ou grande, ce n'est pas vraiment le problème. L'essentiel est peut-être de réfléchir d'abord sur le caractère précieux de la liberté pour toutes les créatures vivantes. Personne n'aime se sentir en insécurité. Personne n'aime souffrir. Tout le monde souhaite vivre heureux. En Birmanie, nous luttons en ce moment même pour ces qualités. Si quelqu'un souhaite nous aider dans ce combat, qu'il commence par refuser d'acheter les produits, quelle que soit l'entreprise qui les fabrique, qui participent au commerce de la Birmanie. Qu'il commence par là, et si ce faisant il sent qu'il veut faire davantage, je pense que la prochaine étape ira de soi.

AC : Monsieur, si jamais vous étiez de nouveau arrêté et emprisonné, détenu au secret, aimeriez-vous transmettre quelques mots à ceux qui continueront à poursuivre la lutte pour la démocratie ?

UTO : Si je suis de nouveau arrêté, si Daw Aung San Suu Kyi est de nouveau arrêtée, ou si U Kyi Maung est de nouveau arrêté, ou tout autre membre du Comité exécutif de la NLD, je vous en prie, rappelez-vous que c'est «vous» qui devez poursuivre la lutte pour la démocratie et ne pas dépendre de nous. Nous poursuivrons à notre manière de la prison, mais c'est vous qui devez vous donner la main et maintenir la vision jusqu'à ce qu'elle ait triomphé. Je vous en prie, ne renoncez pas.

AC : Y a-t-il quelques mots pour terminer que vous aimeriez dire au peuple du monde ? Quelque chose que vous
aimeriez lui demander ?

UTO : Le Bouddha a dit que la bonne amitié était l'un des
plus grands cadeaux dans la vie. Dans notre lutte pour la
démocratie en Birmanie, nous avons besoin de nouveaux
bons amis. Les gens qui chérissent la liberté et désirent nous
aider gagnent notre amitié.

GLOSSAIRE

Ahimsa : absence de violence.

Ananda : serviteur du Bouddha.

Anatta : conception bouddhiste du vide et des corrélations.

Angulimala : assassin légendaire, au temps du Bouddha.

Anicca : impermanence.

Arahant : illuminé.

Bodhisattva (ou Bodhisatta) : être qui s'efforce de devenir un Bouddha.

Bouddhisme *mahayana :* courant du bouddhisme pratiqué principalement au Tibet et dans d'autres pays de l'Himalaya, de même qu'au Vietnam, au Japon et dans une certaine mesure en Chine.

Bouddhisme *theravada :* enseignement des anciens ; pratiqué en Birmanie, en Thaïlande, au Cambodge, au Laos et au Sri Lanka.

Cetena : intention droite.

Chanda : désir ou intention.

Citta : attitude droite.

Dana : don, générosité.

Dhamma : enseignements du Bouddha.

Dukkha : souffrance.

Gaungzamggyi : grand dirigeant.

Kusala : actes salutaires.

Metta : amour, bonté.

Metta Sutra : un discours du Bouddha.

Moha : ignorance, illusion.

Mudita : joie bienveillante.

Musavada : ce qui n'est pas vrai.

Panna : sagesse.

Samsara : l'existence dans sa totalité, le tourbillon de la vie.

Sangha : ordre des moines et des nonnes.

Sati : attention.

Sayadaw : moine supérieur.

Vinaya : discipline monastique bouddhiste.

Vipassana : pénétration, perspicacité.

Viriya : effort, persévérance.

Table

Chronologie.. 9

INTRODUCTION, par Alan Clements...................................... 11

I. Nous sommes toujours prisonniers dans notre
    propre pays….. 25

II. Il est de mon devoir de dire ce qui doit l'être.... 49

III. La vérité est une arme puissante… 67

IV. La corruption est endémique…........................... 87

V. Je contemple ma mort… 109

VI. Le peuple ne continuera pas indéfiniment à
     accepter l'injustice….. 125

VII. Les saints sont des pêcheurs qui persistent
à essayer….. 149

VIII. «Je n'ai jamais appris à haïr mes geôliers…»..... 165

IX. La violence n'est pas la bonne voie… 183

X. Personne d'autre que moi ne peut m'humilier… 201

XI. «Nous ne pouvons compter que sur nous-
mèmes…».. 217

XII. Le peuple birman veut la démocratie…............. 237

XIII. Apprendre le pouvoir des sans-pouvoir 255

U Kyi Maung
Vice-président de la Ligue nationale pour
la démocratie... 273

U Tin Oo
Vice-président de la Ligue nationale pour
la démocratie... 319

Glossaire.. 371

Composition In Folio

Impression réalisée sur CAMERON par
BRODARD ET TAUPIN
La Flèche

pour le compte des Éditions Stock
23, rue du Sommerard, Paris V^e
en octobre 1996

Imprimé en France
Dépôt légal : Novembre 1996
N° d'édition : 8199 – N° d'impression : 948Q-5
54-07-4731-01/3
ISBN : 2-234-04731-5